BIOESTATÍSTICA

C157a   Callegari-Jacques, Sidia M.
         Bioestatística: princípios e aplicações / Sidia M.
    Callegari-Jacques. – Porto Alegre : Artmed, 2003.

         ISBN 978-85-363-0092-4

         1. Medicina – Dados biológicos - Estatística. I. Título.

         CDU 616-001/.995.1:31

Catalogação na publicação: Mônica Ballejo Canto – CRB 10/1023

SIDIA M. CALLEGARI-JACQUES

Doutora em Ciências pelo Programa de Pós-Graduação em Genética
da Universidade Federal do Rio Grande do Sul (UFRGS).
Professora do Departamento de Estatística do Instituto de Matemática da UFRGS.
Professora dos Programas de Pós-Graduação em Genética
e Biologia Molecular e em Medicina da UFRGS.

BIOESTATÍSTICA
PRINCÍPIOS E APLICAÇÕES

Reimpressão 2008

2003

© Artmed Editora S.A., 2003.

Capa:
Gustavo Macri

Preparação de originais:
Maria Rita Quintella

Leitura final:
Manoel Weinheimer

Supervisão editorial:
Letícia Bispo de Lima

Editoração eletrônica:
AGE – Assessoria Gráfica e Editorial Ltda.

Reservados todos os direitos de publicação, em língua portuguesa, à
ARTMED® EDITORA S.A.
Av. Jerônimo de Ornelas, 670 - Santana
90040-340 Porto Alegre RS
Fone (51) 3027-7000 Fax (51) 3027-7070

É proibida a duplicação ou reprodução deste volume, no todo ou em parte,
sob quaisquer formas ou por quaisquer meios (eletrônico, mecânico, gravação,
fotocópia, distribuição na Web e outros), sem permissão expressa da Editora.

SÃO PAULO
Av. Angélica, 1091 - Higienópolis
01227-100 São Paulo SP
Fone (11) 3665-1100 Fax (11) 3667-1333

SAC 0800 703-3444

IMPRESSO NO BRASIL
PRINTED IN BRAZIL

Ao Prof. Dr. Edgar Mário Wagner, por seu pioneirismo no ensino da bioestatística no Rio Grande do Sul.

Prefácio

Este livro começou a ser escrito quando eu era aluna do Dr. Edgar Mário Wagner, professor do Departamento de Estatística, do Instituto de Matemática da Universidade Federal do Rio Grande do Sul (UFRGS). Estávamos na década de 1970, e eu me encontrava em plena fase de análise de dados para a elaboração de minha dissertação de mestrado. Fascinada pelas aulas desde o início, observava que os conteúdos aplicavam-se direta e imediatamente aos resultados que eu obtinha no laboratório e que muito pouco, em biologia experimental, podia ser concluído sem o suporte de uma ferramenta que mensurasse a probabilidade de erro das conclusões.

Posteriormente, tornei-me colaboradora do Prof. Wagner e professora de bioestatística e, com base em minhas anotações e em seus roteiros de aula, preparei um texto para nossos alunos. A primeira versão deste texto chamou-se "Notas de aula de bioestatística", e ambos éramos os autores. O primeiro texto foi revisto e ampliado inúmeras vezes, recebendo sugestões de estudantes e de profissionais que cursaram a disciplina nos cursos de graduação e de pós-graduação da UFRGS, assim como de colegas professores que o usaram em aula. Quando, incentivada por essas pessoas, eu finalmente me decidi a publicá-lo na forma de livro, convidei o Prof. Wagner para me auxiliar a revisar as "Notas", mas, nessa época, ele já estava bastante doente e infelizmente faleceu antes de colaborar na versão que ora estou apresentando.

Este livro tem como estrutura básica a forma didática que o Prof. Wagner utilizava para apresentar os vários tópicos, a qual foi sendo modificada, com o passar dos anos, pela minha maneira de ver a estatística e suas aplicações, sobretudo nas ciências biológicas e na medicina. Na sua elaboração, procurei seguir o tom da simplicidade, apresentando e usando os conceitos de maneira informal, em vez de seguir o rigor matemático encontrado em muitos livros de estatística. Aqui, pouca ênfase é dada a cálculos complexos, e tudo o que o leitor necessita saber, basicamente, são as quatro operações aritméticas fundamentais. Algumas vezes será necessário utilizar raízes quadradas e logaritmos, mas esses podem ser facilmente obtidos usando-se máquinas de calcular simples. Muitos cálculos e gráficos podem ser feitos por meio de planilhas eletrônicas, e pacotes estatísticos especializados foram desenvolvidos para o uso em pesquisa científica. No entanto, é minha opinião que o usuário desses programas deve passar inicialmente por uma fase de treinamento básico, no qual a análise dos dados deve ser feita de forma manual. Considero essa fase imprescindível para o domínio dos procedimentos e para o conhecimento das operações realizadas em uma técnica estatística, das suas restrições e das conclusões possíveis.

A maior parte dos exemplos usados neste texto foi obtida de trabalhos de pesquisa desenvolvidos por brasileiros, com ênfase na produção dos pesquisadores do Rio Grande do Sul. A escolha desses trabalhos seguiu o critério simples de propiciar uma situação didática a mais familiar possível às pessoas interessadas em ciências da vida, sem entrar no mérito da relevância científica.

Este livro é dedicado ao Prof. Dr. Edgar M. Wagner, por sua contribuição ao aprimoramento da metodologia científica em nosso meio. O Prof. Wagner, dentista e matemático, pesquisador e professor, introduziu a disciplina de bioestatística no curso de medicina da UFRGS e a ministrou, pela primeira vez, em 1959. Com a posterior criação de vários programas de pós-graduação na UFRGS, passou a ensinar bioestatística também nestes cursos e a auxiliar mestrandos, doutorandos e pesquisadores, principalmente das ciências biológicas e médicas, na análise de seus dados. A maneira simples e clara com que apresentava os conteúdos diluía a impressão de que a bioestatística envolvia conhecimentos excessivamente matemáticos e mostrava que seus métodos são ferramenta útil na solução dos problemas de pesquisa. Graças à sua postura pedagógica, o Prof. Wagner conquistou inúmeros alunos, que se tornaram amigos, admiradores e seguidores, propagando o interesse pela bioestatística na veterinária, nas ciências biológicas, na medicina, farmácia, enfermagem e nas ciências do esporte. No Departamento de Medicina Social da UFRGS, seu filho, o professor Mário Bernardes Wagner, é um entusiasta defensor da estatística como metodologia imprescindível na realização de trabalhos científicos.

A elaboração deste livro contou com o auxílio de várias pessoas. Agradeço aos colegas do Departamento de Estatística da UFRGS, em especial, os professores Álvaro Vigo, Ana Maria R. Fonseca, Carlos A. Crusius, Jandyra M. G. Fachel, João Riboldi e Marilene Bandeira, e aos estatísticos Nara F. M. Laner e Mathias A. B. Bressel pela revisão crítica. Também sou grata ao professor Mário B. Wagner pelo incentivo e comentários pertinentes, aos nossos alunos de graduação e pós-graduação, especialmente Lauren L. Zamin, por apontarem correções a serem feitas, e à Talita Armborst, pela elaboração das tabelas em Excel©.

Espero que a forma de apresentação dos conceitos neste livro seja clara o suficiente para o entendimento de todos e que os tópicos abordem adequadamente os conteúdos essenciais para um curso introdutório de bioestatística. A correção de erros que eventualmente ainda existirem, bem como sugestões, serão bem-recebidas.

Sidia M. Callegari-Jacques

Símbolos e abreviaturas

$\longmapsto$: intervalo aberto à direita
α : nível de significância; probabilidade de erro do tipo I
α_{Bonf} : nível de significância corrigido pelo procedimento de Bonferroni
β : probabilidade de erro do tipo II
χ^2 : símbolo da estatística qui-quadrado
ε : resíduo ou erro; diferença entre o valor observado e o esperado pela equação da reta
μ : média aritmética de uma população de dados
ν : usado às vezes para representar graus de liberdade
ρ : coeficiente de correlação populacional
σ : desvio padrão em uma população de dados
σ^2 : variância em uma população de dados
$\sigma(\bar{x})$: desvio padrão para médias ou erro padrão da média
Σ : somatório; soma
∞ : infinito

A : parâmetro ou coeficiente linear em uma equação de reta; "altura" da reta verdadeira
a : amplitude de variação; coeficiente linear estimado de uma reta
A, B, C, D : freqüências observadas em uma tabela de contingência 2×2
B : parâmetro ou coeficiente angular em uma equação de reta; coeficiente de regressão populacional
b : coeficiente de regressão estimado de uma reta
C : região de não-significância; termo de correção usado em algumas fórmulas; número de categorias-colunas em uma tabela de contingência
CE : correção para empates, nos testes não-paramétricos
cov : covariância
CV : coeficiente de variação
d : desvio; diferença entre um valor de x e a média
DAM : distribuição amostral da média
DAP : distribuição amostral da proporção
DP : desvio padrão em uma amostra de dados
E : número esperado de casos, no teste qui-quadrado
EP : erro padrão estimado
F : freqüência absoluta acumulada; símbolo da estatística que testa a razão entre variâncias
f : freqüência absoluta simples; número observado de casos
Fr : freqüência relativa acumulada
fr : freqüência relativa simples
GL ou gl : número de graus de liberdade
gl' : número corrigido de graus de liberdade, usado no teste t para variâncias desiguais
h : amplitude do intervalo de classe

H :	estatística do teste de Kruskal-Wallis
H_0 :	hipótese nula
H_A :	hipótese alternativa
IC :	intervalo de confiança
k :	na análise da variância, k = número de grupos ou tratamentos; no teste qui-quadrado de ajustamento, k = número de categorias que compõem a variável estudada
L :	número de categorias-linhas em uma tabela de contingência
$\ln$:	logaritmo natural de um número
$\log$:	logaritmo decimal de um número
md :	mediana
n :	tamanho da amostra
O :	número observado de casos, no teste qui-quadrado; o mesmo que f
P :	probabilidade ou proporção populacional; nível crítico amostral ou nível descritivo amostral
$\hat{P}$:	proporção populacional estimada
p :	proporção em uma amostra
p_0 :	proporção considerando várias amostras como se fossem uma única amostra; média ponderada de várias proporções
P_k :	percentil de ordem k
Pr :	probabilidade
Q :	quando a variável é dicotômica, proporção populacional ($= 1 - P$) do segundo evento; estatística do teste não-paramétrico de Dunn
q :	quando a variável é dicotômica, proporção ($= 1 - p$) do segundo evento em uma amostra; estatística do teste de Tukey
q_0 :	$(1 - p_0)$
Q_1 :	primeiro quartil
QM :	quadrado médio
R :	soma dos postos, em testes não-paramétricos
r :	coeficiente de correlação amostral
r^2 :	coeficiente de determinação amostral
r_s :	coeficiente de correlação de Spearman
R_{aj} :	resíduo ajustado, em tabelas de contingência
R_p :	resíduo padronizado, em tabelas de contingência
RC :	razão de chances
s :	desvio padrão em uma amostra de dados
s^2 :	variância em uma amostra de dados
s_0^2 :	variância média ponderada, usando várias amostras
SQ :	soma de quadrados
T :	estatística do teste de Wilcoxon para amostras pareadas
t :	estatística do teste t de Student; número de observações empatadas, nos testes não-paramétricos
t' :	estatística do teste t de Student para variâncias desiguais
TC :	total de uma coluna em uma tabela de contingência
TG :	total geral em uma tabela de contingência
TL :	total de uma linha em uma tabela de contingência
U :	estatística do teste de Wilcoxon-Mann-Whitney
Valor-P :	nível crítico amostral ou nível descritivo amostral; "significância" estatística de um teste
w :	ponderação (igual a s^2/n) usada no cálculo de gl'
w_β :	valor crítico unilateral de z usado no cálculo do tamanho amostral
x :	uma variável qualquer, geralmente quantitativa
$\overline{x}$:	média aritmética de uma amostra de dados
y :	uma variável quantitativa qualquer; variável dependente na análise de regressão
$\hat{y}$:	valor de y esperado segundo a reta de regressão
z :	variável padronizada; estatística para testes que usam a distribuição normal

Sumário

Introdução 13

1 Organização de dados quantitativos 19
2 Medidas de tendência central ou de posição 26
3 Medidas de dispersão ou de variabilidade 33
4 Distribuição normal ou de Gauss 38
5 Distribuição amostral das médias 47
6 Testes de hipóteses 54
7 Distribuição t 62
8 Comparação entre as médias de duas amostras independentes 68
9 Comparação entre médias de duas amostras pareadas 78
10 Correlação linear simples 84
11 Regressão linear simples 94
12 Organização de dados qualitativos 106
13 Probabilidade em variáveis qualitativas 111
14 Distribuição binomial 119
15 Distribuição qui-quadrado 129
16 Amostras 144
17 Análise da variância 153
18 Testes não-paramétricos 165

Exercícios 185
Respostas dos exercícios 214
Tabelas 221
Referências bibliográficas 247
Índice 251

Introdução

Na literatura científica, consultada por profissionais das áreas biológica e da saúde, encontramos expressões como "diferença estatisticamente significativa", "teste qui-quadrado de associação" e "$P < 0,01$", que refletem a importância, cada vez maior, dada pelos pesquisadores ao tratamento estatístico de seus dados. Quais serão as razões para o emprego de métodos estatísticos nos trabalhos científicos?

Em primeiro lugar, a estatística, longe de ser mais uma complicação matemática, tem se mostrado um instrumento extremamente útil na organização e na interpretação dos dados. Em segundo lugar, esta ciência propicia uma avaliação adequada da variabilidade observada nos processos biológicos. É sabido que existem diferenças entre os indivíduos e que eles reagem de forma diferente a estímulos idênticos; por outro lado, o mesmo indivíduo apresenta variações de um momento para outro. Em vista disto, o pesquisador consciencioso deseja saber qual o grau de confiabilidade de seus resultados. Ele se pergunta, por exemplo, se os resultados poderiam ter sido obtidos por acaso, se o novo tratamento proposto foi realmente mais eficiente, se a associação observada entre as variáveis é real, se o método de seleção de indivíduos foi adequado, se a análise dos dados empregou os métodos adequados às variáveis estudadas. Todas essas questões podem ser respondidas com o auxílio da estatística.

O papel da estatística na investigação científica vai além de indicar a seqüência de cálculos a serem realizados com os dados obtidos. No planejamento, ela auxilia na escolha das situações experimentais e na determinação da quantidade de indivíduos a serem examinados. Na análise dos dados, indica técnicas para resumir e apresentar as informações, bem como para comparar as situações experimentais. Na elaboração das conclusões, os vários métodos estatísticos permitem generalizar a partir dos resultados obtidos. De um modo geral, não existe certeza sobre a correção das conclusões científicas; no entanto, os métodos estatísticos permitem determinar a margem de erro associada às conclusões, com base no conhecimento da variabilidade observada nos resultados.

Inicialmente, a estatística ocupava-se em descrever quantitativamente os vários aspectos dos assuntos de um governo ou estado, remontando à época em que surgiram as primeiras cidades. Começava, então, a necessidade de se enumerarem coisas e pessoas para a avaliação das riquezas e para o cadastramento das propriedades. Os censos já eram realizados anualmente em Atenas e, a cada quadriênio, em Roma, nas festas de purificação da comunidade, quando era necessário saber se todos estavam presentes ou representados.

Um dos primeiros censos de que se tem notícia escrita foi o ordenado pelo imperador romano César Augusto, realizado na Palestina, por volta do ano zero da era cristã. Outro recenseamento famoso foi o realizado, na Inglaterra, por Guilherme I, duque normando que havia derrotado os ingleses. O cadastro geral das coisas inglesas com fins de tributação, feito em 1085-1086, foi chamado pelos ingleses de *"Domesday* (ou *Doomsday*) *Book"*, o livro do juízo final, nome que bem revela as expectativas da população quanto à carga tributária por vir.

Por muito tempo, o aspecto descritivo da estatística manteve-se como a única faceta desta ciência. As coisas começaram a mudar no século XVII, com as primeiras interpretações de dados. Em 1693, foram publicados, em Londres, os primeiros totais anuais de falecimentos, discriminados por sexo. Eram o resultado de levantamentos iniciados em 1517, quando a peste atacava periodicamente a Europa. Christian Huygens (1629-1695), físico e astrônomo holandês, construiu depois uma curva de mortalidade a partir dos dados publicados.

O estudo formal da teoria de probabilidades, iniciado por Blaise Pascal (1623-1662) e Pierre de Fermat (1601-1665), constitui-se em importante marco no desenvolvimento da estatística. Graças a esses conceitos, a estatística começou a ser estruturada de modo a poder desempenhar seu papel mais nobre, o de auxiliar na tomada de decisões científicas.

Estudiosos de diferentes campos do conhecimento fizeram a ligação entre os aspectos teóricos de probabilidade e estatística e a prática. Lambert Adolphe Jacques Quetelet (1796-1874), astrônomo e matemático belga, foi o primeiro a usar a curva normal fora do contexto da distribuição dos erros e aplicou conhecimentos estatísticos na solução de problemas de biologia, medicina e sociologia. Francis Galton (1822-1911), por sua vez, empregou a estatística no estudo da variação biológica e tentou, sem sucesso, resolver problemas de hereditariedade[1]. Karl Pearson (1857-1936) também interessou-se pela aplicação dos métodos estatísticos à biologia, em especial, a estudos sobre a seleção natural. Além de ser o pai do teste qui-quadrado, a ele se devem inúmeros estudos e medidas de correlação entre variáveis. Um aluno de Pearson, William S. Gosset (1876-1937), dedicou-se a solucionar problemas práticos com amostras pequenas. Um dos resultados de seus estudos é a distribuição t, de ampla aplicação em vários campos da ciência.

Uma das figuras modernas mais importantes da bioestatística (e da estatística em geral, já que desenvolveu métodos para solucionar vários tipos de problemas) foi, sem dúvida, Sir Ronald Aylmer Fisher (1890-1962), que assentou as bases para a experimentação estatisticamente controlada. Vários modos de analisar os dados de amostras pequenas foram propostos por Fisher, que também tem importantes contribuições na análise simultânea de muitas variáveis, dando considerável impulso ao uso da estatística em inúmeras áreas do conhecimento, particularmente na agronomia, na biologia e na genética.

ALGUNS CONCEITOS BÁSICOS

Estatística[2] é a ciência que tem por objetivo orientar a coleta, o resumo, a apresentação, a análise e a interpretação de dados. Podem ser identificadas duas grandes

---

[1] O problema é que Galton se dedicou à genética de características quantitativas, que são muito mais difíceis de estudar do que as determinadas por um único gene, como as analisadas por Gregor Mendel (1822-1884).
[2] Do grego *statistós*, de *statízo*, "estabelecer", "verificar", acrescido do sufixo *–ica*.

áreas de atuação desta ciência: a *estatística descritiva,* envolvida com o resumo e a apresentação dos dados, e a *estatística inferencial,* que ajuda a concluir sobre conjuntos maiores de dados (populações) quando apenas partes desses conjuntos (as amostras) foram estudadas. Os métodos da estatística inferencial são ferramenta imprescindível no teste das hipóteses científicas.

Na verdade, mais do que uma seqüência de métodos, a estatística é uma forma de pensar ou de ver a realidade variável, já que seu conhecimento não apenas fornece um conjunto de técnicas de análise de dados, mas condiciona toda uma postura crítica sobre sua interpretação e a elaboração de conclusões sobre os dados.

Considera-se a *bioestatística* a aplicação dos métodos estatísticos à solução de problemas biológicos. Algumas técnicas são empregadas com maior freqüência no âmbito das ciências biológicas ou médicas. É o caso, por exemplo, da regressão logística, das tabelas de sobrevivência e das técnicas de ensaios biológicos. Por essa razão, tais métodos costumam ser encontrados com mais facilidade em textos sobre bioestatística, o que contribui para se caracterizar este ramo da estatística.

Alguns termos usados em estatística têm um conceito ligeiramente diferente do utilizado na linguagem coloquial. Para evitar dúvidas, são apresentados, a seguir, alguns dos conceitos fundamentais usados no contexto estatístico.

Unidade experimental e *unidade de observação* são a menor unidade a fornecer uma informação. As unidades podem ser pessoas, animais, plantas, objetos, fatos, etc. *Unidades experimentais* são aqueles indivíduos submetidos a uma situação de experimento controlado, por exemplo, ratos de laboratório colocados em um labirinto para estudar-se o comportamento antes e após a administração de uma droga. Em uma situação experimental, o pesquisador interfere no processo, controlando não só fatores intervenientes, como temperatura, nível de ruído, idade dos animais, como a designação dos indivíduos às diferentes condições experimentais. Em levantamentos planejados, por outro lado, ele se limita a registrar o que ocorre, sem interferir; neste caso, a unidade é dita *de observação*. O tratamento estatístico dado às unidades experimentais e às unidades de observação é geralmente o mesmo, de modo que o termo "unidade experimental" é, muitas vezes, usado para designar genericamente os indivíduos que estão sendo estudados.

Dados são as informações (numéricas ou não) obtidas de uma unidade experimental ou de observação. Na afirmação "Fulano tem 25 anos e é fumante", os dados são "25 anos" e "fumante". Por outro lado, quando se comenta que no dia tal ocorreu um acidente de trânsito com morte de uma pessoa, a unidade (observacional) é o acidente de trânsito e o dado, a modalidade de acidente (com morte).

Variável é toda característica que, observada em uma unidade experimental, pode variar de um indivíduo para outro. A idade de uma pessoa e seus hábitos quanto ao fumo, o sexo de um roedor coletado na natureza, a estatura em jogadores de basquete, a cor de sementes de uma espiga de milho, a quantidade de ácido acetilsalicílico em comprimidos com o nome comercial NC, o nível de hemoglobina no sangue constituem exemplos de variáveis.

É importante identificar que tipo de variável está sendo estudado, uma vez que são recomendados procedimentos estatísticos diferentes em cada situação. A principal divisão ocorre entre variáveis quantitativas e qualitativas.

Variáveis quantitativas são aquelas cujos dados são valores numéricos que expressam quantidades, como a estatura das pessoas, o nível sérico de cálcio em roedores ou o número de sementes íntegras em uma vagem. Elas podem ainda ser classificadas em:

(a) *Variáveis quantitativas discretas* são aquelas em que os dados somente podem apresentar determinados valores, em geral, números inteiros. Por exemplo: número de filhos nascidos vivos, número de obras catalogadas, número de baixas hospitalares por paciente, número de células aneuplóides por antera.

(b) *Variáveis quantitativas contínuas* são aquelas cujos dados podem apresentar qualquer valor dentro de um intervalo de variação possível. Por exemplo: a quantidade de ácido acetilsalicílico em certo comprimido pode ser qualquer valor entre 499 mg e 501 mg. O valor 499,5 mg é possível, assim com o valor 499,53 mg. Note que se fala aqui de "possível" no sentido teórico: muitas vezes, um valor representa uma impossibilidade prática, como é o caso de uma estatura igual a 167,26 cm para um estudante universitário (mesmo que o antropômetro possua divisões para o centímetro, um resultado com tal precisão é pouco confiável quando se trata da estatura). A distinção entre uma variável contínua e uma discreta é que nesta não existe a possibilidade, mesmo teórica, de se observar um valor fracionário: uma mulher não pode ter tido 1,3 abortos.

Variáveis qualitativas (ou *variáveis categóricas* ou *atributos*) são as que fornecem dados de natureza não-numérica, como a cor de uma flor, a raça de uma ovelha ou o sexo de um paciente. Mesmo que os dados possam ser codificados numericamente (masculino = 1, feminino = 2), os números aqui são apenas símbolos sem valor quantitativo. Neste tipo de variável, as diferentes categorias que a compõem podem ter sido obtidas segundo dois níveis de mensuração:

(a) *Nível nominal:* Como o nome implica, nesse nível diferencia-se uma categoria da outra somente por meio da denominação da categoria. Assim, classifica-se um coelho como do gênero masculino ou feminino e um paciente psiquiátrico como psicótico ou neurótico. As variáveis nominais podem ainda ser divididas em *binominais, binárias* ou *dicotômicas,* quando compostas por duas categorias (como é o caso de pessoas Rh+ e Rh–) e *polinominais* ou *politômicas,* quando apresentam mais de duas categorias possíveis (como os grupos A, B, AB e O do sistema sangüíneo ABO).

(b) *Nível ordinal:* Nesse nível, não só é possível identificar diferentes categorias, mas também reconhecer graus de intensidade entre elas, o que possibilita uma ordenação das várias categorias. É necessário, no entanto, que a gradação seja inerente à variável e não imposta por conveniência do pesquisador. Quando avaliados quanto a uma variável ordinal, os indivíduos podem ser classificados desde "o pior" até "o melhor". Exemplos de variáveis ordinais são a sensação dolorosa, que pode apresentar 10 gradações desde "nenhuma dor" até "dor insuportável"; o comportamento de um animal, que poderia ser "submisso", "neutro" ou "agressivo", e a cor de determinada flor, desde "branca" até "vermelho", passando por diversas tonalidades de "rosa".

População ou *universo:* Esse termo é usado em estatística com um sentido bem mais amplo do que na linguagem coloquial. É entendido aqui como todo conjunto de unidades experimentais (ou observacionais) que apresenta uma ou mais características em comum. A abrangência de uma população é determinada pelas características em comum, escolhidas conforme o interesse do estudo a ser realizado e que definem claramente as unidades que pertencem à população-alvo. São exemplos: a população de colegiais de oito anos de Porto Alegre (que têm em comum a idade e o local onde vivem), a população de pinheiros do município de Canela, a população de comprimidos do lote 53/1998 de um determinado medicamento, a população de acidentes de trânsito ocorridos no Rio Grande do Sul no ano de 1999.

O objeto dos estudos são sempre as populações, pois, somente assim, as conclusões dos trabalhos científicos não se restringem apenas às unidades neles estudadas. No entanto, como as populações são constituídas de um número muito grande de elementos, são estudadas por intermédio de alguns desses elementos, os quais constituirão o que se denomina uma amostra.

Amostra é qualquer fração de uma população. Como sua finalidade é representar a população, deseja-se que a amostra escolhida apresente as mesmas características da população de origem, isto é, que seja uma amostra "representativa" ou "não-tendenciosa". Uma amostra de colegiais de oito anos do Colégio Farroupilha não é uma amostra representativa dos colegiais de oito anos de Porto Alegre, pois foi obtida em uma escola apenas; 80 comprimidos do lote 53/1998 constituem uma amostra representativa desse lote, desde que escolhidos por um processo casual. Tanto o número de indivíduos selecionados para a amostra quanto a técnica de seleção são extremamente importantes para que os resultados obtidos no estudo sejam generalizados para a população. Alguns aspectos sobre processos de amostragem serão vistos mais adiante.

Parâmetro é um valor que resume, na população, a informação relativa a uma variável. Por exemplo, 45% dos alunos matriculados na disciplina D, em 1999, eram do sexo masculino. Todos os alunos matriculados nesse ano foram estudados; portanto, a informação é referente à população toda. No caso, 45% é um parâmetro. Da mesma forma, se a estatura média de todos esses alunos foi 175 cm, essa média é um parâmetro.

Estatística, além de ser o nome de uma ciência, é a denominação dada a uma quantidade, calculada com base nos elementos de uma amostra, que descreve a informação contida nesse conjunto de dados. A média, a percentagem, o desvio padrão, o coeficiente de correlação, calculados em uma amostra, são estatísticas. As estatísticas variam de uma amostra para outra; portanto, são, elas próprias, variáveis aleatórias.

Os parâmetros são difíceis de se obter, pois implicam o estudo de toda a população e costumam ser substituídos por valores calculados em amostras representativas da população-alvo. Se tivesse sido examinada uma amostra de 50 estudantes matriculados na disciplina D, e 40% fossem do sexo masculino, esse valor constituiria uma estimativa do parâmetro "percentagem de homens matriculados naquela disciplina". A estimativa é o valor numérico de uma estatística, usado para realizar inferências sobre o parâmetro. Da mesma forma, o valor numérico da média para a estatura desses 50 alunos, digamos 173 cm, é uma estimativa da média populacional.

UMA NOTA FINAL

A aplicação de uma técnica estatística sofisticada nem sempre é o caminho mais adequado para melhor analisar os dados de pesquisa. Nenhuma técnica substitui o planejamento adequado, a aleatorização, o trabalho cuidadoso no laboratório ou no campo e o controle das variáveis intervenientes. Pode alguém pensar, por exemplo, que os testes não-paramétricos são a panacéia para observações descuidadas ou experimentos mal executados. Nada mais longe da verdade. Tais testes apenas contornam as situações nas quais os testes clássicos não podem ser usados, como nos casos em que a distribuição dos dados está muito afastada da normal e não há possibilidade de correção por transformações.

Aliás, sobre a esperança de utilização desses testes para remediar um conhecimento insuficiente sobre o material experimental, R.A. Fisher (1971; p. 49) disse:

> Na lógica indutiva, entretanto, uma pressuposição equivocada de ignorância (sobre o material experimental) não é inócua; ela freqüentemente leva a absurdos flagrantes. Os pesquisadores deveriam lembrar que eles e seus colegas geralmente sabem mais sobre o tipo de material com que estão lidando do que os autores de livros-texto escritos sem essa experiência pessoal, e que não é provável que um teste mais complexo, ou menos inteligível, sirva melhor, em qualquer sentido, aos propósitos deles do que aqueles (testes) de valor comprovado no campo de trabalho dos próprios (pesquisadores)[3].

O uso da afirmação de Fisher neste texto não tem a intenção de simplificar o problema da análise dos dados, especialmente no caso em que muitas características são usadas para descrever um fenômeno e realmente são exigidas técnicas mais sofisticadas de análise multivariada. Ela pretende chamar a atenção, nesta era dos computadores pessoais e dos pacotes estatísticos de fácil acesso, para o fato de que a estatística é uma ferramenta e não um ornamento de uma publicação técnica e que o emprego excessivo e não-fundamentado de métodos estatísticos não contribui para tornar o trabalho mais confiável, sugerindo, pelo contrário, um artifício para encobrir a pobreza dos dados.

---

[3]"In inductive logic, however, an erroneous assumption of ignorance is not innocuous; it often leads to manifest absurdities. Experimenters should remember that they and their colleagues usually know more about the kind of material they are dealing with than do the authors of text-books written without such personal experience, and that a more complex, or less intelligible, test is not likely to serve their purpose better, in any sense, than those of proved value in their own subject."

1

Organização de dados quantitativos

Uma contribuição importante da estatística no manejo das informações foi a criação de procedimentos para a organização e o resumo de grandes quantidades de dados. A descrição das variáveis é imprescindível como um passo prévio para a adequada interpretação dos resultados de uma investigação, e a metodologia empregada faz parte da estatística descritiva.

Os dados podem ser organizados em tabelas ou gráficos. Neste capítulo, serão apresentados conceitos básicos para a montagem e a apresentação dessas estruturas quando os dados são quantitativos. Para a descrição dos dados podem-se utilizar, além de tabelas e gráficos, medidas de tendência central e de dispersão, que serão abordadas em capítulos subseqüentes.

Suponha que, ao estudar a quantidade de albumina no plasma de pessoas com determinada doença, um pesquisador obtenha, em 25 indivíduos, os seguintes valores (em g/100 mL):

5,1	4,9	4,9	5,1	4,7
5,0	5,0	5,0	5,1	5,4
5,2	5,2	4,9	5,3	5,0
4,5	5,4	5,1	4,7	5,5
4,8	5,1	5,3	5,3	5,0

Dos dados obtidos, o pesquisador pode concluir inicialmente que:

(1) Os valores de albumina nos pacientes variam de indivíduo para indivíduo.
(2) Alguns indivíduos apresentam valores iguais.
(3) Os valores oscilam entre 4,5 e 5,5.

As duas primeiras conclusões são obtidas de forma imediata, mas a terceira exige paciência e atenção, especialmente se a amostra for grande. Organizando os dados em tabelas de freqüências, nas quais se indicam os valores obtidos e a freqüência com que ocorrem, estas e outras conclusões podem ser obtidas mais rapidamente e com menor probabilidade de erro.

DISTRIBUIÇÕES DE FREQÜÊNCIAS: TABELAS

Tabela de grupamento simples

As tabelas de grupamento simples mostram os valores obtidos e o número de vezes que cada valor foi observado. Inicia-se a construção de uma tabela de grupamento simples procurando-se o menor valor obtido. A partir dele, organiza-se uma lista por ordem crescente dos valores que podem ocorrer (coluna 1 da Tabela 1.1). A seguir, volta-se aos valores anotados de forma desorganizada e, lendo um a um, marca-se um traço vertical ao lado do valor correspondente na tabela (tabulação ou contagem).

TABELA 1.1 Taxa de albumina (g/100 mL) no plasma de 25 pacientes

Albumina (x)	Contagem	f	fr	F	Fr
4,5	/	1	0,04	1	0,04
4,6		0	0,00	1	0,04
4,7	//	2	0,08	3	0,12
4,8	/	1	0,04	4	0,16
4,9	///	3	0,12	7	0,28
5,0	////	5	0,20	12	0,48
5,1	////	5	0,20	17	0,68
5,2	//	2	0,08	19	0,76
5,3	///	3	0,12	22	0,88
5,4	//	2	0,08	24	0,96
5,5	/	1	0,04	25	1,00
Σ ou soma		25	1,00	–	–

Recomenda-se reunir os traços de 5 em 5, cortando quatro traços com o quinto, para facilitar a contagem. O método de procurar cada valor ao longo de toda a amostra, verificando quantas vezes ele ocorre, é bastante desaconselhado, pois leva facilmente a erro, além de exigir que a seqüência de dados seja lida várias vezes.

Costuma-se chamar de x os valores da variável quantitativa em estudo. O total de traços obtidos em cada valor de x é denominado *freqüência absoluta simples*, sendo indicada por f. O sinal Σ (sigma maiúsculo; letra S no alfabeto grego) é usado para indicar "soma". Observe que a soma dos valores de f (Σf) é igual ao número de indivíduos examinados, que também costuma ser indicado por n. Portanto, $\Sigma f = n$.

Dividindo f por Σf, obtém-se a *freqüência relativa simples (fr)*, que representa a proporção com que cada valor ocorre. Os valores mais freqüentes apresentados na Tabela 1.1 são $x = 5,0$ e $x = 5,1$, tendo, cada um, uma freqüência relativa $fr = 0,20$ (ou 20% do total de indivíduos estudados).

A tabela pode, ainda, indicar as *freqüências acumuladas (F)*, que identificam quantos indivíduos têm taxa de albumina igual ou menor do que um determinado valor. Observando-se a coluna F da Tabela 1.1, é possível notar que quatro pessoas possuem uma taxa de albumina igual ou menor do que 4,8. As freqüências acumuladas são obtidas somando-se a freqüência simples *(f)* da linha desejada *(x)* com as freqüências simples dos valores de x menores do que o considerado. A soma da coluna F não tem o menor sentido.

Para saber a proporção de pessoas com taxa de albumina igual ou menor do que 4,8, calcula-se a *freqüência acumulada relativa (Fr)*, obtida ou por meio da divisão de F por Σf (4/25 = 0,16 ou 16%) ou pela soma acumulada das fr a partir do valor de interesse [fr (4,8) = 0,04 + 0,08 + 0 + 0,04 = 0,16].

Qualquer freqüência relativa (*fr* ou *Fr*) pode ser transformada em freqüência percentual, bastando multiplicá-la por 100.

A *Fr* pode ser usada para se obter percentis, quantidades bastante usadas em certas áreas da medicina. O *percentil* de ordem k (P_k) é o valor de x que é precedido por k% valores e seguido por (100-k)% dos valores. Por exemplo, P_{25} é o valor de x que é precedido por 25% dos valores (os 25% menores da série) e seguido pelos restantes 75%. Os percentis P_{25}, P_{50} e P_{75} dividem o conjunto de dados em quatro partes iguais; por isso, recebem o nome de *quartis* e são respectivamente os quartis Q_1, Q_2 e Q_3. Na Tabela 1.1, o percentil P_{25} é um valor entre 4,8 e 4,9, já que 16% dos indivíduos têm valores iguais ou menores do que 4,8 e 28% das pessoas têm níveis de albumina iguais ou menores do que 4,9. Estima-se, então, o percentil pela média entre 4,8 e 4,9, obtendo-se P_{25} = 4,85. São bastante populares os percentis P_5 e P_{95}, que delimitam os 5% valores menores, os 90% centrais e os 5% maiores de um conjunto de dados.

As tabelas elaboradas para realizar cálculos estatísticos não se prestam para publicação em relatórios ou artigos científicos. Em tabelas para publicação, não se apresenta a tabulação dos dados. Tampouco se apresentam informações redundantes: se for indicado f, não se apresenta fr ou a percentagem. Além disso, a estrutura da tabela segue regras determinadas. As principais são:

(1) A tabela deve ser precedida de um título, suficientemente claro para que o leitor não necessite voltar ao texto para entender o conteúdo da mesma.
(2) A tabela é limitada por uma linha limitante superior e outra inferior, que indica seu final. O cabeçalho deve ser separado do restante do texto por uma linha horizontal.
(3) Não se usam linhas verticais separando as colunas; usam-se espaços em branco.
(4) As abreviaturas e os símbolos pouco conhecidos devem ser explicados no rodapé da tabela.
(5) Deve ser indicada a fonte dos dados.

Tabela de grupamento por intervalo de classe

Quando os valores de uma característica variam muito, como é o caso da estatura ou do peso das pessoas, uma tabela como a Tabela 1.1 tenderia a ser muito extensa, perdendo a propriedade de condensar a informação. A solução é grupar os dados por intervalos de classe, como foi feito na Tabela 1.2 para valores de peso em 256 universitárias gaúchas.

Cada intervalo de classe possui um extremo ou limite inferior e um extremo ou limite superior. O sinal |— indica que o extremo inferior está incluído no intervalo, mas o superior, não. Intervalos indicados por esse sinal são denominados *intervalos abertos à direita* e são os mais comumente usados.

TABELA 1.2 Pesos (kg) de 256 alunas da Universidade Federal do Rio Grande do Sul, obtidos no período de 1980 a 1999 (dados organizados em intervalos de classe)

Peso (kg)	f	fr
40 ⊢ 45	9	0,035
45 ⊢ 50	36	0,141
50 ⊢ 55	78	0,304
55 ⊢ 60	55	0,215
60 ⊢ 65	53	0,207
65 ⊢ 70	11	0,043
70 ⊢ 75	7	0,027
75 ⊢ 80	5	0,020
80 ⊢ 85	1	0,004
85 ⊢ 90	1	0,004
Σ	256	1,000

A notação envolvendo intervalos abertos à direita (⊢), abertos à esquerda (⊣) ou fechados em ambos os lados (⊢⊣) é muito útil quando se quer elaborar tabelas de freqüências para variáveis contínuas, pois não permite ambigüidade na locação dos valores nos intervalos. Note, porém, que é comum encontrar, referindo-se à idade de crianças, por exemplo, a notação 3–4 anos, 5–6 anos, 7–8 anos para indicar 3 a 4 anos, 5 a 6 anos, 7 a 8 anos. A notação é de intervalo aberto, mas a idéia transmitida é a de intervalo fechado em ambas as extremidades!

O número escolhido de classes fica geralmente entre 6 e 8, podendo oscilar entre 5 e 20, dependendo do detalhamento desejado pelo investigador e do tamanho da amostra.

Nas tabelas de grupamento por intervalo de classe, além de f e fr pode-se calcular F e Fr, do mesmo modo como foi explicado para tabelas de grupamento simples.

DISTRIBUIÇÕES DE FREQÜÊNCIAS: GRÁFICOS

A representação gráfica é bastante interessante, porque dá uma visão mais imediata de como se distribuem os indivíduos nos diferentes valores da variável. Nas publicações, os gráficos devem ser chamados de figuras. O título do gráfico deve ser claro, para evitar que o leitor volte ao texto para entender a que se refere, sendo colocado ao pé do desenho, ao contrário da tabela que tem o título colocado na sua parte superior.

Histograma

O histograma é o gráfico mais utilizado para variáveis contínuas. Consiste de uma sucessão de retângulos contíguos, cuja base é o intervalo de classe, e a altura, a freqüência relativa em cada classe dividida por h, a amplitude do intervalo de classe. Se as classes forem todas de igual amplitude, não é necessário realizar a divisão. No final, tem-se uma figura geométrica, com área total considerada como

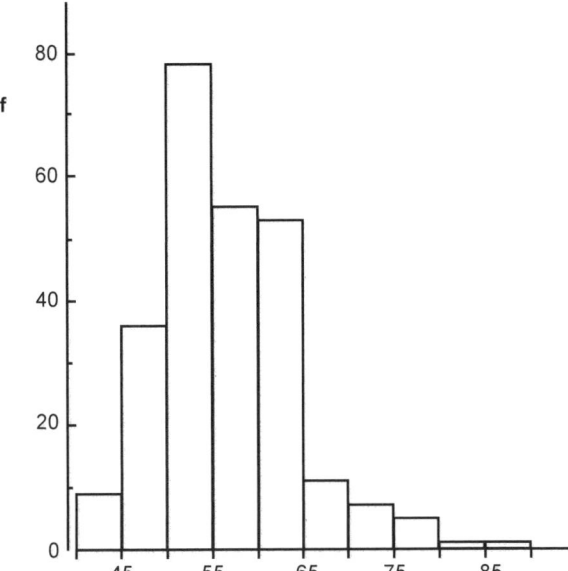

FIGURA 1.1 Peso (kg) observado em 256 alunas da Universidade Federal do Rio Grande do Sul.

100% ou 1 (a soma de todas as freqüências relativas). A Figura 1.1 apresenta o histograma relativo ao peso corporal de estudantes do sexo feminino da Universidade Federal do Rio Grande do Sul (UFRGS), obtido no período 1980-1999.

Ogiva

A ogiva é o gráfico adequado para representar as freqüências acumuladas (F ou Fr). No eixo horizontal, são colocados os intervalos de classe. No ponto médio de cada intervalo, levanta-se uma perpendicular imaginária e marca-se um ponto na altura correspondente à freqüência acumulada na classe. A seguir, os pontos são unidos por segmentos de reta.

A ogiva é útil para se identificar graficamente percentis de interesse, como, por exemplo, a mediana (percentil 50).

A Figura 1.2 apresenta a ogiva correspondente a dados de pressão arterial sistólica medida nas primeiras 24 horas de vida, em 96 recém-nascidos de Porto Alegre (Oliveira, 1991; Tabela 1.3). Desenhando uma linha auxiliar a partir da freqüência acumulada igual a 50% até a ogiva e desta para o eixo horizontal, pode-se obter graficamente uma estimativa para a mediana da pressão arterial sistólica nesses recém-nascidos (md: 65 mmHg).

Diagrama de bastões

A representação gráfica apropriada para variáveis quantitativas discretas é o diagrama em bastão. Esse gráfico é parecido com um histograma, com uma importante diferença: as freqüências para cada valor de x são agora representadas por

TABELA 1.3 Pressão arterial sistólica medida em 96 recém-nascidos, nas primeiras 24 horas de vida

PAS (mmHg)	f	Fr
55 ⊢ 59	3	0,031
59 ⊢ 63	5	0,083
63 ⊢ 67	40	0,500
67 ⊢ 71	24	0,750
71 ⊢ 75	15	0,906
75 ⊢ 79	8	0,990
79 ⊢ 83	1	1,000
Total	96	–

Fonte: Oliveira, 1991.

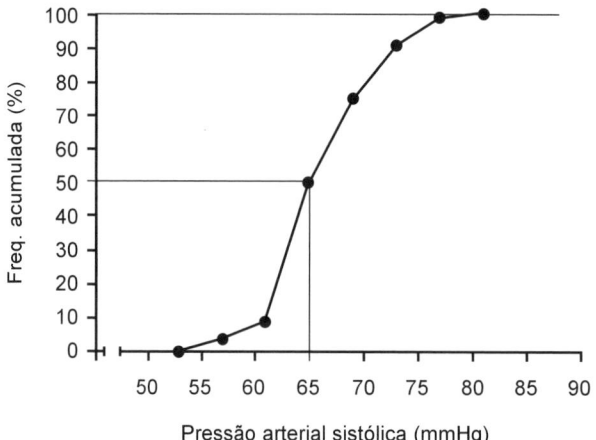

FIGURA 1.2 Pressão arterial sistólica (mmHg) de 96 recém-nascidos, nas primeiras 24 horas de vida. (Fonte: Oliveira, 1991.)

bastões e não retângulos, pois inexiste continuidade entre os valores. A Tabela 1.4 e a Figura 1.3 apresentam um exemplo de representação tabular e gráfica para dados deste tipo.

FREQÜÊNCIA RELATIVA E PROBABILIDADE

A freqüência relativa *(fr)* de um valor estima a probabilidade verdadeira de ocorrência deste valor, que só é conhecida tendo-se informação quanto a todos os indivíduos da população. A freqüência relativa associada a $x = 2$ irmãos, conforme mostra a Tabela 1.4, é de 0,35 na amostra estudada. Pode-se, então, estimar em 35% a fração de universitários que têm dois irmãos. Isto equivale também a dizer que se estima em 0,35 a probabilidade de que um universitário, selecionado ao acaso desta população, tenha dois irmãos.

Estas conclusões são válidas se a amostra for representativa da população de estudantes da UFRGS. Por outro lado, quanto maior for uma amostra representativa, melhor será a idéia da ocorrência relativa *(fr)* do valor $x = 2$ na população, isto é, melhor será a estimativa da probabilidade verdadeira.

O mesmo raciocínio vale para as tabelas de dados grupados por intervalo de classe (Tabela 1.2). A probabilidade estimada de que uma estudante tenha peso entre 45 e 50 kg é 0,14.

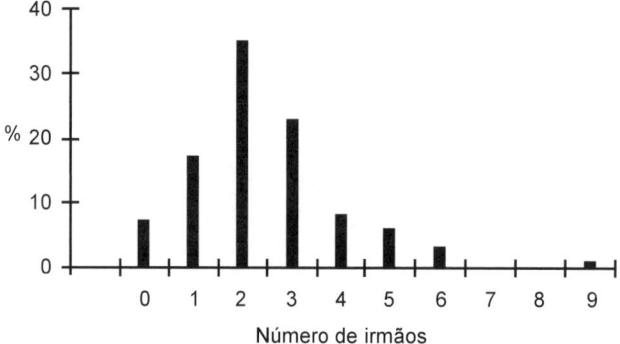

FIGURA 1.3. Número de irmãos relatados por 115 estudantes universitários da UFRGS.

TABELA 1.4 Número de irmãos relatados por 115 estudantes universitários da UFRGS (dados obtidos entre 1986 e 1992)

Nº de irmãos	f	fr	Fr
0	8	0,07	0,07
1	20	0,17	0,24
2	40	0,35	0,59
3	26	0,23	0,82
4	9	0,08	0,90
5	7	0,06	0,96
6	4	0,03	0,99
7	0	0,00	0,99
8	0	0,00	0,99
9	1	0,01	1,00

No histograma relativo a estes dados (Figura 1.1), a área do retângulo referente ao intervalo 45 |— 50 corresponde a 14% da área de todo o histograma (100%). Portanto, a área deste retângulo é a representação geométrica da probabilidade estimada de se encontrar valores entre 45 e 50 na população. No gráfico de bastões, a probabilidade estimada para cada valor é a altura do bastão.

2

Medidas de tendência central ou de posição

As medidas de tendência central (ou de locação ou também de posição) são valores calculados com o objetivo de representar os dados de uma forma ainda mais condensada do que se usando uma tabela. Quando o desejo é representar, por meio de um valor único, determinado conjunto de informações que variam, parece razoável escolher um valor central, mesmo que esse valor seja uma abstração. Assim, se um aluno realizou quatro provas objetivas com 20 questões cada uma, e o número de acertos, em cada prova, foi, respectivamente, 14, 19, 16 e 17, o professor poderá querer registrar o desempenho do aluno por um valor "central", a média aritmética, por exemplo. A média aritmética de tais valores é 16,5. Embora seja uma quantidade de acertos que não pode ocorrer na realidade, ela está mostrando que o aluno apresentou em geral um bom desempenho.

Há várias medidas de tendência central. As mais utilizadas em análise estatística são a média aritmética, a mediana e a moda.

MÉDIA ARITMÉTICA

A média aritmética, ou daqui para diante simplesmente *média*, é a medida de tendência central mais utilizada, porque, além de ser fácil de calcular, tem uma interpretação familiar e propriedades estatísticas que a tornam muito útil nas comparações entre populações e outras situações que envolvam inferências. Ela representa o valor "provável" de uma variável, por isso, é muitas vezes chamada de *valor esperado* ou, ainda, *esperança matemática*, quando calculada para a população.

Pode-se também imaginar a média como o centro de gravidade de uma distribuição. Considere que um aluno realizou quatro provas obtendo as notas 3, 6, 8 e 8 (10 é o máximo). A Figura 2.1 representa as notas por blocos de igual tamanho, colocados sobre uma régua de 10 cm. Para essa régua ficar equilibrada, ela deverá estar apoiada sobre um objeto colocado mais ou menos na altura da marca dos 6 cm. Na verdade, o ponto correto para o apoio é 6,25, que é a média dos 4 valores.

Costuma-se indicar a média pela letra identificadora da variável, por exemplo, x, acrescida de um traço na parte superior $\bar{x}$ (leia-se "x barra"). Quando é calculada na população, a média é indicada por μ (letra "m" no alfabeto grego; pronuncia-se mü, com i fechado, como no francês).

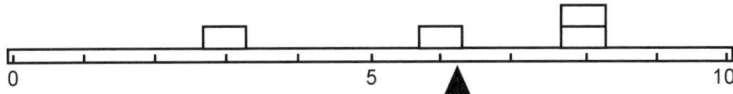

FIGURA 2.1 Representação gráfica das notas de um aluno. Cada retângulo representa uma prova. O triângulo indica o centro de gravidade, que fica na média (6,25).

Para dados que não estão grupados, a média é simplesmente

$$\bar{x} = \frac{\sum x}{n},$$

onde Σx = soma de todos os valores de x.

Cálculo da média para dados em grupamento simples

Para dados em grupamento simples, calcula-se a média do seguinte modo:

$$\bar{x} = \frac{\sum fx}{\sum f}.$$

Nota-se, pela fórmula, que, no caso de haver grupamento de dados, cada valor de x deve ser multiplicado pelo número de vezes em que ele ocorre (f), para depois se obter a soma.

A Tabela 2.1 apresenta um exemplo de cálculo da média usando a fórmula apresentada. O número de dentes perdidos ou danificados, que é um indicador de dano dentário, foi estudado em 50 pessoas. Para encontrar a média, não é justo somar os dados da coluna x e dividi-los por 50, pois, assim procedendo, vai-se dividir a soma de nove valores por 50 pessoas, quando se deveria dividir a soma de 50 valores por 50 pessoas. O correto é tomar 9 vezes o valor $x = 0$, pois $f(0) = 9$, 5 vezes o valor $x = 1$, e assim sucessivamente, o que está feito na terceira coluna da tabela. Observa-se que o total de dentes perdidos ou danificados foi 160, que corresponde, em 50 pessoas, a uma média de 3,2 dentes por pessoa, conforme calculado a seguir:

$$\bar{x} = \frac{\sum fx}{\sum f} = \frac{160}{50} = 3,2.$$

A média informa que, se um novo cliente procurar a clínica, o número esperado de dentes perdidos ou danificados nessa pessoa é 3.

Uma propriedade importante da média é a de que

$$\Sigma fd = \Sigma f(x - \bar{x}) = 0,$$

isto é, a soma dos desvios de cada valor de x em relação à média ($d = x - \bar{x}$) é zero. Em outras palavras: a soma dos desvios positivos iguala-se à dos desvios negativos. A quinta coluna da Tabela 2.1 mostra esta propriedade (note que o desvio –3,2 ocorre para 9 pessoas, o desvio –2,2 ocorre para 5 pessoas, e assim por diante; por isso, cada desvio deve ser multiplicado por sua respectiva freqüência).

Algumas vezes, pode-se obter em Σfd um valor diferente de zero, fato que poderá ocorrer se a média não for exata e for feito um arredondamento. No entanto, mesmo nesse caso, a diferença em relação a zero deve ser muito pequena.

TABELA 2.1 Número de dentes perdidos ou danificados em uma amostra de 50 pessoas tratadas em determinada clínica dentária: elementos para o cálculo da média

(Nº de dentes) x	(Nº de pessoas) f	fx	d = x − x̄	fd	F	Fr
0	9	0	−3,2	−28,8	9	0,18
1	5	5	−2,2	−11,0	14	0,28
2	6	12	−1,2	−7,2	20	0,40
3	7	21	−0,2	−1,4	27	0,54
4	9	36	0,8	7,2	36	0,72
5	5	25	1,8	9,0	41	0,82
6	4	24	2,8	11,2	45	0,90
7	3	21	3,8	11,4	48	0,96
8	2	16	4,8	9,6	50	1,00
Σ	50	160	−	0,0	−	−

Cálculo da média para dados grupados por intervalo de classe

Para cálculo da média quando os dados estão organizados em uma tabela com intervalos de classe, é preciso haver um valor que represente cada intervalo. O valor utilizado é o *ponto médio do intervalo de classe (M),* calculado da seguinte forma:

$$M = \frac{\text{limite inferior do intervalo de classe} + \text{limite superior do intervalo de classe}}{2}.$$

A média é calculada do mesmo modo usado no caso do grupamento simples, apenas substituindo-se x pelo valor de M, em cada intervalo de classe. Com os dados da Tabela 2.2, por exemplo, o cálculo da média é feita do seguinte modo:

$$\bar{x} = \frac{\sum fx}{\sum f} = \frac{\sum fM}{\sum f} = \frac{220}{30} = 7,3 \text{ anos}.$$

Quando o cálculo resulta em um valor fracionário, costuma-se apresentar a média com uma casa decimal a mais do que o número de decimais usado na mensuração de x. Um número maior de decimais não tem sentido prático.

MEDIANA

A *mediana (md)* é o valor de x, em uma série ordenada de dados, que divide a série em dois subgrupos de igual tamanho. Em outras palavras, é um valor tal que tenha igual quantidade de valores menores e maiores do que ele. Uma característica importante da mediana é a de que ela não é afetada pelos extremos da série.

O primeiro passo na determinação da mediana é ordenar os dados para que se possa identificar em que posição ela se localiza. Considere a série 7; 0; 2; 15; 29. Ordenando os valores tem-se 0; 2; 7; 15; 29; o valor central é o 3º e, então, a mediana é 7. Note que, se o valor 29 for substituído por 1496, a mediana ainda é 7, o terceiro valor da série.

Em conjuntos maiores de dados, a posição da mediana é encontrada facilmente por intermédio do seguinte cálculo:

$$\frac{n+1}{2}.$$

Por exemplo, em uma amostra de 35 medidas de estatura, a mediana é o (35+1)/2 = 18º valor da série, após os dados terem sido ordenados.

Quando o conjunto contiver um número par de dados, a mediana é a média dos dois valores centrais. Assim, em uma série com quatro valores, por exemplo, 1; 3; 7; 98, a mediana está na posição 2,5, isto é, na posição intermediária entre o 2º e o 3º valores. Calcula-se, então, a média entre estes dois valores e a mediana da série é (3+7)/2 = 5.

Os dados da Tabela 2.1 já estão ordenados, e a mediana encontra-se na posição (50+1)/2 = 25,5. Na coluna correspondente à freqüência acumulada (F), vê-se que os 20 primeiros valores de x são 0, 1 ou 2. Os sete valores seguintes são 3, logo, tanto o 25º como o 26º valores correspondem a $x=3$. Portanto, a mediana nesta amostra é $md = (3+3)/2 = 3$ dentes.

Uma forma alternativa para se obter a mediana quando os dados estão grupados é usar a freqüência acumulada relativa (Fr). O valor de x para o qual $Fr = 0,5$ é a mediana, pois metade dos valores é igual ou menor do que ele. Na Tabela 2.1, 40% dos valores são iguais ou menores do que 2 e 54% são iguais ou menores do que 3; logo, a mediana é 3.

Quando os dados estiverem organizados em intervalos de classe, os valores individuais não podem ser identificados. Nesse caso, pode-se estimar a mediana usando

$$md = LIR_{md} + h\left(\frac{\frac{n}{2} - F_{ant}}{f_{md}}\right),$$

onde

LIR_{md} = limite inferior real do intervalo que contém a mediana
h = amplitude do intervalo (deve ser igual para todos)
n = tamanho da amostra
F_{ant} = freqüência absoluta acumulada no intervalo anterior ao que contém a mediana
f_{md} = freqüência absoluta simples no intervalo que contém a mediana

Os dados da Tabela 2.2 serão usados para ilustrar este cálculo. A mediana, nesta série, está entre o 15º e o 16º valores, pois (30+1)/2 = 15,5. Esse valor

TABELA 2.2 Idade, em anos, em uma amostra de crianças da primeira série de uma escola rural: elementos para o cálculo da média

Idade (anos)	f	M (x)	fx	F
5,5 ⊢ 6,5	1	6	6	1
6,5 ⊢ 7,5	20	7	140	21
7,5 ⊢ 8,5	7	8	56	28
8,5 ⊢ 9,5	2	9	18	30
Σ	30	–	220	–

encontra-se no intervalo 6,5 |— 7,5, porque ali estão desde o 2º até o 20º valor deste conjunto de dados. Então, estima-se a idade mediana como sendo:

$$md = 6,5 + 1,0 \times \left(\frac{\frac{30}{2} - 1}{20} \right) = 7,2.$$

Esse resultado informa que metade das crianças que cursa a primeira série nesta escola tem idade superior a 7,2 anos.

Um método gráfico para se obter um valor aproximado para a mediana usa a ogiva, conforme visto anteriormente: basta localizar o percentil 50 no eixo vertical e buscar o valor de x correspondente no eixo horizontal (Figura 1.2)

A mediana é uma medida de tendência central útil quando:

(1) A distribuição dos dados é assimétrica, como é o caso do número de irmãos de estudantes da UFRGS (Tabela 1.4 e Figura 1.3). Nesse exemplo, a mediana é 2 (59% dos alunos têm 2 ou menos irmãos e 24%, 1 ou nenhum; logo, o valor de x abaixo do qual estão 50% da amostra é 2). Quanto mais assimétrica a série, mais recomendado é o uso da mediana como representante dos dados, justamente porque ela não é afetada pelos valores extremos da série.
(2) Os valores extremos são indefinidos. Suponha que, no exemplo da Tabela 2.1, existam mais 5 pessoas com 9 ou mais dentes perdidos ou danificados. Agora, é impossível calcular a média, pois ignora-se quantos dentes perdidos ou danificados têm cada uma dessas pessoas. A solução é representar a série usando a mediana. São agora 50 + 5 = 55 valores, e a mediana é o 28º valor. O 28º valor é 4; portanto, a mediana agora é 4 dentes perdidos ou danificados.

MODA

A *moda* é o valor mais freqüente de uma série de valores. Na Tabela 1.4, que relata o número de irmãos de estudantes universitários, o valor modal é 2 irmãos.

Quando os dados estão apresentados em intervalos de classe, costuma-se indicar o *intervalo modal*. Se, porém, o pesquisador deseja estimar um valor único para a moda, pode usar o ponto médio do intervalo modal. Obtém-se, assim, uma estimativa razoável para a maioria das necessidades práticas.

Nas representações gráficas, a moda aparece como um pico de freqüência. Às vezes, observam-se gráficos com dois picos: nesse caso, a distribuição é dita *bimodal*. Uma distribuição é *polimodal* quando apresenta mais de dois picos de freqüência. A Figura 2.2 apresenta um exemplo de distribuição bimodal; estão ali apresentados os limiares gustativos à feniltiocarbamida, substância de gosto amargo para a qual a sensibilidade gustativa é determinada geneticamente. Nota-se claramente a existência de duas modas que são, respectivamente, o limiar 9 (moda principal, isto é, o pico mais alto) e o 2 (moda secundária).

Quando a distribuição é bimodal, pode-se suspeitar de que a população estudada é, na verdade, uma mistura de duas populações estatísticas. Entre os anos de 1980 e 1992, perguntou-se a 213 estudantes universitários da UFRGS qual era a sua estatura. A média obtida foi 168 cm, e foram observadas duas modas, uma na classe 160 |— 165 e outra em 170 |— 175 (Figura 2.3). Ao separarem-se as informações relativas a mulheres e a homens (Tabela 2.3), verificou-se que as médias

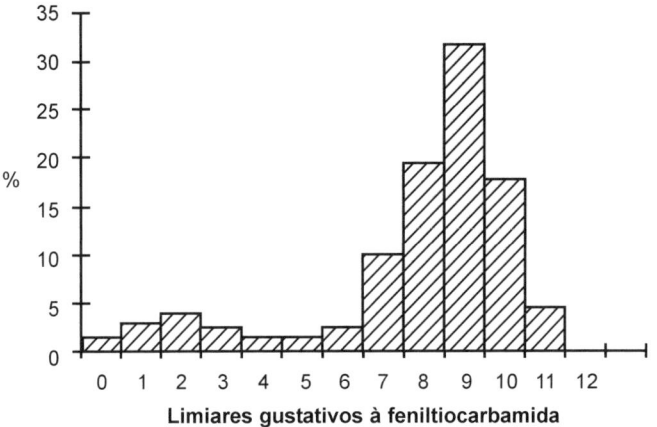

FIGURA 2.2 Limiares gustativos à feniltiocarbamida (PTC) em 201 mulheres cearenses. (Fonte: Mourão, 1975.)

TABELA 2.3 Medidas descritivas para a estatura (em cm) de 213 estudantes universitários da UFRGS (dados obtidos entre 1980 e 1992)

	n	Média	Mediana	Intervalos modais
Mulheres	140	163,7	163,5	160|—165
Homens	73	176,9	178,0	180|—185
Total	213	168,3	167,0	160|—165 e 170|—175

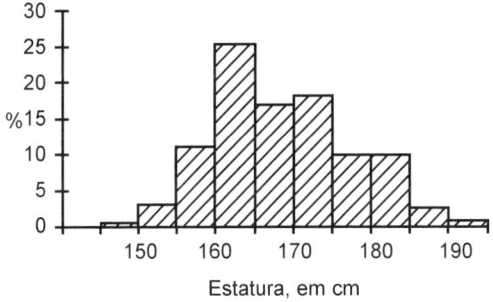

FIGURA 2.3 Estatura em 213 estudantes universitários da UFRGS (dados obtidos entre 1980 e 1992).

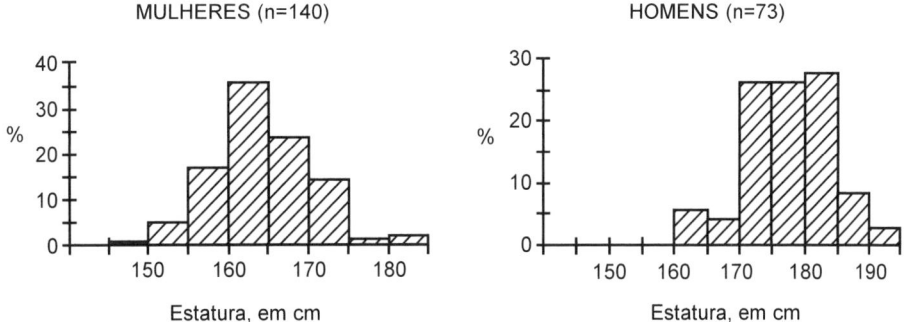

FIGURA 2.4 Estatura de estudantes da UFRGS, separada por gênero.

nestes subgrupos diferiam (mulheres = 164; homens = 177), como é de se esperar em uma característica com clara diferenciação sexual como a estatura. Os histogramas relativos a cada sexo estão indicados na Figura 2.4. Agora, observam-se distribuições unimodais, como é o esperado para esta variável. O resultado mostra que o conjunto original de valores de estatura era, na verdade, uma mistura de dados de dois grupos diferentes quanto a esta variável.

OBSERVAÇÃO: A bimodalidade de uma distribuição somente pode ser identificada com clareza em amostras grandes, já que, nas pequenas, podem ocorrer depressões ("pontos de sela") ou picos espúrios.

3

Medidas de dispersão ou de variabilidade

As medidas de tendência central são insuficientes para representar adequadamente conjuntos de dados, pois nada revelam sobre sua variabilidade. Veja este exemplo: dois alunos realizaram 5 verificações, obtendo as notas indicadas abaixo.

    Aluno A: 6; 6; 6; 6; 6   Total de pontos: 30, média : 6

    Aluno B: 7; 5; 6; 4; 8   Total de pontos: 30, média : 6

Ambos os alunos têm média 6, mas o primeiro aluno apresenta um comportamento regular, ao passo que o aluno B apresenta um desempenho mais variável. Para mostrar a diversidade de desempenho de ambos, necessita-se de um valor que meça a dispersão ou a variabilidade dos valores nos dois casos.

AMPLITUDE DE VARIAÇÃO

A medida mais simples de dispersão é a *amplitude de variação (a)*, que é a diferença entre os valores extremos. Para o aluno A, a amplitude é zero (6 – 6 = 0) e para o aluno B, é 4. Quanto maior a amplitude, maior a variação.

No entanto, a amplitude tem dois defeitos como medida de variação: (1) só utiliza os valores extremos, nada informando sobre os intermediários e (2) quando avaliada em amostras, freqüentemente fornece uma subestimativa da amplitude populacional, já que dificilmente a amostra vai apresentar tanto o valor mais baixo como o mais alto (geralmente os mais raros) da população.

VARIÂNCIA

Para levar em conta todos os valores observados na série, foi sugerido o uso dos desvios de cada valor em relação à média, reunindo-se tais informações em uma quantidade denominada *variância*. Usa-se o símbolo σ^2 (sigma minúsculo – "s" no alfabeto grego – ao quadrado) para representar a variância calculada com os dados de uma população e s^2, para a variância calculada em uma amostra. Em uma população de dados, a fórmula da variância é

$$\sigma^2 = \frac{\sum (x-\mu)^2}{n}$$

onde μ = média da população.

Na prática, onde o uso de amostras é comum, costuma-se utilizar uma fórmula ligeiramente modificada. Calcula-se a variância, em amostras, do seguinte modo[1]:

$$s^2 = \frac{\sum (x - \bar{x})^2}{n-1} \text{ ou, se } d = (x - \bar{x}), \; s^2 = \frac{\sum d^2}{n-1}.$$

Se os dados estiverem grupados, a fórmula da variância amostral é

$$s^2 = \frac{\sum f(x - \bar{x})^2}{\sum f - 1}.$$

O numerador da variância é, muitas vezes, chamado de *soma dos quadrados (SQ)*, e o denominador, o número de *graus de liberdade (gl)*. Então,

$$s^2 = \frac{SQ}{gl}.$$

Há uma fórmula alternativa para a variância que é útil quando a média não é um valor exato. Na verdade, essa fórmula alternativa produz um valor mais correto, pois não envolve a média, que pode ter sido arredondada. A fórmula alternativa,

Para dados não-grupados é:

$$s^2 = \frac{\sum x^2 - \frac{(\sum x)^2}{n}}{n-1}$$

Para dados grupados é:

$$s^2 = \frac{\sum fx^2 - \frac{(\sum fx)^2}{\sum f}}{\sum f - 1}$$

As Tabelas 3.1 a 3.3 apresentam exemplos de como calcular a variância para dados não-grupados e grupados, respectivamente. Note que a fórmula alternativa fornece para a variância o mesmo valor que a fórmula tradicional.

TABELA 3.1 Espessura do endosperma (mm) em sementes da espécie E (dados fictícios): cálculo da variância para quatro observações não-grupadas

	x	$(x - \bar{x})$	$(x - \bar{x})^2$	x^2
	2	−1,5	2,25	4
	4	0,5	0,25	16
	5	1,5	2,25	25
	3	−0,5	0,25	9
Σ	14		5,00	54

$$\bar{x} = 14/4 = 3,5 \text{ mm}$$

$$s^2 = \frac{\sum (x - \bar{x})^2}{n-1} = \frac{5}{3} = 1,67$$

ou, pela fórmula alternativa,

$$s^2 = \frac{\sum x^2 - \frac{(\Sigma x)^2}{n}}{n-1} = \frac{54 - \frac{14^2}{4}}{4-1} = \frac{5}{3} = 1,67.$$

---

[1] A subtração de uma unidade no denominador tem o objetivo de tornar s^2 um estimador não tendencioso de σ^2. Com essa correção, a média de todas as variâncias de amostras de tamanho *n*, de uma população, é igual a σ^2.

TABELA 3.2 Número de visitas anuais ao dentista em uma amostra de 95 crianças de 7 anos de idade: cálculo da variância para dados em grupamento simples

x	f	fx	$(x - \bar{x})$	$(x - \bar{x})^2$	$f(x - \bar{x})^2$	x^2	fx^2
0	43	0	−0,83	0,69	29,67	0	0
1	34	34	0,17	0,03	1,02	1	34
2	10	20	1,17	1,37	13,70	4	40
3	7	21	2,17	4,71	32,97	9	63
4	1	4	3,17	10,05	10,05	16	16
Σ	95	79	−	−	87,41	−	153

$$\bar{x} = \frac{\sum fx}{\sum f} = \frac{79}{95} = 0,83 \text{ visitas}$$

$$s^2 = \frac{\sum f(x-\bar{x})^2}{\sum f - 1} = \frac{87,41}{94} = 0,93$$

ou $$s^2 = \frac{\sum fx^2 - (\sum fx)^2 / \sum f}{\sum f - 1} = \frac{153 - (79)^2 / 95}{94} = 0,93$$

TABELA 3.3 Idade, em anos, em uma amostra de crianças da primeira série de uma escola rural: cálculo da variância para dados grupados em intervalos de classe

Idade	(M) f	x	fx	x^2	fx^2
5,5 ⊢ 6,5	1	6	6	36	36
6,5 ⊢ 7,5	20	7	140	49	980
7,5 ⊢ 8,5	7	8	56	64	448
8,5 ⊢ 9,5	2	9	18	81	162
Σ	30	−	220		1626

$$\bar{x} = \frac{\sum fx}{\sum f} = \frac{220}{30} = 7,3 \text{ anos.}$$

$$s^2 = \frac{\sum fx^2 - (\sum fx)^2 / \sum f}{\sum f - 1} = \frac{1626 - (220)^2 / 30}{30 - 1} = 0,4.$$

Quanto maior a variância de uma série, maior a dispersão dos valores que a compõem. Assim, se uma amostra tem variância igual a 0,34 e outra, da mesma variável, igual a 0,93, nesta última os dados variam mais do que na primeira. Quando não houver variabilidade, a variância é zero.

DESVIO PADRÃO

Uma dificuldade com a variância, como medida descritiva da dispersão, é o fato de não poder ser apresentada com a mesma unidade com que a variável foi medida (se observamos como o cálculo da variância foi feito, veremos que a unidade que acompanha o valor da variância é o quadrado da unidade de mensuração de x).

A solução é extrair a raiz quadrada positiva da variância, já que, com isso, se volta à unidade original da variável. Essa nova medida de variabilidade é denominada *desvio padrão*, usando-se o símbolo σ, se for calculado na população, ou s, se os dados pertencem a uma amostra (em artigos científicos publicados em português, é comum encontrar-se também a abreviatura *DP*).

Os desvios padrão correspondentes aos dados das Tabelas 3.1 a 3.3 são:

$s = \sqrt{1,67} = 1,29$ mm, para a espessura das sementes;

$s = \sqrt{0,93} = 0,96$ visitas ao dentista;

$s = \sqrt{0,4} = 0,63$ anos de idade.

É interessante observar que o desvio padrão de uma série de dados pode ter um valor numérico maior que o da média. Isso geralmente é uma indicação de que a distribuição é assimétrica, como ocorre com o número de visitas ao dentista (Tabela 3.2). Neste exemplo, há uma clara assimetria na distribuição dos valores, e a média (0,83) é menor do que o desvio padrão (0,96).

COEFICIENTE DE VARIAÇÃO

Quando se analisa a mesma variável em duas amostras, pode-se comparar os desvios padrão observados e verificar onde a variação é maior. Por exemplo, se em uma delas a espessura da semente tem desvio padrão igual a 1,29 mm e na outra, s = 0,51 mm, conclui-se que a variação é maior na primeira amostra.

No entanto, o mesmo não pode ser feito em se tratando de variáveis diferentes. Se as sementes da amostra 1 foram também pesadas, e o desvio padrão foi 0,009 g, não se pode afirmar que o peso das sementes é uma característica menos variável do que a sua espessura. Trata-se de características diferentes, medidas em unidades diferentes. Para comparar variabilidades, neste caso, deve-se usar o *coeficiente de variação (CV)*, que é uma medida de dispersão independente da unidade de mensuração da variável.

O coeficiente de variação representa a variabilidade como uma fração em relação à média e é calculado do seguinte modo:

$$CV = \frac{s}{\bar{x}} \quad \text{ou} \quad CV\% = 100\frac{s}{\bar{x}}.$$

A média e o desvio padrão para a espessura do endosperma das sementes mencionadas na Tabela 3.1 e para o seu peso (dados não-apresentados) são:

Espessura: $\bar{x} = 3,5$ mm e $s = 1,29$ mm;
Peso: $\bar{x} = 0,020$ g e $s = 0,009$ g.

Então, o coeficiente de variação para cada variável é:

CV (espessura) $= \dfrac{1,29\text{mm}}{3,5\text{mm}} = 0,37$ (ou 37%);

CV (peso) $= \dfrac{0,009\text{g}}{0,020\text{g}} = 0,45$ (ou 45%).

Pode-se, agora, verificar que o peso das sementes é, na verdade, uma característica mais variável do que a espessura.

OBSERVAÇÃO: Note que, se o peso for expresso em outra unidade, por exemplo, em mg, o coeficiente de variação não se altera ($CV= 9$ mg/20 mg $= 0{,}45$).

AMPLITUDE ENTRE QUARTIS, DESVIO ENTRE QUARTIS ou DISTÂNCIA INTERQUARTÍLICA

Quartis são valores de x que dividem uma série ordenada de dados em quatro grupos, cada um reunindo 25% das observações. O primeiro quartil (Q_1) é o valor abaixo do qual estão os 25% valores menores. O segundo quartil (Q_2) é a mediana e Q_3 é o valor de x abaixo do qual estão 75% dos valores da série. A amplitude ou o desvio entre quartis é a diferença $Q_3 - Q_1$. Note que entre Q_1 e Q_3 estão os 50% valores mais centrais da distribuição.

Quando se descreve um conjunto de dados de distribuição assimétrica, a distância entre quartis representa melhor a variação do que a amplitude ou o desvio padrão, porque não é afetada pelos valores extremos.

Em uma amostra de 95 recém-nascidos prematuros de Porto Alegre, a Dra. Rosimeri da Silva Alves (comunicação pessoal) obteve os valores de TGP apresentados na Tabela 3.4. A grande diferença encontrada entre a média (20) e a mediana (10) é indicadora de que a distribuição é assimétrica (se fosse simétrica, tais valores seriam iguais ou muito semelhantes). O valor do desvio padrão também é indicador de assimetria, pois seu valor é proporcionalmente muito alto, se comparado com a média. Para esse tipo de dados, o desvio interquartílico (11) é a melhor representação da variabilidade, enquanto a mediana é a melhor medida de tendência central.

TABELA 3.4 Valores de TGP* (U/mL) observados em 95 recém-nascidos prematuros

TGP	f	
0 ⊢ 10	42	n = 95
10 ⊢ 20	31	média = 20
20 ⊢ 30	10	mediana = 10
30 ⊢ 40	4	desvio padrão = 30,6
40 ⊢ 50	1	intervalo de variação (obtido dos valores não-grupados): 3–211
50 ⊢ 60	1	quartis: $Q_1 = 7$; $Q_2 = 10$; $Q_3 = 18$
60 ⊢ 70	1	desvio interquartílico = 11
100 oumais	5	
	95	

*Transaminase-glutâmico-pirúvica sérica. É um indicador da função hepática: quanto maior o valor de TGP, pior está a função hepática.

4

Distribuição normal ou de Gauss

As distribuições de freqüências podem apresentar formas variadas. A variável "número de irmãos" tem uma distribuição descontínua e assimétrica (Figura 1.3); o peso tem uma distribuição também assimétrica, mas contínua (Figura 1.1); já a sensibilidade à feniltiocarbamida apresenta distribuição assimétrica e bimodal (Figura 2.2).

Muitas variáveis biológicas apresentam uma distribuição equilibrada, em que os valores centrais são mais freqüentes e os extremos, mais raros, sendo os valores muito baixos tão pouco freqüentes quanto os muito altos. Este é o caso da taxa de hemoglobina; um exemplo de dados deste tipo (em g/100 mL) está apresentado na Tabela 4.1 e no histograma da Figura 4.1.

Quando se elabora um histograma, o tamanho dos "degraus" determinados pelas colunas é dado pela amplitude do intervalo de classe (h), a qual é influenciada pelo tamanho da amostra e pela precisão com que a medida foi feita. Assim, se a técnica de laboratório permitir determinar a taxa de hemoglobina com maior precisão (por exemplo, em mg/100 mL em vez de g/100 mL), pode-se diminuir a amplitude escolhida para os intervalos de classe, com um conseqüente aumento no número de intervalos. Aumentando-se o número de intervalos, os retângulos originais do histograma deverão ser divididos em retângulos mais estreitos. A forma geral do histograma, porém, não se altera com tal procedimento, pois os retângulos tenderão a ser mais altos à medida que se aproximam do centro da distribuição e mais baixos, se próximos dos extremos.

Pode-se seguir diminuindo h e obtendo maior número de intervalos de classe até se chegar à situação em que há um número infinitamente grande de intervalos

TABELA 4.1 Taxa de hemoglobina em 560 homens normais

Hemoglobina (g/100 mL)	fr
12,5 ⊢ 13,5	0,01
13,5 ⊢ 14,5	0,06
14,5 ⊢ 15,5	0,24
15,5 ⊢ 16,5	0,38
16,5 ⊢ 17,5	0,23
17,5 ⊢ 18,5	0,07
18,5 ⊢ 19,5	0,01

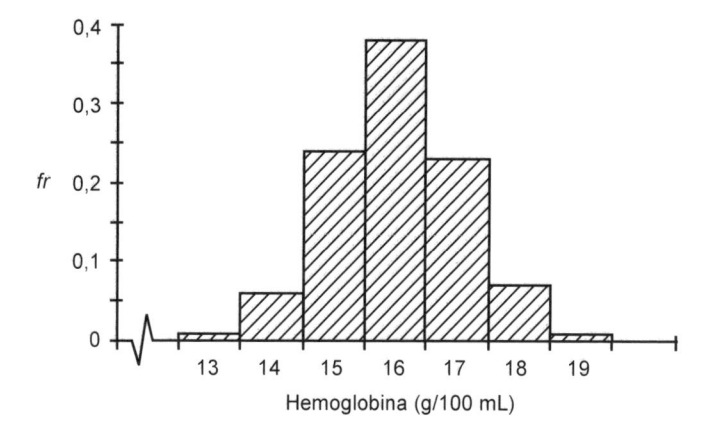

FIGURA 4.1 Taxa de hemoglobina (g/100 mL) em 560 homens normais.

infinitamente pequenos. É claro que esta condição só pode ser imaginada teoricamente e para um número muito grande de indivíduos. No histograma, agora, a sucessão ascendente e descendente de pequenos "degraus" transforma-se em uma linha contínua, com a forma aproximada de um sino. O nome desta linha teórica é *curva de distribuição normal* ou *curva de Gauss*[1]. O termo "normal" foi consagrado pelo uso, embora, muitas vezes, cause alguma confusão ao sugerir que a distribuição normal ocorre apenas em organismos "sadios", o que não é verdade. Podem-se observar características que têm distribuição normal também em organismos doentes.

UTILIDADES DA CURVA NORMAL

Voltando ao exemplo dos níveis de hemoglobina, para se saber qual a probabilidade de um indivíduo do sexo masculino apresentar um valor entre 14,5 e 15,5, basta consultar diretamente a Tabela 4.1 (ou, com menor precisão, a Figura 4.1). O valor obtido é 0,24. Entretanto, se o interesse, agora, é saber a probabilidade de ocorrer um nível de hemoglobina entre 14,5 e 15,0, é necessário refazer a tabela a partir dos dados originais. Não é correto tomar a metade de 0,24 (ou a metade da coluna), pois, pela forma do histograma, nota-se que dividindo esse intervalo ao meio, devem resultar duas colunas de alturas diferentes, sendo a da direita mais alta. A situação complica-se ainda mais quando se deseja determinar a probabilidade de que ocorra uma taxa de hemoglobina menor do que 14,3.

Uma técnica simples para resolver este tipo de problema baseia-se na curva descoberta por De Moivre, Laplace e Gauss. Para aplicá-la, utiliza-se uma tabela padronizada de áreas situadas debaixo dessa curva. Antes, porém, de usar essa tabela é necessário conhecer melhor as principais características da curva normal.

---

[1] Nome em homenagem a Johan K.F. Gauss (1777-1855), que discutiu esta distribuição em 1809. No entanto, Pierre-Simon de Laplace (1749-1827), que era astrônomo matemático como Gauss, já a tinha estudado em 1774 e, antes disso, A. de Moivre (1667-1754) apresentou a equação dessa curva em 1773, em um trabalho que ficou por muito tempo desconhecido. Para resolver a questão da prioridade científica, Karl Pearson recomendou, que se utilizasse o termo "curva normal", usado pela primeira vez por Sir Francis Galton.

PROPRIEDADES OU CARACTERÍSTICAS DA CURVA NORMAL

(1) A curva normal[2] tem a forma de um sino, com caudas assintóticas ao eixo x. Isto significa que, teoricamente, os valores de x podem variar desde $-\infty$ até $+\infty$; a curva jamais toca o eixo x e, portanto, determina uma figura aberta nas caudas. Na prática, no entanto, utiliza-se a curva normal com limites finitos; mais adiante ver-se-á como estes limites são estabelecidos.
(2) A curva é simétrica em relação à perpendicular que passa pela média (μ).
(3) A média, a mediana e a moda são coincidentes.
(4) A curva tem dois pontos de inflexão, que correspondem a valores de x situados, respectivamente, à distância de um desvio padrão (σ) acima e abaixo da média (Figura 4.2).
(5) A área sob a curva totaliza 1 ou 100%.
(6) Aproximadamente 68% ($\approx$2/3) dos valores de x situam-se entre os pontos $(\mu-\sigma)$ e $(\mu + \sigma)$. A área correspondente a essa fração está hachurada na Figura 4.2.
(7) Aproximadamente 95% dos valores de x estão entre $(\mu-2\sigma)$ e $(\mu+2\sigma)$.
(8) Aproximadamente 99,7% dos valores de x estão entre $(\mu-3\sigma)$ e $(\mu+3\sigma)$.

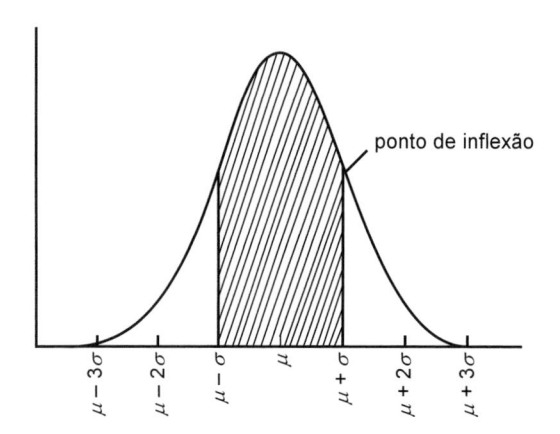

FIGURA 4.2 Curva normal. A área hachurada está compreendida entre $\mu-\sigma$ e $\mu+\sigma$ e corresponde a aproximadamente 68% da área total que fica abaixo da curva normal.

Note que uma área "A" qualquer sob essa curva representa uma fração da área total, correspondente a todos os indivíduos estudados. Portanto, "A" representa uma porcentagem em relação ao total de indivíduos estudados e também a probabilidade de ocorrência dos valores de x a que se refere.

O conhecimento das propriedades de curva normal é muito útil. Assim, se uma variável tem distribuição normal e se sua média e seu desvio padrão forem conhecidos, não é mais necessário representar os dados sob a forma de tabelas ou gráficos para se conhecer a probabilidade de ocorrência de valores de interesse. Além disso, sabe-se imediatamente quais os valores mais freqüentes e quais os valores extremos esperados.

Admita, por exemplo, que a glicemia (nível de glicose no plasma, em jejum) tem distribuição gaussiana, com média igual a 90 mg e desvio padrão 5 mg na população de pessoas sadias[3]. Pode-se, então, concluir que:

---
[2] A curva normal é definida matematicamente pela seguinte equação: $f(x) = \dfrac{1}{\sigma\sqrt{2\pi}} e^{\dfrac{-(x-\mu)^2}{2\sigma^2}}$.
[3] Dicionário de Especialidades Farmacêuticas, 1997, p.1040.

(1) Aproximadamente 2/3 (≈68%) da população de indivíduos normais possuem valores de glicemia entre $(\mu-\sigma) = 90-5 = 85$ mg e $(\mu+\sigma) = 90+5 = 95$ mg.
(2) Grande parte (≈95%) das pessoas sadias tem glicemia entre $(\mu-2\sigma) = 90-2(5) = 80$ e $(\mu+2\sigma) = 90+2(5) = 100$ mg.
(3) Praticamente todos (≈99,7%) os indivíduos da população têm valores entre $(\mu-3\sigma) = 75$ e $(\mu+3\sigma) = 105$ mg.
(4) A probabilidade de que uma pessoa saudável tenha um valor de glicemia em jejum entre 90 (μ) e 95 ($\mu+\sigma$) é de aproximadamente 0,34.

As características do modelo de distribuição normal fazem com que ele tenha ampla aplicação prática. É necessário, porém, assegurar-se de que a distribuição empírica (observada) da variável seja normal ou aproximadamente normal. Não se pode obter conclusões como as mencionadas acima com dados cujas distribuições sejam diferentes do modelo gaussiano, como o número de irmãos, que apresenta uma distribuição assimétrica e descontínua.

CURVA NORMAL PADRONIZADA OU CURVA NORMAL REDUZIDA

As propriedades referentes a áreas sob a curva de Gauss foram obtidas de uma curva especial, que tem média $\mu=0$ e desvio padrão $\sigma=1$. Essa curva chama-se *curva normal padronizada* ou *curva normal reduzida*. As áreas situadas abaixo desta curva estão tabeladas (Apêndice, Tabela A1). Para evitar confusão, a variável tabelada é denominada z, reservando-se a letra x para representar as variáveis do mundo real.

A Tabela A.1 informa áreas entre a média (zero) e um valor de z qualquer. Quando z for 1 (isto é, igual a σ), a área compreendida entre esse valor e a média é 0,3413 ou 34,13%. A área entre $z = -1$ e $z = +1$ é 0,6826, como mencionado na 6ª propriedade da curva normal. Para a obtenção de áreas que não estão entre 0 e z, devem ser realizadas operações simples de subtração ou de soma com as áreas.

Exemplo 1. Qual a área correspondente a valores de z acima de 2,3? 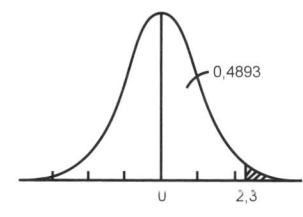
– A curva toda tem área = 1, portanto a área à direita de zero é 0,5.
– Na tabela da curva normal, verifica-se que a área entre $z = 0$ e $z = 2,3$ é 0,4893.
– A área à direita de 2,3, portanto, é 0,5 – 0,4893 = 0,0107.

Exemplo 2. Qual a área compreendida entre $z = -1,5$ e $z = 1$? 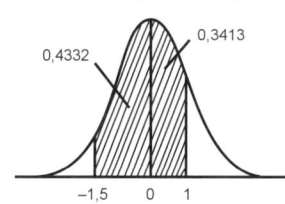
– Segundo a tabela da curva normal, a área entre $z = 0$ e $z = -1,5$ é 0,4332.
– A área entre $z = 0$ e $z = 1$ é 0,3413.
– Portanto, a área desejada é 0,4332 + 0,3413 = 0,7745.

Com auxílio da tabela de áreas da curva padronizada, pode-se também determinar quais valores de z limitam áreas (percentagens) de interesse prático.

Exemplo 3. Considere-se uma área B localizada na extremidade direita de uma curva normal e compreendendo 20% da área total. Que valores de z limitam essa região?

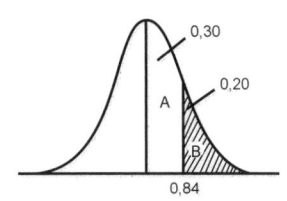

– A tabela da curva normal padronizada apresenta informações sobre áreas adjacentes a zero (área A). Ora, B = 0,20, então, A = 0,50 – 0,20 = 0,30.
– A área tabelada mais semelhante a 0,30 é 0,2996, correspondendo à área entre 0 e 0,84. Logo, o valor $z = 0{,}84$ limita as áreas A e B.
– Conclui-se então que os valores $z = 0{,}84$ e $z = +\infty$ limitam a área B.

PARÂMETROS DA CURVA NORMAL

A média (μ) e o desvio padrão (σ) são os *parâmetros de uma curva normal*, uma vez que são suficientes para defini-la completamente. A média é o parâmetro de tendência central ou de posição, indicando em que ponto da reta real a curva está centrada; σ, o parâmetro de dispersão ou variabilidade, informa sobre a forma, se mais larga ou mais estreita, da distribuição.

A Figura 4.3 apresenta três curvas que auxiliam a esclarecer essas denominações. As curvas A e B diferem apenas pelas posições (definidas pelas médias) em que se encontram na reta real. Já as curvas B e C têm a mesma média, diferindo pela dispersão dos valores: note que a curva C, com desvio padrão menor, é mais estreita que a B.

DISTRIBUIÇÕES DAS VARIÁVEIS NA PRÁTICA

A distribuição normal, como uma linha suave, existe apenas teoricamente. Na prática, o que se observam são histogramas que se aproximam, em maior ou menor grau, de uma curva normal. Se o histograma lembra uma distribuição normal e se a amostra é relativamente grande, as probabilidades fornecidas pela curva e

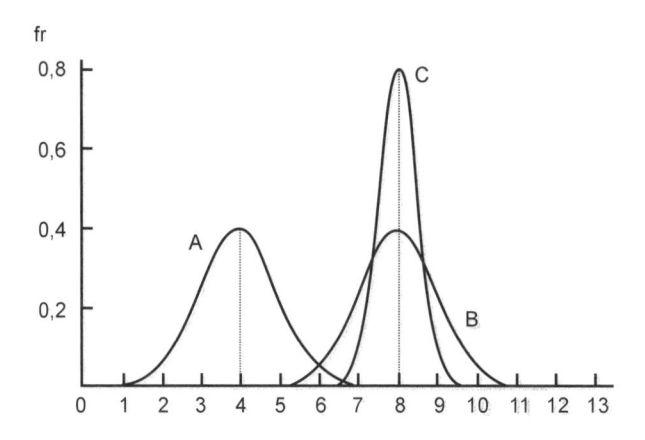

FIGURA 4.3 Desenhos de três curvas normais (A, B e C) que diferem quanto à média ou ao desvio padrão. Curvas A: $\mu=4$, $\sigma=1$; B: $\mu=8$, $\sigma=1$; C: $\mu=8$, $\sigma=0{,}5$ (Fonte: Sokal e Rohlf, 1981; p.101).

as freqüências relativas observadas no histograma são bastante próximas. Por isso, para um grande número de variáveis a curva normal constitui uma ferramenta útil, dispensando a elaboração de tabelas de freqüências para a descrição e o cálculo da probabilidade de ocorrência de valores de interesse.

No entanto, existem variáveis de distribuição descontínua ou assimétrica (número de irmãos, salários, sensibilidade à feniltiocarbamida) para as quais seria ingenuidade utilizar o modelo de curva normal e esperar conclusões confiáveis. Para essas variáveis, deve-se procurar outro modelo que se adapte melhor aos dados observados ou tentar transformações que tornem suas distribuições mais próximas de uma normal.

Algumas das transformações mais usadas são:

(1) $x' = \log x$ (logaritmo à base 10 de x) ou $x' = \ln x$ (logaritmo à base e de x)
(2) $x' = \sqrt{x}$
(3) $x' = 1/x$
(4) $x' = x^2$.

As três primeiras são indicadas para distribuições com assimetria à direita (isto é, com a cauda da direita mais longa); a última é indicada para corrigir uma assimetria à esquerda. A Figura 4.4 ilustra o efeito de uma transformação logarítmica em dados assimétricos.

TRANSFORMAÇÃO DE UMA VARIÁVEL X EM Z

As variáveis observadas na prática (x) apresentam valores cujas áreas não estão tabeladas. Por meio de uma operação simples, no entanto, os valores de x podem ser transformados na variável z e então as áreas desejadas podem ser obtidas da tabela da curva normal.

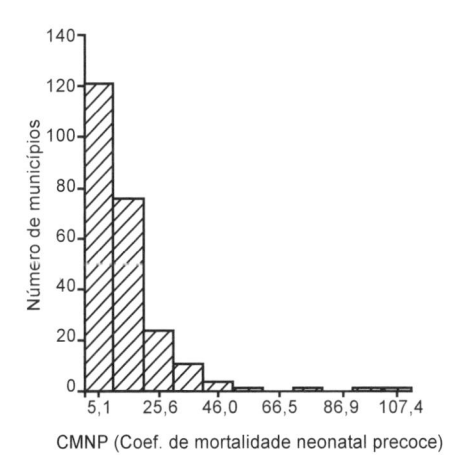

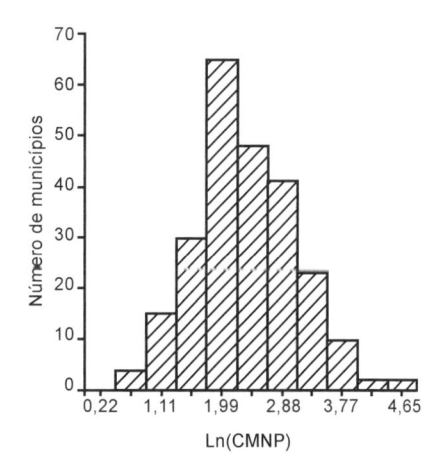

FIGURA 4.4 Efeito da transformação logarítmica. Histogramas do coeficiente de mortalidade neonatal precoce (CMNP: número de óbitos na primeira semana de vida/1000 nascidos vivos) e do logaritmo do CMNP, em 240 municípios com CMNP maior do que zero. (Fonte: Coordenadoria de Informações em Saúde, Secretaria Estadual da Saúde, Governo do Estado do Rio Grande do Sul; dados de 2000.)

A maneira de transformar x em z é: $z = \dfrac{x - \mu}{\sigma}$

onde μ e σ são a média e o desvio padrão populacionais para a variável x.

Obtenção de uma área compreendida entre dois valores de x

Exemplo 4. Um treinador deseja selecionar, dentre os jovens que estão prestando serviço militar no quartel Q, aqueles com uma estatura de no mínimo 180 cm, para formar um time de basquete. Que percentagem é esperada de jogadores em potencial, sabendo-se que a estatura tem distribuição normal e, nesses jovens, a média é 175 cm e o desvio padrão, 6 cm?

Para melhor visualizar o problema, inicia-se desenhando a curva normal correspondente à estatura, localizando a média e o valor 180 cm, e hachurando-se a área de interesse, que fica à direita de 180 (Figura 4.5).

A seguir, transforma-se a variável estatura *(x)* na variável padronizada z, que está indicada na linha inferior a x.

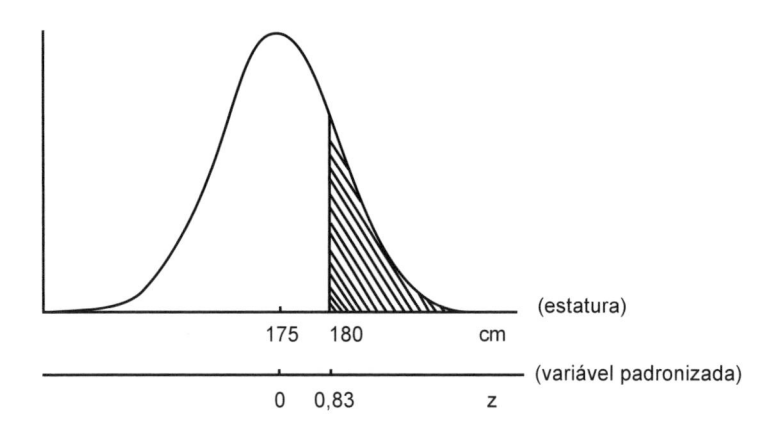

FIGURA 4.5 Representação, em curva normal, das estaturas de recrutas do quartel Q.

Para $x = 175$, $z = (x - \mu)/\sigma = (175 - 175)/6 = 0$.
Para $x = 180$, $z = (180 - 175)/6 = 0{,}83$.
A área entre $z = 0$ e $z = 0{,}83$ é 0,2967 e a área além de 0,83 é $(0{,}5 - 0{,}2967) = 0{,}2033$.

Portanto, 20,33% dessa população são constituídos de indivíduos com estatura igual ou superior a 180 cm. Se 140 jovens estão prestando serviço militar no quartel Q, o número esperado de rapazes que pode ser convidado para participar do time de basquete é

20,33% de 140: $0{,}2033 \times 140 = 28{,}46$, isto é, 28 jovens.

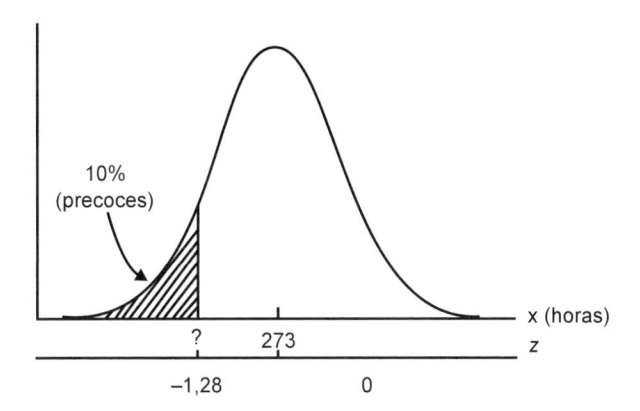

FIGURA 4.6 Representação esquemática dos tempos de emergência em *Drosophila melanogaster.*

Obtenção dos valores de *x* que limitam uma área conhecida

No estudo da genética do desenvolvimento da mosca-das-frutas *Drosophila melanogaster*, um procedimento importante consiste em criar uma população de indivíduos precoces para o desenvolvimento, isto é, aqueles que emergem antes dos demais. O tempo decorrido entre a oviposição e a emergência do adulto, na seqüência ovo-larva-pupa-adulto, é de 273 horas em média, com desvio padrão de 20 horas (Nascimento, 1992). Suponha que um geneticista deseje selecionar 10% da população, correspondendo aos indivíduos que emergem por primeiro, para desenvolver uma população "precoce" (Figura 4.6). Qual o tempo-limite a partir do qual os indivíduos que nascem não interessam mais ao pesquisador?

A tabela da distribuição z mostra que $z = -1,28$ é o valor que separa, na curva normal, uma área caudal correspondente a 0,10 unidades de área e outra, adjacente à média, de 0,40. Transformando z em x, obter-se-á o tempo de desenvolvimento que limita uma área caudal de 10% à esquerda da curva de tempos de emergência, conforme desejado.

Da fórmula de transformação $(z = (x-\mu)/\sigma)$, obtém-se que

$$-1,28 = \frac{x - 273}{20}$$

$-25,6 = x - 273$ logo, $x = -25,6 + 273 = 247,4 \cong 247$ h.

Portanto, os indivíduos que levarem mais de 247 horas para se tornarem adultos serão descartados, e o pesquisador usará as moscas cujo tempo de emergência é 247 horas ou menos para desenvolver a população considerada "precoce".

INTERPRETAÇÃO DE *z*

No quartel Q, um recruta com 181 cm de altura tem uma estatura situada a um desvio padrão (6 cm) acima da média (175 cm), enquanto uma estatura igual a 169 cm está a um desvio padrão abaixo da média, o que pode ser facilmente visto usando-se a fórmula de transformação de *x* em *z*:

z(para 181) = (181 − 175)/6 = 1   e z(para 169) = (169 − 175)/6 = −1.

Portanto, z pode ser interpretado como *o número de desvios padrão envolvidos no afastamento de um determinado valor de x em relação à média*. Em outras palavras, z é a diferença, em unidades de desvios padrão, entre um valor de x e a média.

Assim, 163 cm é um valor de estatura que está dois desvios padrão abaixo da média e 178 cm está meio desvio padrão acima da média, na população de recrutas desse quartel.

OBSERVAÇÃO: z é também conhecido como o valor de x *padronizado*.

APLICAÇÕES PRÁTICAS

Aplicação 1. Nos vestibulares da Universidade Federal do Rio Grande do Sul, calcula-se, para cada candidato (e para cada prova), um escore padronizado *(E)* do seguinte modo:

$$E = z\,(100) + 500.$$

O valor de z é multiplicado por 100 para evitar valores muito pequenos, que dificultam a classificação, e a constante 500 é somada para evitar valores negativos.

Suponha que um candidato acertou 6 questões a mais do que a média em duas matérias: matemática e biologia. Em matemática, a média geral dos candidatos foi 9 questões corretas e o desvio padrão foi 4. Na prova de biologia, a média de acertos foi 11 e o desvio padrão, 5. Em que prova o aluno teve melhor desempenho relativo?

Em matemática, o candidato acertou 15 questões, então

$$z_{MAT} = (15 - 9)/4 = 1{,}5, \text{ logo, } E_{MAT} = 1{,}5\,(100) + 500 = 650.$$

Em biologia, o candidato acertou 17 questões, então

$$z_{BIO} = (17 - 11)/5 = 1{,}2, \text{ logo, } E_{BIO} = 1{,}2\,(100) + 500 = 620.$$

Conclui-se que esse aluno, quando comparado com os demais candidatos, teve melhor desempenho na prova de matemática.

Aplicação 2. Com o aumento da idade, especialmente após a menopausa, as mulheres apresentam uma progressiva perda de massa óssea, que favorece a ocorrência de fraturas na coluna lombar e no colo de fêmur. Em vista disso, muitos ginecologistas costumam pedir às pacientes com idade superior a 50 anos que realizem um teste de densitometria óssea, com o objetivo de avaliar a perda de massa óssea.

Os resultados apresentados pelo densitômetro são valores de z, isto é, desvios padronizados em relação à média para mulheres de mesma idade que a paciente. Valores de z negativos indicam que a paciente apresenta uma massa óssea abaixo da média para sua idade. Um diagnóstico de osteoporose é feito se o valor de densidade mineral óssea estiver a mais do que 2,5 desvios padrão abaixo da média para uma mulher adulta jovem (ver, por exemplo, Krahe, 1995).

5

Distribuição amostral das médias

As investigações sobre problemas biológicos sempre envolvem mais do que um indivíduo (com exceção dos relatos de casos clínicos). Assim se faz porque os fenômenos biológicos dão origem a resultados que variam, e, ao comparar resultados obtidos em situações diferentes, os pesquisadores desejam considerar a variabilidade entre observações. Para conhecer a variabilidade de uma característica, é necessário medir mais do que uma unidade experimental (ou observacional). Por isso, os trabalhos de pesquisa são realizados em grupos de indivíduos (as amostras); se as variáveis forem quantitativas, a média e o desvio padrão são estatísticas importantes na elaboração das conclusões.

Um problema típico pode ser o de avaliar se um determinado conjunto de dados difere de um padrão tomado como referência, conforme exemplificado a seguir.

Exemplo 1. Considere a alcalinidade média no rio Caí como sendo de 19,6 mg de $CaCO_3$/L (Vargas, 1992). Se em uma amostra recente de 16 observações a média for 16,2 mg, estará ela indicando que a alcalinidade no rio se modificou?

Um ponto a considerar é saber se a diferença obtida (–3,4 mg) pode ser atribuída a uma diminuição real na alcalinidade ou a um erro aleatório, já que a média 16,2 está baseada em uma amostra de 16 dados e não na população de valores possíveis no rio.

Para decidir sobre a significância estatística da diferença entre uma média amostral ($\bar{x}$) e o parâmetro tomado como referência (μ), é necessário saber como é o comportamento aleatório das médias amostrais, isto é, como é a sua distribuição probabilística.

DISTRIBUIÇÃO AMOSTRAL DE MÉDIAS (DAM)

Imagine uma população hipotética de 4 valores somente:

$$x = 10; 20; 30; 40.$$

A média desses valores é 25.

Retiram-se, agora, dessa população todas as amostras aleatórias possíveis de dois elementos, repondo novamente o primeiro para que haja outra vez quatro valores possíveis para a segunda retirada[1].

Quais são as médias possíveis? Se você fizer esta experiência (e deve fazê-la), verificará que há 16 amostras possíveis e que as médias são as apresentadas na Tabela 5.1.

TABELA 5.1 Todas as médias possíveis, de amostras aleatórias de $n = 2$ elementos, obtidas de uma população onde $x = 10, 20, 30$ e 40

$\bar{x}$	f	fr
10	1	0,0625
15	2	0,1250
20	3	0,1875
25	4	0,2500
30	3	0,1875
35	2	0,1250
40	1	0,0625
Σ	16	1,0000

A Figura 5.1 mostra a distribuição dos valores de x na população e a distribuição das médias de 2 elementos obtidas dessa população. Observa-se que, apesar dos 4 valores de x serem igualmente freqüentes ($fr = 0,25$ para cada um) na população original, as médias amostrais com valor próximo de 25 são mais comuns do que as médias mais extremas.

Na verdade, já foi demonstrado que, quando as amostras são grandes (e para tanto é necessário imaginar uma população maior do que a do exemplo citado), as médias de todas as amostras possíveis, de igual tamanho, retiradas aleatoriamente de uma população, distribuem-se segundo uma curva normal, não importando como se distribuem os dados na população original. A esta conclusão denominou-se *Teorema do limite central*.

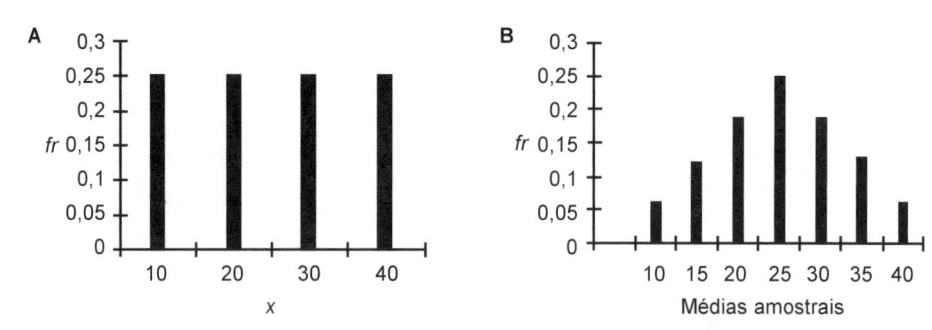

FIGURA 5.1 (A) Distribuição de freqüências em uma população com 4 valores igualmente prováveis, com média 25 e desvio padrão 11,2. (B) Distribuição das médias de amostras de 2 elementos, retiradas dessa população.

---

[1] Essa é uma amostragem dita "com reposição"; na verdade, todas as amostragens deveriam ser com reposição, mas, na prática, as populações são tão grandes que realizar ou não reposição não altera o resultado.

Uma extensão desse teorema afirma que, se x tiver distribuição normal, as médias também apresentarão distribuição normal, mesmo que as amostras não sejam grandes.

Características da distribuição amostral de médias (DAM)

(1) Se a variável x tem distribuição normal, as médias de todas as amostras aleatórias de igual tamanho, originárias dessa população, distribuem-se também segundo uma curva de Gauss. Se a distribuição de x não for gaussiana, são necessárias amostras grandes para que a DAM seja uma distribuição normal.

(2) A distribuição amostral das médias tem centro em μ (isto é, na média da população amostrada). A variabilidade é expressa pelo desvio padrão das médias ou *erro padrão da média*, $\sigma(\bar{x})$. O erro padrão pode ser obtido:
(a) Ou usando os desvios de cada média amostral em relação à μ, conforme

$$\sigma(\bar{x}) = \sqrt{\frac{\sum f(\bar{x}-\mu)^2}{\sum f}}$$, onde f é o número de vezes em que cada média ocorreu,

(b) Ou pela fórmula

$$\sigma(\bar{x}) = \frac{\sigma}{\sqrt{n}}$$, onde n é o tamanho da amostra.

Na prática, o erro padrão é calculado usando-se a última fórmula (b), pois o mais comum é não se conhecer todas as médias de uma DAM[2].

(3) Como a distribuição amostral das médias é uma curva normal, a área total sob a DAM é 1, aproximadamente 68% das médias estão entre $\mu-\sigma(\bar{x})$ e $\mu+\sigma(\bar{x})$, aproximadamente 95% estão entre $\mu-2\sigma(\bar{x})$ e $\mu+2\sigma(\bar{x})$ e assim por diante.

SIGNIFICÂNCIA ESTATÍSTICA DE UM DESVIO

Considere a variável "estatura" em universitárias gaúchas. As jovens cujas estaturas não se desviam muito da média não chamam a atenção por essa característica, como acontece com as muito altas e as muito baixas. Não há dúvida de que uma estudante com 180 cm desvia-se bastante da média do grupo; já uma jovem que apresente estatura igual a 175 cm pode parecer bastante alta para os observadores de baixa estatura, mas não surpreenderá os observadores quando eles mesmos forem altos. Um critério científico para o estabelecimento de uma *diferença* ou *desvio significativo* entre dois valores não pode ser uma questão de opinião dependente do sujeito, mas um critério objetivo.

O critério estatístico para a significância de um desvio pressupõe que:

---

[2] Calcule o erro padrão para a DAM obtida da população de elementos 10, 20, 30 e 40 pelos dois métodos sugeridos. A média populacional relativa aos 4 valores (μ) é 25 e σ = 11,2. Verifique que o erro padrão, por qualquer processo, é 7,9 (lembre que as amostras têm tamanho 2).

(1) A distribuição dos valores seja gaussiana.
(2) O valores desviantes sejam uma fração pequena da população e que esta fração seja determinada *a priori*.

Partindo desses pressupostos, uma atitude razoável será considerar como estatisticamente não-significativos os desvios apresentados por valores ao redor da média populacional. Estipula-se que tal fração de indivíduos deve ser grande, por exemplo, 95%, já que um valor discrepante deve ser raro. Metade dessa fração (47,5%) corresponde a valores adjacentes e acima da média, enquanto a outra metade, a valores adjacentes e menores do que a média. Assim, fica estabelecido um intervalo ao redor da média, o *intervalo de desvios não-significativos,* que corresponde a 95% dos valores da população. A fração escolhida (0,95 ou 95%) é arbitrária e denomina-se *área* ou *região de não-significância,* sendo indicada por C ou C% (Figura 5.2).

Os valores que ficarem fora do intervalo de desvios não-significativos são considerados *desvios significativos* e correspondem a uma fração denominada α do total de valores possíveis. A letra α (alfa) indica a *região de significância* ou *nível de significância,* equivalendo a $\alpha = 1-C$ (ou $\alpha\% = 100\% - C\%$). Essa região é geralmente dividida em duas áreas iguais: uma situada na cauda esquerda da curva normal e outra, igual à primeira, na cauda direita. Todos esses conceitos estão representados graficamente na Figura 5.2.

Note que os intervalos de desvios significativos e não-significativos estão diretamente ligados ao tamanho da área de significância, pois $C = 1 - \alpha$. Já que, na maioria dos casos, os pesquisadores estão interessados na significância dos desvios, o mais comum é arbitrar α e não C. Os valores mais usados nas ciências biológicas e da saúde são: $\alpha = 0,05$, $\alpha = 0,01$ e $\alpha = 0,001$.

DECISÃO SOBRE A SIGNIFICÂNCIA DE UM DESVIO ENTRE $\bar{x}$ E μ

Como as médias das amostras costumam se distribuir segundo uma curva normal, parece lógico utilizar o critério acima indicado para decidir sobre a significância estatística da diferença entre uma média amostral e uma média populacional.

Exemplo 2. Certo investigador mediu a pressão arterial sistólica de cinco executivos do sexo masculino, na faixa de 40 a 44 anos, escolhidos aleatoriamente, e obteve os valores 135; 143; 149; 128 e 158 mmHg. A média observada nessa

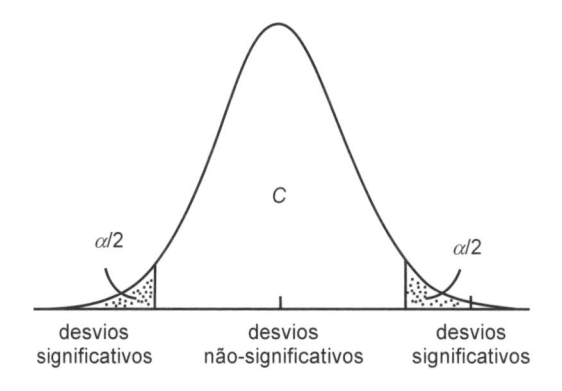

FIGURA 5.2 Regiões de significância (α), não-significância (C) e intervalos de desvios correspondentes.

amostra foi 142,6 mmHg. Serão esses dados suficientes para afirmar que os executivos apresentam pressão arterial sistólica diferente daquela observada na população de homens com essa idade?

Revisando a literatura, o pesquisador verificou que, nessa população e nessa faixa etária, a média da pressão arterial sistólica é 129 mmHg e o desvio padrão é 15 mmHg. Raciocina, então, que, para saber se a média do grupo se desvia significativamente da média tomada como referência (129 mmHg), é necessário saber quais os limites do intervalo de desvios não-significativos para médias de amostras de cinco pessoas retiradas aleatoriamente dessa população. Decide usar um nível de significância $\alpha = 5\%$.

Ora, sabe-se que o intervalo $\mu \pm 1,96\ \sigma(\bar{x})$ determina uma região de 95% no centro da curva da DAM e duas regiões de 2,5%, uma em cada cauda desta distribuição. Como o critério de significância é dado pelo tamanho da área das caudas e como $\alpha = 5\%$, os limites determinados por $\mu \pm 1,96\ \sigma(\bar{x})$ são os limites da região de 0,05 de significância.

O erro padrão para a pressão sistólica, referente a amostras com n = 5 retiradas da população de homens com 40-44 anos, é:

$$\sigma(\bar{x}) = \frac{\sigma}{\sqrt{n}} = \frac{15}{\sqrt{5}} = 6,7.$$

Os limites do intervalo de não-significância, portanto, são:

$\mu - 1,96\ \sigma(\bar{x})\ = 129 - 1,96(6,7)$
$\qquad\qquad\qquad = 129 - 13,1 = 115,9$ (limite inferior do intervalo)
$\mu + 1,96\ \sigma(\bar{x})\ = 129 + 1,96(6,7)$
$\qquad\qquad\qquad = 129 + 13,1 = 142,1$ (limite superior do intervalo).

Assim, as médias amostrais com valor entre 115,9 e 142,1 mmHg não apresentam desvios significativos em relação à média populacional. Médias com valores fora desse intervalo desviam-se significativamente de $\mu = 129$. Portanto, para o critério escolhido, a média obtida nos cinco executivos (142,6) desvia-se significativamente da média da população de homens da mesma faixa etária, estando mais elevada.

DECISÃO SOBRE A SIGNIFICÂNCIA DE UM DESVIO ENTRE $\bar{x}$ E μ: MÉTODO ABREVIADO

Uma média amostral desvia-se significativamente da média populacional se estiver ao menos 1,96 erros padrão acima ou abaixo desta. Como o número crítico de erros padrão é o valor de z que limita a área central de interesse, um desvio será significativo se estiver a uma distância superior a z_α erros padrão da média e será não-significativo se a distância for inferior a z_α erros padrão. Se a distância for exatamente igual a z_α erros padrão, o desvio é dito significativo, por convenção.

Assim, uma maneira abreviada de determinar se um desvio é significativo consiste de se padronizar o desvio em unidades de erros padrão e depois comparar o valor obtido com o número crítico de erros padrão escolhido.

A seqüência dos procedimentos para se determinar a significância de um desvio é:

(1) Escolher inicialmente o critério ou o nível de significância desejado (por exemplo, $\alpha = 0{,}05$).
(2) Obter o valor crítico de z da tabela (neste caso, $z_\alpha = z_{0,05} = 1{,}96$).
(3) Calcular o afastamento entre $\bar{x} - \mu$, em erros padrão:

$$z_{calc} = \frac{\bar{x} - \mu}{\frac{\sigma}{\sqrt{n}}} = \frac{142{,}6 - 129{,}0}{\frac{15}{\sqrt{5}}} = \frac{13{,}6}{6{,}7} = 2{,}03.$$

A média amostral está a 2,03 erros padrão acima de μ.

(4) Regra de decisão:
Se $|z_{calc}| < z_\alpha$, o desvio é dito "não-significativo".
Se $|z_{calc}| \geq z_\alpha$, o desvio é dito "significativo".
Como $z_{calc} = 2{,}03 > z_{0,05} = 1{,}96$, o desvio é significativo.

(5) Conclusão: A média da amostra de executivos desvia-se significativamente (para mais) da média de adultos dessa faixa etária, para $\alpha = 0{,}05$.

Em cada caso, a interpretação do resultado obtido cabe ao investigador. Se a média populacional tomada como referência é 129 mmHg (refletindo a pressão arterial de homens na faixa de 40 a 44 anos), amostras de 5 indivíduos com valores muito baixos ou muito altos raramente devem ocorrer ao acaso. Portanto, é razoável que o pesquisador procure explicar a média encontrada pela atividade exercida pelos integrantes da amostra.

No entanto, apesar de ser baixa a probabilidade de ocorrerem médias extremas, essa probabilidade não é nula. Por isto, diz-se que a conclusão "a pressão arterial está aumentada nos executivos" tem uma probabilidade de erro que é igual ao tamanho da região de significância (0,05), pois esta foi a área arbitrariamente escolhida para definir, no exemplo, o que são "desvios grandes".

VALORES CRÍTICOS MAIS USADOS DE z

A Tabela 5.2 indica os níveis de significância mais usados nas ciências da vida e os respectivos valores críticos de z (z_α).

AFINAL, A ALCALINIDADE DO RIO CAÍ ESTÁ OU NÃO ALTERADA?

No início deste capítulo (Exemplo 1), desejava-se saber se a alcalinidade da água do rio Caí estava alterada, partindo-se de dados de 16 pontos do rio. Sabe-se que a média de alcalinidade deste rio costuma ser $\mu = 19{,}6$ mg de $CaCO_3$ por litro e

TABELA 5.2 Níveis de significância mais usados em ciências da vida e valores de z correspondentes

Nível de significância (α)	z crítico (z_α)
0,05	1,96
0,01	2,58
0,001	3,29

que a variabilidade observada em diferentes determinações, medida pelo desvio padrão, é $\sigma = 7{,}7$ mg/L. A média obtida entre os 16 valores foi $\bar{x} = 16{,}2$ mg/L. Para o critério $\alpha = 0{,}05$, o número de erros padrão a ser superado por um desvio significante é 1,96. Calculando z_{calc}, tem-se:

$$z_{calc} = \frac{\bar{x} - \mu}{\frac{\sigma}{\sqrt{n}}} = \frac{16{,}2 - 19{,}6}{\frac{7{,}7}{\sqrt{16}}} = \frac{-3{,}4}{1{,}925} = -1{,}77.$$

O desvio não é significativo, pois $|-1{,}77| < z_{0{,}05} = 1{,}96$. Portanto, conclui-se que não há evidências suficientes para se afirmar que houve alteração na alcalinidade deste rio, para $\alpha = 0{,}05$.

Note que a decisão sobre a significância de um desvio entre uma média amostral e um parâmetro pode ser usada para se verificar uma hipótese científica. Isso foi visto no exemplo apresentado, no qual a hipótese de que havia uma alteração na alcalinidade do rio Caí não teve suporte empírico. O próximo capítulo apresentará, de forma mais clara, a relação entre um teste de hipóteses e a significância estatística de uma diferença entre médias.

6

Testes de hipóteses

Os trabalhos científicos são realizados com objetivos bem-estabelecidos, expressos por meio de afirmações que os pesquisadores desejam verificar. Tais afirmações provisórias são denominadas *hipóteses*. Após formulá-las adequadamente, os investigadores realizam o levantamento dos dados e os analisam estatisticamente, buscando resultados que confirmem ou não essas hipóteses. Como, na maioria das vezes, os dados provêm de amostras, a decisão final a respeito de uma hipótese científica está associada a uma probabilidade de erro. O erro de decisão não pode ser evitado, mas sua probabilidade pode ser controlada ou mensurada, obtendo-se assim uma medida de validade das conclusões obtidas.

A *estatística inferencial* é o ramo da estatística que fornece métodos para que o pesquisador possa tomar sua decisão a respeito de hipóteses formuladas, informando também sobre o risco de erro que acompanha a decisão. É também pelo uso de técnicas da estatística inferencial que são estimados parâmetros populacionais através de intervalos de confiança, como será visto no próximo capítulo.

Exemplo 1. Suponha que um pesquisador deseje verificar se o medicamento *M*, utilizado no tratamento de determinado sintoma, apresenta, como efeito colateral, uma alteração nos níveis da pressão arterial sistólica (PAS). Como se trata de um medicamento de uso comum, o investigador não tem dificuldade em localizar pessoas que estão tomando a droga. Seleciona, então, ao acaso, 60 indivíduos adultos, certificando-se de que suas pressões arteriais eram normais antes de serem medicados. O pesquisador mede a pressão arterial nessas pessoas após elas terem ingerido o medicamento durante igual período de tempo, e obtém a média de 135 mmHg. Um extenso estudo realizado em adultos do Rio Grande do Sul mostrou que a pressão arterial sistólica tem, neste Estado, média igual a 128 mmHg, com desvio padrão de 24 mmHg (Achutti e colaboradores, 1985).[1] Com base nessas informações, pode o pesquisador concluir que o medicamento *M* altera a pressão arterial dos pacientes que o ingerem?

A decisão de aceitar (ou não) que o medicamento altera os níveis de pressão arterial passa pela realização de um teste estatístico. Para realizá-lo, é necessário, inicialmente, transformar a hipótese científica em uma hipótese estatística.

---

[1] Devido ao grande número de indivíduos estudados, esses valores podem ser usados como parâmetros.

HIPÓTESES ESTATÍSTICAS

Hipóteses estatísticas são suposições feitas sobre o valor dos parâmetros nas populações. Uma hipótese do tipo "o medicamento M altera a pressão arterial" não é uma hipótese estatística, porque não menciona o valor do parâmetro, que é a média populacional para a pressão arterial. Uma hipótese estatística deve explicitar e comparar parâmetros, como será mostrado a seguir.

Tipos de hipóteses estatísticas

As hipóteses estatísticas sempre comparam dois ou mais parâmetros, quer afirmando que são iguais quer que não o são. São de dois tipos:

(1) *Hipótese nula* ou *de nulidade* (H_0): estabelece a ausência de diferença entre os parâmetros. É sempre a primeira a ser formulada.
No exemplo em discussão, a hipótese nula é:

H_0: a média da população amostrada, de indivíduos tratados com o medicamento M (μ_A), é igual à média da população tomada como referência (μ_0). Ou, abreviadamente, H_0: $\mu_A = \mu_0$.

Se essa hipótese não for rejeitada, a conclusão é a de que o medicamento não altera a pressão arterial sistólica.

(2) *Hipótese alternativa (H_A ou H_1)*: é a hipótese contrária à hipótese nula. Geralmente, é a que o pesquisador quer ver confirmada. A hipótese alternativa para o Exemplo 1 é:

H_A: a média da população amostrada (μ_A) difere da média da população de referência (μ_0), ou, abreviadamente, H_A: $\mu_A \neq \mu_0$.

Verificação das hipóteses

A verificação das hipóteses estatísticas somente se dará com certeza se for estudada *toda* a população de indivíduos tratados com o medicamento, isto é, se μ_A for conhecida. Se o pesquisador tivesse a informação de que a pressão média de todas as pessoas que ingerem o medicamento é 132 mmHg, ele poderia afirmar com toda a certeza que o medicamento eleva em 4 mmHg os níveis de tensão arterial.

Como o mais comum é se desconhecer μ_A (é exatamente por isso que o pesquisador está realizando o estudo), as decisões vão ser tomadas com base nos dados obtidos em amostras e envolverão um *risco máximo admitido para o erro de afirmar que existe uma diferença, quando ela efetivamente não existe* (α). O pesquisador estabelece tal risco antes de realizar o teste de hipóteses.

TESTE DE HIPÓTESES

O teste de hipóteses é um procedimento estatístico pelo qual se rejeita ou não uma hipótese, associando à conclusão um risco máximo de erro.

Devido à maneira como os testes são elaborados, a hipótese testada é sempre H_0. Se for rejeitada, a alternativa é automaticamente aceita; se H_0 não for rejeitada, H_A automaticamente o é.

Raciocínio do teste

O pesquisador que deseja estudar o efeito da droga M sobre a pressão arterial deseja uma resposta à seguinte pergunta:

"Se H_0 for verdadeira, isto é, se a pressão arterial dos indivíduos tratados com M é também 128 mmHg, é razoável (em termos probabilísticos) obter-se uma média igual a 135 mmHg em uma amostra aleatória de 60 indivíduos desta população?"

Para construir o teste de hipóteses, parte-se da suposição inicial de que H_0 é verdadeira, porque, se assim for, $\mu_A = \mu_0 = 128$. Ora, se uma população tem média 128, as amostras aleatórias de 60 indivíduos retiradas ao acaso dessa população apresentarão médias ($\bar{x}$) que se distribuem segundo uma curva normal, com $\mu = \mu_0 = 128$ e $\sigma(\bar{x}) = \sigma/\sqrt{n} = 24/\sqrt{60} = 3{,}1$.

Escolhido o nível de significância α, tem-se o número máximo de erros padrão (z_α) que define se uma diferença entre $\bar{x}$ e μ_0 é ou não estatisticamente significativa. Procura-se saber, então, a quantos erros padrão corresponde o desvio entre $\bar{x} = 135$ e $\mu_0 = 128$. Se o desvio for não-significativo, conclui-se que a suposição inicial, de que $\mu_A = 128$, pode ser aceita. Mas se o desvio for significativamente grande, o mais provável é que μ_A não seja 128 e, então, H_0 deve ser rejeitada.

Tomando-se $\alpha = 0{,}05$, $z_{0{,}05} = 1{,}96$. Logo, um desvio de até 1,96 erros padrão é admitido como não-significativo, isto é, casual.

Para os dados do Exemplo 1, verifica-se que

$$z_{calc} = \frac{\bar{x} - \mu_0}{\sigma(\bar{x})} = \frac{135 - 128}{3{,}1} = \frac{7}{3{,}1} = 2{,}26,$$

isto é, o afastamento de $\bar{x}$ em relação à $\mu_0 = 128$ é de 2,26 erros padrão. O desvio, portanto, é significativo, sendo dificilmente explicado pelo acaso.

Se a população tiver média 128, é pouco provável que se obtenha, ao acaso, uma média amostral igual a 135 com uma amostra de 60 indivíduos. Seria mais fácil obter uma amostra com tal média se a média populacional fosse maior. Portanto, é razoável rejeitar a hipótese (H_0) de que as duas populações têm média igual e supor que a média das pessoas que toma M é maior do que 128. A conclusão, então, é que o medicamento M modifica os níveis de pressão arterial sistólica, aumentando-os.

Toda conclusão sobre uma população, feita com base em uma amostra, está sujeita a um erro com probabilidade α. Isso acontece porque existe a possibilidade, embora remota, de que $\bar{x} = 135$ seja, na verdade, originária da população onde $\mu_0 = 128$. Como é baixa a probabilidade de isto ocorrer, prefere-se afirmar que $\bar{x} = 135$ provém de outra população. No entanto, a possibilidade de $\bar{x}$ ser originária de um universo com $\mu = 128$, embora pouco provável, existe. Daí a possibilidade de errar ao afirmar que $\mu_A \neq \mu_0$. No teste realizado, a probabilidade associada a esse erro é de, no máximo, 0,05, pois esse foi o nível de significância (α) escolhido para o teste.

Etapas do teste de hipóteses para uma média, conhecendo-se σ

Os passos a seguir resumem o raciocínio e os cálculos efetuados no exemplo:

(1) Estabelecimento das hipóteses estatísticas:
$H_0 : \mu_A = \mu_0$ ou $H_0: \mu_A - \mu_0 = 0$
$H_A : \mu_A \neq \mu_0$ ou $H_A: \mu_A - \mu_0 \neq 0$

(2) Escolha do nível de significância:
$\alpha = 0{,}05$

(3) Determinação do valor crítico do teste:
$z_{0,05} = 1{,}96$

(4) Determinação do valor calculado do teste:

$$z_{calc} = \frac{\bar{x} - \mu_0}{\sigma(\bar{x})} = \frac{\bar{x} - \mu_0}{\frac{\sigma}{\sqrt{n}}} = \frac{135 - 128}{\frac{24}{\sqrt{60}}} = \frac{7}{3{,}1} = 2{,}26,$$

(5) Decisão:
Se $|z_{calc}| < z_\alpha$, não se rejeita H_0.
Se $|z_{calc}| \geq z_\alpha$, rejeita-se H_0.
Como $|z_{calc}| = 2{,}26 > z_{0,05} = 1{,}96$, rejeita-se H_0.

(6) Conclusão:

A média amostral (135 mmHg) difere significativamente do parâmetro de referência (128 mmHg); portanto, as médias das duas populações não são iguais. A pressão arterial sistólica da população de indivíduos tratados com o medicamento M é mais elevada do que a PAS da população de pessoas não-tratadas ($\alpha = 0{,}05$).

TESTES UNILATERAIS

A maioria dos testes de hipóteses envolvendo médias é bilateral, isto é, testa a hipótese nula de ausência de diferença contra a alternativa de que existe uma diferença entre as médias ($H_0: \mu_A = \mu_0$ contra $H_A: \mu_A \neq \mu_0$). Há casos, porém, em

−1,96   1,96
A) Teste bilateral

−1,64
B) Teste unilateral

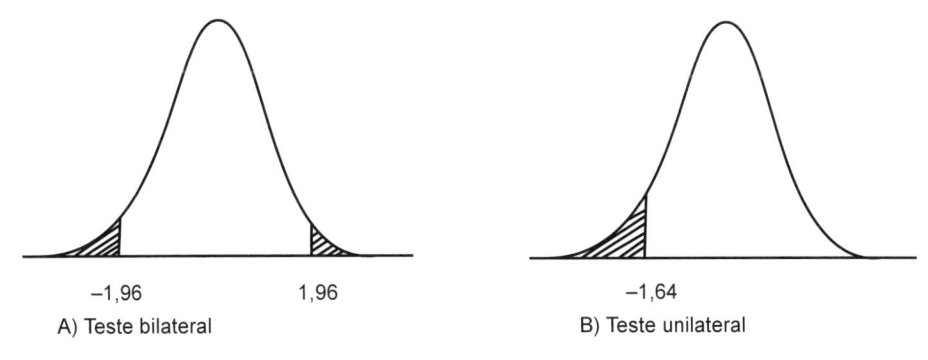

FIGURA 6.1 Distribuição normal e regiões de 0,05 de significância para (A) um teste bilateral e (B) um teste unilateral onde $H_A: \mu_A < \mu_0$.

que somente haverá interesse prático se μ_A for menor (ou maior) do que μ_0. É o caso, por exemplo, de testar uma dieta para diminuir o nível de colesterol plasmático. Se a dieta aumentar ou mantiver os níveis como estão, não tem utilidade prática. O interesse, então, é o de que a diferença $(\mu_A - \mu_0)$ seja negativa e, conseqüentemente, z também o seja.

Quando se está interessado apenas na diferença negativa entre as médias, a região de significância deve ser toda colocada na cauda esquerda da curva (Figura 6.1b). No caso, o teste é dito *unilateral* e exige uma modificação no valor crítico de z. Se o nível de significância for 5%, o valor crítico passa de $z = |1,96|$ para $z = -1,64$, já que este é o valor de z que deixa à sua esquerda uma área de 0,05 na curva normal. É claro que, se o interesse for por uma diferença positiva, como, por exemplo, um treinador que deseja que o desempenho dos atletas melhore, a área de significância deve ficar à direita da curva e, então, $z_{0,05} = +1,64$. O próximo exemplo ilustra o emprego de um teste unilateral.

Exemplo 2. Está sendo proposta uma dieta que visa a reduzir o nível de colesterol sangüíneo. De uma população em que o nível médio é 262 mg/mL e o desvio padrão, 70 mg/dL, é selecionada uma amostra de 20 pessoas que se submetem a esta dieta. Ao final de certo tempo, o nível de colesterol é medido nessas pessoas e a média é 233 mg/mL. Pode-se afirmar que a dieta produziu realmente uma redução no colesterol sangüíneo ($\alpha = 0,05$) ou a diferença deve ser atribuída ao acaso?

(1) Estabelecimento das hipóteses estatísticas:
H_0: $\mu_{\text{nova dieta}} \geq \mu_0$
H_A: $\mu_{\text{nova dieta}} < \mu_0$
(2) Escolha do nível de significância:
$\alpha = 0,05$ (unilateral e à esquerda)
(3) Determinação do valor crítico do teste:
$z_{\text{0,05 unilateral à esquerda}} = -1,64$
(4) Determinação do valor calculado do teste:

$$z_{calc} = \frac{\bar{x} - \mu}{\frac{\sigma}{\sqrt{n}}} = \frac{233 - 262}{\frac{70}{\sqrt{20}}} = \frac{-29}{15,65} = -1,85.$$

(5) Decisão:
Como z_{calc} está na região de significância (ver Figura 6.1), ou, dizendo de outro modo, como $|z_{calc}| = 1,85 > |z_\alpha| = 1,64$, rejeita-se H_0.
(6) Conclusão:
A média do colesterol nas pessoas submetidas à nova dieta é significativamente menor do que 262 mg/dL; portanto, essa dieta reduz os níveis de colesterol sangüíneo.

Note que, no teste unilateral, o valor crítico é menor do que no bilateral para o mesmo α, sendo, portanto, mais fácil rejeitar-se H_0. Pode ser tentador, então, mudar um teste de bilateral para unilateral após olhar o resultado encontrado. Tal procedimento, no entanto, é incorreto. Para identificar que tipo de teste deve ser realizado em dados de um experimento, basta perguntar: "Se o desvio tivesse sido para o outro lado, eu desejaria fazer a afirmativa de que ele é estatisticamente significativo, embora contrário ao que eu esperava no início do experimento?" Se a resposta for positiva, o teste deve ser bilateral. Suponha, por exemplo, que após a dieta considerada, a média nas 20 pessoas tratadas seja 291 mg/dL. A diferença em relação a 233 é +29 e, então, $z_{calc} = +1,85$. Poderá o pesquisador afirmar que, ao contrário do que ele esperava, a dieta aumentou os níveis de colesterol? Se ele quer realizar inferências relativas aos dois lados da curva de teste, ele deve efetuar um teste bilateral. Neste caso, uma diferença de 29 unidades seria não-significativa, pois $|z_{calc}| = 1,85 < |z_\alpha| = 1,96$ e a conclusão seria: não há evidência de que a dieta tenha algum efeito sobre os níveis de colesterol sangüíneo.

Sugere-se que o pesquisador decida se vai realizar um teste estatístico uni ou bilateral *antes* de olhar os resultados da pesquisa, preferentemente quando do planejamento do experimento, a fim de evitar dúvidas ou incorreções no momento da realização do teste.

ERRO DO TIPO I E DO TIPO II

Todo teste de hipóteses tem sua conclusão sujeita a erro. O erro de afirmar que existe uma diferença quando ela efetivamente não existe (isto é, rejeitar incorretamente a hipótese nula) é chamado de *erro do tipo I* e tem uma probabilidade de ocorrer igual a α.

No entanto, também é possível cometer-se o erro de aceitar H_0 quando não se deveria, ou seja, afirmar uma igualdade quando o correto seria afirmar uma diferença. A este erro denomina-se *erro do tipo II* e é muito difícil calcular sua probabilidade, pois, para tanto, seria necessário conhecer o valor do parâmetro (μ_A) na população amostrada (lembre-se de que é exatamente por não conhecer μ_A que os experimentos são realizados).

A probabilidade de se cometer um erro do tipo II é chamada de β. Como a probabilidade complementar desse erro representa a probabilidade de afirmar corretamente que existe uma diferença quando ela realmente existe, diz-se que $(1-\beta)$ é o *poder do teste estatístico* de detectar uma diferença real.

O erro do tipo II é um conceito utilizado quando se deseja calcular o tamanho amostral necessário para se atingir determinado objetivo. Pode também ser usado para, após a realização da pesquisa, determinar que poder tem a amostra estudada de detectar uma diferença estipulada pelo pesquisador.

A Tabela 6.2 resume os tipos de erros e as respectivas probabilidades. O exemplo a seguir esclarece os conceitos e as probabilidades associados aos erros tipos I e II.

TABELA 6.2 Tipos de erro associados à realização dos testes estatísticos e suas respectivas probabilidades

Verdade	Conclusão do teste	
	Não se rejeita H_0	Rejeita-se H_0
H_0 é verdadeira	Decisão correta Probabilidade: $1-\alpha$	Decisão errada, erro tipo I Probabilidade: α
H_0 é falsa	Decisão errada: erro tipo II Probabilidade: β	Decisão correta Probabilidade : $1-\beta$ (poder do teste)

Exemplo 2. (Baseado em Hoel, 1963; p. 131). Suponha que os antropólogos de determinado país costumam classificar os restos ósseos humanos, encontrados em escavações, em uma de duas culturas. A classificação é feita com base nos utensílios, na cerâmica e no comprimento dos crânios descobertos.

As medidas de comprimento do crânio obtidas até o presente, para ambos os grupos, mostraram uma distribuição aproximadamente normal. Para a população com cultura tipo 1, a média é μ_{POP1} = 190 mm e para a população com a cultura 2, μ_{POP2} = 196 mm. O desvio padrão é o mesmo para as duas populações: 8 mm.

Em uma escavação realizada em um sítio arqueológico não-estudado até então, foram encontrados 12 crânios, cujo comprimento médio foi 194 mm. Deseja-se saber se a população a que pertenciam os indivíduos dessa amostra é a 1 ou a 2.

Transformando o problema em um teste estatístico, as hipóteses seriam:

H_0: a média da população a que pertencem os 12 crânios é 190, ou $\mu_A = \mu_{POP1} = 190$;
H_1: a média da população a que pertencem os 12 crânios é 196, ou $\mu_A = \mu_{POP2} = 196$.

Como a decisão é tomada com base na média da amostra, é necessário conhecer a distribuição amostral das médias de cada população. As duas são distribuições normais, centradas em 190 e 196, respectivamente, tendo ambas o mesmo erro padrão, dado por

$$\sigma(\bar{x}) = \sigma / \sqrt{n} = 8 / \sqrt{12} = 2,31.$$

Há dois tipos de decisões erradas que podem ser tomadas com base nos dados da amostra: se os crânios forem de indivíduos da cultura 1 e a decisão for rejeitar H_0, estará sendo cometido um erro tipo I; se, ao contrário, os indivíduos pertencerem à cultura 2 e se aceitar H_0, o erro será do tipo II. Qual a probabilidade de que cada um desses erros ocorra?

A Figura 6.2 mostra as distribuições amostrais de médias (DAM) retiradas de populações de média 190 e de 196. Como tais distribuições se sobrepõem, deverá ser estabelecido algum ponto de separação entre as populações, o qual é determinado tendo por base a probabilidade do erro tipo I, arbitrada pelos antropólogos para o teste. Os pesquisadores em geral desejam uma probabilidade pequena de rejeitar incorretamente H_0. Suponha que a escolha seja $\alpha=0,05$. A área de rejeição de H_0, nessa situação de teste, é unilateral e situa-se na cauda direita da curva, já que a hipótese alternativa considera somente uma média maior que 190.

A média que limita a região de significância na DAM centrada em $\mu=190$ está a z erros padrão acima de 190. Como o teste é unilateral, $z_{0,05}$ unilateral = 1,64, então

$$\bar{x}_{limite} = \mu_{POP1} + 1,64\ \sigma(\bar{x})$$
$$\bar{x}_{limite} = 190 + (2,31 \times 1,64) = 193,8$$

Em outras palavras, em amostras com $n = 12$, médias maiores do que 193,8 indicam que os indivíduos devem ser classificados como representantes da cultura 2, enquanto médias menores que este valor classificam os crânios como pertencentes à população com a cultura 1.

A probabilidade (β) de erro do tipo II é a área que fica à esquerda de 193,8 na curva da DAM relativa à população onde $\mu=196$. Para obter esta área, procura-se inicialmente o valor de z para $\bar{x} = 193,8$. Ora, nesta curva

$$z = \frac{\bar{x} - \mu_{POP2}}{\sigma_{\bar{x}}} = \frac{\bar{x} - 196}{2,31}$$

e então

$$z = (193,8 - 196)/2,31 = -0,95$$

isto é, na população 2, a média 193,8 está a 0,95 unidades de erro padrão abaixo da média.

À esquerda desse valor de z, há uma área igual a 0,1711, conforme se vê na tabela de áreas da curva normal (Tabela A.1). Essa área indica a probabilidade de incorretamente classificar os indivíduos na população 1 quando deveriam ser classificados na 2, em outras palavras, a área representa a probabilidade de erro II, β.

A que cultura, então, pertencem os crânios encontrados? Como a média amostral foi 194, a decisão a ser tomada é a de que os 12 crânios são de membros da cultura 2, com probabilidades de erro $\alpha = 0,05$ e $\beta = 0,17$. O poder do teste, no exemplo, é $1 - 0,17 = 0,83$, um poder considerado alto.

É importante notar que, quanto maior α, menor β, de modo que uma alteração em uma dessas probabilidades atinge também a outra. Além disso, é afetado também o poder do teste. Por causa da relação entre as probabilidades α e β, recomenda-se que os teste estatísticos que avaliam dados biológicos sejam feitos com $\alpha = 0,05$ ou $\alpha = 0,01$.

Note, finalmente, que foi possível determinar β no exemplo porque a média da população 2 é conhecida, um exemplo didático que se repete pouco na vida real. Como em geral não se sabe o valor de μ_{POP2}, a probabilidade de erro tipo II não pode ser estipulada no teste estatístico. No entanto, já que o erro de deixar de declarar uma diferença, se esta existe, tem maior probabilidade de ocorrer quando a amostra é pequena, a solução é usar o maior tamanho amostral possível. Aumentando-se n, o erro padrão diminui. Com isso as DAMs ficam mais estreitas, e para um mesmo α, β diminui também. (Experimente testar esta afirmativa desenhando as DAMs correspondentes a amostras de 25 crânios ou use uma contraprova, com $n = 4$, que facilita o desenho das DAMs.)

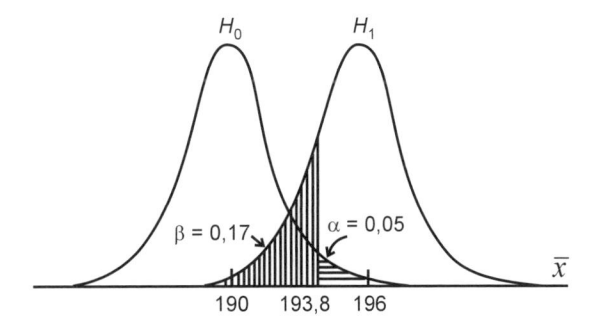

FIGURA 6.2 Distribuições amostrais de $\bar{x}$ sob H_0 e H_A (ou H_1), com a região crítica escolhida. (Fonte Hoel, 1963; p.135.)

7

Distribuição t

No capítulo anterior, realizou-se um teste de hipóteses para comparar uma média amostral ($\bar{x}$) com uma média populacional conhecida (μ_0) usada como referência. Um teste estatístico foi necessário, porque a média da população amostrada (μ_A) era desconhecida. Em tais condições, $\bar{x}$ foi utilizada para representá-la e como é possível que $\bar{x}$ não tenha valor igual ao de μ_A, foi necessário um procedimento estatístico para se elaborar uma conclusão com uma margem de erro conhecida.

Para o teste estatístico, é fundamental saber-se como variam os valores de x, isto é, qual o valor do desvio padrão (σ), pois ele está envolvido no cálculo do erro padrão da média $\sigma(\bar{x})$, usado no teste.

Uma situação bastante comum é ter-se uma idéia da média da população tomada como referência (μ_0), mas se desconhecer o desvio padrão populacional (σ). Não conhecendo σ, se desconhece também o erro padrão, o que impede a realização do teste de hipóteses da maneira como foi visto no capítulo anterior. A solução é substituir o desvio padrão populacional pelo seu estimador, o desvio padrão amostral (s), e obter, assim, um *erro padrão estimado* (*EP*) para a média:

$$EP = \sqrt{\frac{s^2}{n}} = \frac{s}{\sqrt{n}}$$

Note que, assim se procedendo, admite-se que a variação dos valores na amostra é semelhante à da população, isto é, que s não difere demasiadamente de σ. Isso geralmente é verdade para amostras grandes, obtidas aleatoriamente, mas pode não ser para amostras pequenas, mesmo sendo elas aleatórias.

As dificuldades do emprego de s como uma estimativa de σ no cálculo do erro padrão foram estudadas por William Sealy Gosset (1876-1937), pesquisador da empresa Guinness, famosa cervejaria de Dublin, na Irlanda. O interesse de Gosset nesse problema estatístico tinha fortes motivos práticos, uma vez que os métodos empregados na época eram adequados a amostras grandes, muito diferentes das pequenas com as quais tinha de trabalhar.

Após estudar com Karl Pearson no Laboratório de Biometria do University College de Londres, Gosset publicou a solução para o problema em 1908, no artigo clássico denominado "The Probable Error of a Mean", para o qual adotou o pseudônimo de Student. Nesse artigo, propôs que, quando σ fosse desconhecido, se substituísse o valor crítico obtido da curva normal pelo valor crítico de uma nova distribuição, a qual foi chamada de *distribuição t* e posteriormente aperfeiçoada por R.A. Fisher, em 1926.

Para entender a distribuição *t*, imagine uma população gaussiana de dados, com μ e σ conhecidos. Retira-se aleatoriamente uma amostra de $n = 9$ elementos, por exemplo, para a qual se obtém $\bar{x}$ e s. Calcula-se, então:

$$t = \frac{\bar{x} - \mu}{\frac{s}{\sqrt{n}}}.$$

Observe que o cálculo de *t* difere do de *z* por envolver o desvio padrão amostral (s) e não o populacional (σ).

Repetindo-se o processo de amostragem inúmeras vezes, resultarão vários valores de *t* (t_1, t_2, t_3,...), cada um calculado com o desvio padrão (s_1, s_2, s_3,...) obtido na respectiva amostra e *n* sempre igual a 9. Desenha-se, a seguir, o histograma para os valores de *t* obtidos. Se o número de amostras for infinito, o histograma tenderá a uma curva semelhante à normal, com média zero, mas ligeiramente mais achatada e com as caudas mais elevadas (Figura 7.1). Como conseqüência desta deformação na curva, o valor 1,96, que limita uma área bilateral de 0,05 de significância, passa a limitar, na curva de *t*, uma área caudal maior. Com isso, a probabilidade de erro do tipo I aumenta. Para resolver o problema, Gosset preparou um novo conjunto de valores críticos, a tabela da distribuição *t* (Tabela A.2), valores esses maiores do que os utilizados na distribuição normal.

A discordância observada entre as curvas *z* e *t* é decorrente da diferença entre usar o desvio padrão populacional (σ) e o amostral (s) no cálculo do erro padrão. A diferença entre σ e s depende do tamanho da amostra. Nas amostras grandes, a diferença é mínima, crescendo a possibilidade de diferenças maiores à medida que o tamanho amostral diminui. É por essa razão que a tabela *t* de Student apresenta valores críticos que dependem não só do nível de significância (α), mas também da precisão com que o valor de σ foi estimado, isto é, do tamanho da amostra usada para calcular *s*. A precisão é influenciada por ($n - 1$), que é chamado de o *número de graus de liberdade (gl)*. Por isso, o valor crítico de *t* é indicado por $t_{\alpha;gl}$.

Para o caso em que o tamanho da amostra é 9, como exemplificado, o valor crítico para $\alpha = 0,05$ passa de 1,96 para $t_{0,05;8} = 2,31$ (note que $gl = n - 1 = 8$). Isso significa que, agora, para que uma diferença entre médias seja estatisticamente significativa no nível 0,05, é necessário que ela seja igual ou maior do que 2,31 erros padrão e não apenas 1,96 erros padrão, como antes. Está-se pagando um preço por desconhecer σ: é necessário, agora, um valor maior no teste para garantir uma conclusão de diferença entre populações. A Figura 7.1 compara as curvas normal e *t* quando $n = 9$ (e $gl = 8$), mostrando os valores críticos que delimitam a região de 0,05 de significância em cada uma das distribuições.

Parece bastante lógico que a quantidade $t = (\bar{x} - \mu)/(s/\sqrt{n})$ tenha uma distribuição de probabilidade diferente de $z = (\bar{x} - \mu)/(\sigma/\sqrt{n})$, pois, no primeiro caso, tanto $\bar{x}$ como *s* podem variar de uma amostra para outra, enquanto que em *z*, σ é um valor constante e apenas $\bar{x}$ varia entre as amostras.

Em resumo, se o desvio padrão populacional for desconhecido, ele pode ser estimado por meio de *s*, mas, nesse caso, toda a inferência com relação à média deve ser feita usando-se a distribuição *t* de Student. Deve ser notado, porém, que

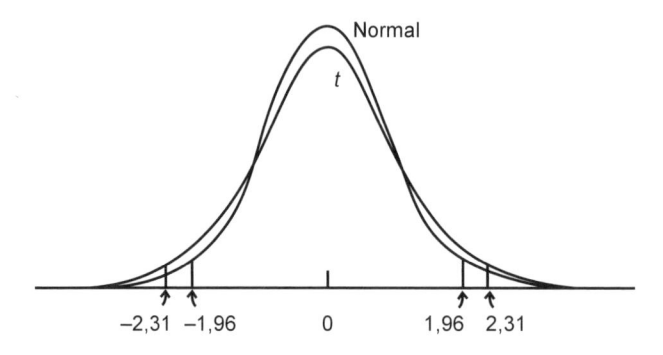

FIGURA 7.1 Distribuições normal e t quando $n = 9$ ($gl = 8$), com os valores críticos que delimitam a região de 0,05 de significância em cada uma delas. (Fonte: Hoel, 1963; p. 122.)

a distribuição t somente será aplicada corretamente se a distribuição dos valores de x for razoavelmente próxima de uma distribuição normal. Se a distribuição de x não for normal, a distribuição t não resolve satisfatoriamente o problema, devendo-se procurar outras soluções, como a transformação dos dados ou o uso de técnicas não-paramétricas.

TESTE DE HIPÓTESES PARA UMA MÉDIA, DESCONHECENDO-SE σ

Os passos a seguir resumem os cálculos usados no teste de comparação entre $\bar{x}$ e μ, quando não se conhece σ.

Exemplo 1. Palatnik e colaboradores (1980) determinaram o título de aglutininas do sistema ABO no gastrópodo *Biomphalaria glabrata*, hospedeiro principal do *Schistosoma mansoni*. Em 15 indivíduos albinos capturados em Santa Luzia, Minas Gerais, o título médio para a aglutinina anti-A foi 6,5 e o desvio padrão, 0,5 (os valores sofreram uma transformação logarítmica usando $-\log_2$, pois não tinham distribuição normal). Deseja-se comparar esses dados com os da população de gastrópodos pigmentados dessa espécie na mesma localidade, para os quais se admite um título médio de 6,1.

(1) Estabelecimento das hipóteses estatísticas
$H_0 : \mu_A = \mu_0 = 6,1$
$H_A : \mu_A \neq \mu_0 = 6,1$
(2) Escolha do nível de significância: $\alpha = 0,05$
(3) Determinação do valor crítico do teste
$gl = n - 1 = 15 - 1 = 14$, logo, $t_{0,05;14} = 2,145$
(4) Determinação do valor calculado do teste

$$t_{calc} = \frac{\bar{x} - \mu}{\frac{s}{\sqrt{n}}} = \frac{6,5 - 6,1}{\frac{0,5}{\sqrt{15}}} = \frac{0,5}{0,13} = 3,08$$

(5) Decisão: como $|t_{calc}| = 3,08 > t_{0,05;14} = 2,145$, rejeita-se a hipótese nula.
(6) Conclusão:
A diferença de 0,4 no título de anti-A é estatisticamente significativa. Os gastrópodos albinos da espécie *B. glabrata* possuem título de anti-A mais alto que os pigmentados ($\alpha = 0,05$).

ESTIMAÇÃO DA MÉDIA QUANDO SE DESCONHECE σ

Tendo-se concluído que os títulos médios nas duas populações são diferentes e que os gastrópodos albinos têm média maior do que 6,1, deseja-se agora saber qual o valor verdadeiro para o título médio na população dos albinos (μ_A).

Este problema é diferente daquele apresentado no teste de hipóteses. Não se trata mais de comparar dois valores, mas deseja-se, agora, estimar um parâmetro a partir de resultados obtidos em uma amostra. A estimação de uma média populacional pode ser feita por ponto ou por intervalo de confiança.

Estimação por ponto

Na estimação por ponto, admite-se simplesmente que sendo $\bar{x} = 6,5$, a média da população também é 6,5. Esta, no entanto, é uma atitude demasiadamente simplista, pois já se sabe que a média da amostra nem sempre é igual à média da população de onde se originou (ver Distribuição Amostral de Médias). O mais razoável é imaginar que a média da população de albinos é algum valor ao redor de 6,5 e calcular um intervalo dentro do qual μ deve estar, como será explicado a seguir.

Estimação por intervalo

Neste procedimento, determina-se um intervalo em torno de $\bar{x}$, o qual se acredita conter a média populacional μ. A determinação desse intervalo baseia-se na distribuição amostral das médias, e o raciocínio será explicado com os dados do Exemplo 1.

A média 6,5 é uma das infinitas médias amostrais que podem ser obtidas ao acaso de uma população cuja média é μ. Tais médias distribuem-se segundo uma curva normal, com média μ e erro padrão estimado através de $EP = s/\sqrt{n}$. Sabe-se que, nessa curva, 95% das médias estão entre $\mu - t_{0,05;gl} EP$ e $\mu + t_{0,05;gl} EP$. No exemplo considerado,

$$t_{0,05;gl} = t_{0,05;14} = 2,145; \quad EP = 0,5/\sqrt{15} = 0,13$$

$$\text{e } t_{0,05;gl} \times EP = 2,145 \times 0,13 = 0,28$$

Então, 95% das médias amostrais devem estar entre $(\mu - 0,28)$ e $(\mu + 0,28)$ (Figura 7.2), sendo razoável, portanto, supor que $\bar{x} = 6,5$ faça parte dessa maioria.

Aceitando que $\bar{x}$ está no intervalo $(\mu - 0,28)$ a $(\mu + 0,28)$, a maior distância entre $\bar{x}$ e o valor desconhecido μ é 0,28, para qualquer lado que se olhe. Então, se $\bar{x}$ estiver no extremo inferior do intervalo, μ será no máximo:

$$\mu = \bar{x} + 0,28 = 6,5 + 0,28 = 6,78$$

Se, por outro lado, $\bar{x}$ estiver no limite superior do intervalo que compreende as médias mais prováveis,

$$\mu = \bar{x} - 0,28 = 6,5 - 0,28 = 6,22$$

Resumindo, acredita-se, com 95% de confiança, que o intervalo $\bar{x} \pm 0,28$, ou seja, o intervalo 6,22 – 6,78, contenha o valor verdadeiro da média. O nível de

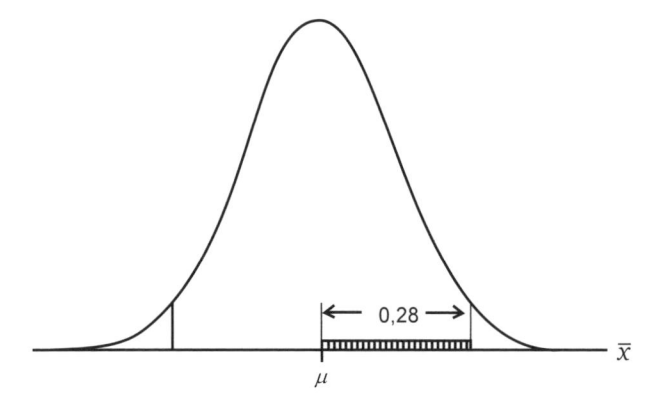

FIGURA 7.2 DAM para amostras de 15 indivíduos, onde *EP* = 0,13.

confiança indicado significa que, se o cálculo for repetido com as médias de um número muito grande de amostras aleatórias diferentes, obtidas nas mesmas condições, da mesma população, espera-se que 95% dos intervalos resultantes incluam o valor verdadeiro de μ. (Figura 7.3)

Não é correto afirmar que μ tem 95% de probabilidade de estar no intervalo calculado, porque μ é um parâmetro. Parâmetros não variam; logo, não pode haver uma distribuição de probabilidades para um parâmetro. Pode-se, porém, afirmar que há uma probabilidade de 95% de que o intervalo obtido inclua a média populacional.

Generalizando, o intervalo de confiança $(1 - \alpha)$ que estima a média populacional é dado por:

$$\hat{\mu} = \overline{x} \pm t_{\alpha;gl} EP,$$

onde $\hat{\mu}$ é a média estimada e $(t_{\alpha;gl} EP)$ é o erro de estimação.

Exemplo 2. Bau e colaboradores (2001) realizaram estudos de genética do comportamento em uma amostra de 143 dependentes de álcool do sexo masculino, de Porto Alegre. Uma das variáveis estudadas foi "idade de início de problemas devidos ao álcool (IIP)"; esses problemas eram relativos à saúde e ao relacionamento com a família ou com o trabalho.

Na amostra estudada, a média para a variável IIP foi 26,5 anos e o desvio padrão, 8,3.

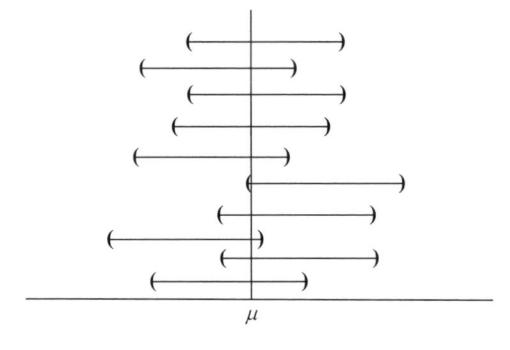

FIGURA 7.3 Esquema mostrando intervalos de confiança calculados com as médias de várias amostras aleatórias de uma mesma população.

Usando fórmula apresentada, pode-se estimar a média na população-alvo com 95% de confiança, da seguinte forma:

$$(1 - \alpha) = 0{,}95, \text{ logo, } t_{0{,}05;\ 142} \approx 1{,}98$$

$$EP = 8{,}3/\sqrt{143} = 0{,}69$$

$$IC_{95\%}\ (\mu) : 26{,}5 \pm 1{,}98\ (0{,}69)$$

$$IC_{95\%}\ (\mu) : 26{,}5 \pm 1{,}37$$

$$IC_{95\%}\ (\mu) : (25{,}1;\ 27{,}9) \text{ ou ainda } 25{,}1 \leq \hat{\mu} \leq 27{,}9$$

Tem-se, então, 95% de confiança que a média verdadeira da idade de início dos problemas, nessas pessoas, é um valor entre 25,1 e 27,9 anos. Constata-se, assim, que alcoolistas porto-alegrenses do sexo masculino apresentam, devido ao álcool, comprometimento de vários aspectos de sua vida em uma idade bastante precoce.

8

Comparação entre as médias de duas amostras independentes

Quando o objetivo é comparar duas populações quanto a uma variável quantitativa, é muito comum que os pesquisadores não conheçam os parâmetros de nenhuma delas, isto é, sejam desconhecidas as médias e também os desvios padrão populacionais. Às vezes, a média de uma das populações é conhecida, mas as condições dos indivíduos que vão constituir a amostra não são comparáveis às dessa população que se pretende tomar como referência. Por exemplo, admita que a taxa média de creatinina em urina de 24 horas é 1,3 g em adultos normais[1]. Se um pesquisador deseja verificar que alterações sofre essa variável em crianças com nefrite, não pode comparar a média de uma amostra de crianças com tal problema com aquela dos adultos, pois uma possível diferença poderia ser explicada por dois fatores que não podem ser separados: idade e doença.

Por isso, muitos dos experimentos biológicos e da área da saúde são realizados com duas amostras independentes de indivíduos, denominadas *grupo experimental* e *grupo-controle,* respectivamente. Os indivíduos que constituem esses grupos devem diferir entre si apenas quanto ao fator que vai ser estudado (como é o caso da nefrite), procurando-se que sejam o mais possível semelhantes quanto a outras características (por exemplo, a idade) que possam interferir nos resultados. Os estatísticos, às vezes, identificam tais grupos dizendo que o primeiro corresponde ao *tratamento A* e o segundo, ao *tratamento B*. Eles usam o termo "tratamento" com o sentido estatístico e não o terapêutico (esse hábito vem do fato de que muitas das técnicas estatísticas foram desenvolvidas para experimentos agronômicos, nos quais os tratamentos podiam ser adubos ou outras formas de tratar o solo). Assim, se dois grupos diferem apenas quanto ao fator "doença", o tratamento A pode identificar os doentes, e o B, um grupo controle de indivíduos sãos.

Também nesse caso o objetivo do pesquisador é comparar duas médias populacionais, mas a diferença com o método visto anteriormente é que aqui ambas as médias são desconhecidas. Além disso, também não se conhece como varia a característica da população (σ).

Exemplo 1. A troca entre as cromátides-irmãs de um cromossomo é um fenômeno raro na divisão mitótica. Sua presença em freqüências altas é usada

---

[1] (*Dicionário de Especialidades Farmacêuticas,* 1997; p. 1046). A taxa de creatinina na urina é um indicador da função renal.

como indicador genético da toxicidade de um produto químico. Doulot e colaboradores (1992), desejando estudar o efeito genético de pesticidas em floricultores argentinos, contaram o número de trocas entre cromátides-irmãs (TCI) em 14 indivíduos que apresentavam sintomas de intoxicação crônica e em 13 floricultores sem tais sintomas. Os dados obtidos estão apresentados na Tabela 8.1.

A média do TCI nos floricultores não-intoxicados foi 5,48, enquanto nos intoxicados foi 6,45. Com base nesses dados, podem os autores afirmar que a intoxicação com pesticidas altera a freqüência de trocas entre cromátides-irmãs?

RACIOCÍNIO DO TESTE

A hipótese que os autores desejam testar é a de que a intoxicação crônica, determinada pela exposição a pesticidas, é acompanhada de uma alteração no TCI.

Evidentemente, não haveria necessidade de teste estatístico se os valores médios obtidos fossem relativos à população de floricultores saudáveis e à população de floricultores intoxicados respectivamente, pois, então, verificar-se-ia de maneira clara que $\mu_{saudáveis}$ difere de $\mu_{intoxicados}$. No entanto, as médias de que se dispõem são amostrais e, portanto, cada uma delas pode ser igual ou diferir aleatoriamente do parâmetro que está representando. Como conseqüência, a diferença observada de 0,97 no TCI pode representar uma diferença real entre as populações ou pode ser apenas uma diferença casual entre amostras.

O teste estatístico, neste caso, parte da hipótese de nulidade de que as médias das duas populações (μ_A e μ_B) são iguais, isto é,

$$H_0: \mu_A = \mu_B.$$

Se esta suposição for verdadeira, a diferença ($\mu_A - \mu_B$) é zero. No entanto, sabe-se que, quando se obtém aleatoriamente duas amostras de tais populações,

TABELA 8.1 Número de trocas entre cromátides-irmãs (TCI; média de 25 células), observado em floricultores com e sem sintomas de intoxicação crônica

Floricultores sem sintomas		Floricultores com sintomas	
Indivíduo nº	TCI (x_A)	Indivíduo nº	TCI (x_B)
20	2,9	11	4,8
08	4,6	37	4,9
06	4,8	34	5,3
25	5,2	24	5,4
33	5,3	15	5,6
01	5,7	02	6,3
05	5,7	04	6,4
32	5,8	12	6,4
19	5,8	14	6,6
09	5,8	07	6,9
35	5,9	13	7,0
10	6,6	30	7,8
16	7,1	03	8,1
		27	8,8
$n_A = 13$		$n_B = 14$	
$\bar{x}_A = 5,48$		$\bar{x}_B = 6,45$	
$s_A = 1,019$		$s_B = 1,206$	

Fonte: Doulot e colaboradores, 1992.

as médias amostrais podem diferir ao acaso mesmo que μ_A e μ_B sejam iguais. A pergunta é: até que ponto considera-se a diferença observada como casual?

As diferenças $(\bar{x}_A - \bar{x}_B)$ oriundas de amostras retiradas de populações de média igual têm distribuição normal, com média = $(\mu_A - \mu_B) = 0$. Para testar a hipótese formulada, basta, então, estipular α e, a partir daí, determinar por quantos erros padrão a diferença obtida $(\bar{x}_A - \bar{x}_B = 0{,}97)$ pode-se desviar de zero por simples acaso. Como a variância de x é desconhecida, ela terá de ser estimada por meio das amostras; por isso, o número crítico de erros padrão para o teste de hipóteses é dado por $t_{\alpha;gl}$.

A Figura 8.1 ilustra a distribuição amostral das diferenças e a distribuição t correspondente, ambas com região de significância sombreada. O teste de hipóteses para os dados da Tabela 8.1 será apresentado a seguir.

ETAPAS DO TESTE DE HIPÓTESES QUE COMPARA DUAS MÉDIAS

A seqüência de passos para a realização desse teste é semelhante à vista anteriormente para o teste de uma média.

(1) Estabelecimento das hipóteses estatísticas

$H_0: \mu_A = \mu_B$ ou $(\mu_A - \mu_B) = 0$

$H_A: \mu_A \neq \mu_B$ ou $(\mu_A - \mu_B) \neq 0$

(2) Escolha do nível de significância

$\alpha = 0{,}05$

(3) Determinação do valor crítico do teste

Neste teste, $gl = n_A + n_B - 2$, onde n_A e n_B são os tamanhos das amostras A e B. Então, $gl = 13 + 14 - 2 = 25$ e $t_{0,05;25} = 2{,}060$.

(4) Determinação do valor calculado do teste

$$t_{calc} = \frac{(\bar{x}_A - \bar{x}_B) - (\mu_A - \mu_B)}{\sqrt{s_0^2(\frac{1}{n_A} + \frac{1}{n_B})}} = \frac{(\bar{x}_A - \bar{x}_B)}{\sqrt{s_0^2(\frac{1}{n_A} + \frac{1}{n_B})}}, \text{ pois } (\mu_A - \mu_B) = 0.$$

O denominador dessa expressão é o erro padrão da diferença entre médias amostrais. Para calculá-lo, é necessário estimar a variância de x na popula-

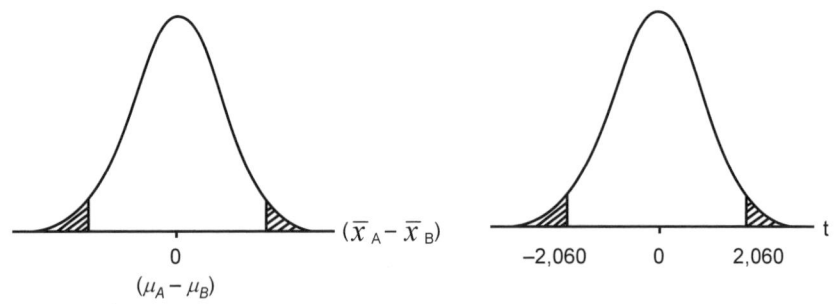

FIGURA 8.1 À esquerda: distribuição das diferenças entre duas médias amostrais $(\bar{x}_A - \bar{x}_B)$ obtidas de duas populações de médias supostamente iguais. À direita: distribuição t correspondente, para 25 graus de liberdade, com a região crítica para $\alpha = 0{,}05$ sombreada.

ção. Pressupondo que a variabilidade de x é a mesma nas duas populações, estima-se σ^2 usando os dados das duas amostras. Tal estimativa da variância comum às duas populações, denominada s_0^2, é obtida pela média ponderada das variâncias amostrais, do seguinte modo:

$$s_0^2 = \frac{(n_A-1)s_A^2 + (n_B-1)s_B^2}{n_A + n_B - 2}$$

onde s_A^2 e s_B^2 são as variâncias das duas amostras estudadas.

A variância comum estimada para os dados do Exemplo 1 é:

$$s_0^2 = \frac{(13-1)(1,019)^2 + (14-1)(1,202)^2}{13+14-2} = 1,254.$$

Deste modo, o valor calculado de t é:

$$t_{calc} = \frac{5,48 - 6,45}{\sqrt{1,254(\frac{1}{13} + \frac{1}{14})}} = \frac{-0,97}{\sqrt{0,186}} = -2,249.$$

(5) Decisão:

Como $|t_{calc}| = 2,249 > t_{0,05;25} = 2,060$, rejeita-se H_0.

A interpretação de t_{calc} é a seguinte: a diferença entre as médias amostrais (0,97) está 2,25 erros padrão afastada da diferença entre as médias populacionais considerada na H_0 (zero). Como o nível se significância escolhido estipula um máximo de 2,06 para uma diferença não-significativa, deve-se rejeitar a hipótese de que as médias das duas populações sejam iguais e admitir que as amostras são procedentes de populações de médias diferentes, com probabilidade de erro calculada em 0,05.

(6) Conclusão:

As médias das duas amostras diferem significativamente entre si, levando a crer que o número de trocas entre cromátides-irmãs está alterado (aumentado) nos floricultores com intoxicação crônica quando comparado com os que não estão intoxicados ($\alpha = 0,05$).

OBSERVAÇÃO: Teoricamente, este poderia ser um teste unilateral, já que o TCI é usado como um indicador de toxicidade. Um teste bilateral, por outro lado, propicia aos pesquisadores a identificação tanto de um possível aumento quanto de uma eventual diminuição nos valores da variável, que os autores poderiam querer relatar caso ocorresse.

PRESSUPOSIÇÕES AO USO DO TESTE t PARA DUAS AMOSTRAS INDEPENDENTES

Para que o resultado de um teste t para amostras independentes seja válido, além de as amostras serem aleatórias, é necessário satisfazer duas pressuposições.

A primeira delas é a de que x_A e x_B, separadamente, têm distribuição normal ou aproximadamente normal. Este pressuposto garante que a diferença entre as médias amostrais tenha uma distribuição normal e, portanto, se possa realizar o teste t como foi visto acima. De modo geral, o teste t é bastante robusto: pode ser usado até com desvios consideráveis da normalidade, *desde que* as amostras sejam iguais (ou aproximadamente iguais) em tamanho, e o teste seja bilateral. Se as variáveis não apresentarem distribuição normal, pode-se tentar uma transformação nos dados. Conforme indicado anteriormente, $x' = ln(x)$; $x' = \sqrt{x}$; $x' = 1/x$ e $x' = x^2$ são transformações comuns. Outro tipo de solução é usar uma técnica não-paramétrica de análise estatística: o teste de Wilcoxon-Mann-Whitney.

A segunda pressuposição importante é a de que as variâncias populacionais são iguais, isto é, se o tratamento A produzir um efeito diferente daquele do tratamento B, o efeito altera uniformemente os valores, de modo que a dispersão dos dados seja a mesma nas duas condições. Por exemplo, se com a dieta A o peso de animais de laboratório varia entre 250 e 300 g e com a B, entre 300 e 350 g, não há diferença de variabilidade entre os grupos, embora os animais submetidos à dieta B tenham um peso maior do que os que se alimentam da forma A. A Figura 4.3 ilustra um caso em que duas distribuições têm médias diferentes, mas variâncias iguais (curvas A e B) e outro em que os grupos têm médias diferentes e variabilidades também diferentes (curvas A e C). Se a pressuposição de igualdade de variânciais não for satisfeita, o nível de significância do teste se altera, e o pesquisador imagina estar realizando um teste com $\alpha = 0{,}05$, por exemplo, quando, na realidade, não está. Deve-se, portanto, testar a homogeneidade das variâncias antes de se realizar o teste t para amostras independentes.

COMPARAÇÃO ENTRE DUAS VARIÂNCIAS

O conjunto de hipóteses usado no teste que compara duas variâncias é:

$$H_0 : \sigma_A^2 = \sigma_B^2$$
$$H_1 : \sigma_A^2 \neq \sigma_B^2.$$

Este teste é sempre bilateral, ou seja, rejeita-se H_0 se $\sigma_A^2 > \sigma_B^2$ ou se $\sigma_A^2 < \sigma_B^2$.

Se as variâncias populacionais são iguais, então $\sigma_A^2 / \sigma_B^2 = 1$. No entanto, os dados de experimentos são relativos a amostras, de modo que, mesmo que as variân-

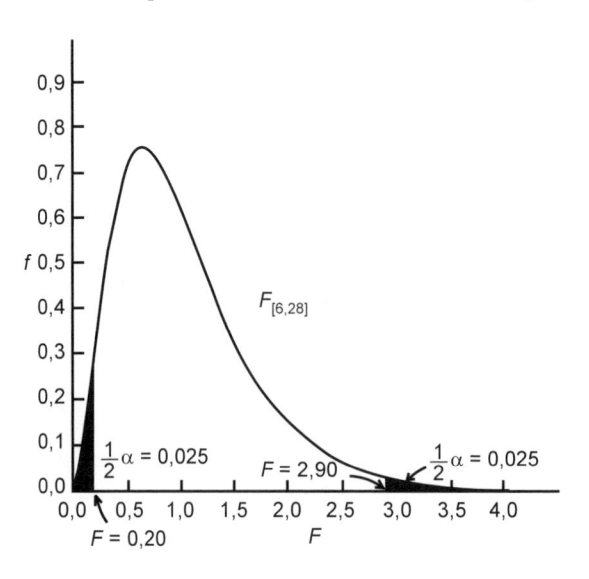

FIGURA 8.2 Distribuição F para $gl_N = 6$ e $gl_D = 28$, com a região crítica $\alpha = 0{,}05$ marcada em escuro. (Fonte: Sokal e Rohlf, 1981; p.188.)

cias populacionais sejam iguais, a razão s_A^2/s_B^2 pode apresentar alguma diferença aleatória em relação a 1. Como nos testes anteriores, é necessário estabelecer um limite a partir do qual a diferença entre s_A^2 e s_B^2 é grande demais para ser atribuída ao acaso, devendo ser atribuída a uma diferença real entre os parâmetros. A estatística calculada para o teste é a razão entre as variâncias amostrais e é denominada F.

Os valores de $F_{calc} = s_A^2/s_B^2$ seguem uma distribuição assimétrica, que foi estudada por R.A. Fisher e posteriormente denominada *distribuição F* em sua homenagem.

Um exemplo de distribuição F está apresentada na Figura 8.2. A forma dessa distribuição varia conforme o número de graus de liberdade envolvidos. O valor esperado é 1 se as duas variâncias forem iguais. Na extremidade esquerda da curva, estão os casos em que s_A^2 é muito menor do que s_B^2 e na cauda direita, os casos em que s_A^2 é muito maior do que s_B^2. Para facilitar o teste, convencionou-se colocar no numerador a variância maior (que não é necessariamente a da amostra maior!), de modo que o valor de F_{calc} será sempre um valor igual ou maior do que 1.

A estatística F é calculada, então, do seguinte modo:

$$F_{calc} = \frac{s^2_{Maior}}{s^2_{menor}}$$

O valor crítico de F depende do nível de significância usado (α) e do número de graus de liberdade ($n - 1$) de cada amostra, sendo indicado por

$$F_{\alpha;gl_N;gl_D},$$

onde gl_N significa graus de liberdade da variância do numerador e gl_D, o mesmo para o denominador. As Tabelas A3.1 e A3.2 apresentam os valores críticos para um teste bilateral de comparação entre duas variâncias.

O teste t realizado para os dados do Exemplo 1 deveria ter sido precedido por um teste de homogeneidade de variâncias, para justificar sua aplicação. A seguir está apresentada a seqüência de passos para o teste F.

Exemplo 1 (continuação). Na Tabela 8.1, as variâncias observadas e respectivos tamanhos amostrais foram:
Não-intoxicados: $n = 13; s^2 = (1,019)^2 = 1,038;$
Intoxicados: $n = 14; s^2 = (1,206)^2 = 1,454.$

Realizando para esses dados o teste de comparação entre variâncias, tem-se:

(1) Hipótese estatísticas
$H_0 : \sigma_A^2 = \sigma_B^2$ ou $H_0 : \sigma_A^2 / \sigma_B^2 = 1$
$H_A : \sigma_A^2 \neq \sigma_B^2$ ou $H_0 : \sigma_A^2 / \sigma_B^2 \neq 1.$
(2) Escolha do nível de significância
$\alpha = 0,05$
(3) Determinação do valor calculado:

$$F_{calc} = \frac{s^2_{Maior}}{s^2_{menor}} = \frac{1,454}{1,038} = 1,401.$$

(4) Determinação do valor crítico:
$gl_N = n_N - 1 = 14 - 1 = 13; gl_D = n_D - 1 = 13 - 1 = 12.$

$F_{\alpha;gl_N;gl_D} = F_{0,05;13;12} = 3,25$ (como $F_{0,05;13;12}$ não está tabelado, usou-se a média entre $F_{0,05;12;12} = 3,28$ e $F_{0,05;14;12} = 3,21$; Tabela A3.1).

O valor $F_{0,05} = 3,25$ significa que uma razão entre variâncias com valor até 3,25 será interpretada como casual; a partir de $F = 3,25$ a probabilidade de que a diferença seja casual é menor do que 0,05 e então a razão F é considerada estatisticamente significativa (isto é, suficiente para admitir que as variâncias populacionais são diferentes).

(5) Como $F_{calc} = 1,401 < F_{0,05;13;12} = 3,25$, não se rejeita H_0 e conclui-se que não há evidência de que as variâncias populacionais sejam diferentes, podendo-se, portanto, aplicar o teste t conforme apresentado acima.

TESTE t QUANDO AS VARIÂNCIAS POPULACIONAIS DIFEREM

Exemplo 2. Gross e colaboradores (1993) compararam a taxa de creatinina urinária em pacientes diabéticos com e sem proteinúria (excreção excessiva de proteínas na urina). O grupo com proteinúria era constituído de 53 diabéticos, e a média ± desvio padrão foi 1,5 ± 0,8, enquanto no grupo controle, com 64 pacientes, os valores foram 1,1 ± 0,2.

Comparando as variâncias dos dois grupos, verifica-se que $F_{calc} = (0,8)^2 / (0,2)^2 = 0,64/0,04 = 16$ é estatisticamente significativo para $\alpha = 0,05$, pois o valor crítico bilateral $F_{0,05;52;63}$ é $\approx 1,68$. Neste caso o teste t, na forma como foi visto anteriormente, não pode ser utilizado.

A comparação entre duas médias quando $\sigma_A^2 \neq \sigma_B^2$ é chamado o "problema de Behrens-Fisher" (Zar, 1999:128). Foram propostas várias soluções para resolvê-lo. Uma das mais fáceis de aplicar é atribuída a Smith (1936) e será apresentada a seguir.

O símbolo t' será usado para indicar o valor de t obtido da seguinte forma:

$$t'_{calc} = \frac{\bar{x}_A - \bar{x}_B}{\sqrt{\frac{s_A^2}{n_A} + \frac{s_B^2}{n_B}}}$$

A diferença em relação à fórmula anterior é a de que naquela se utilizava a estimativa de uma variância comum (s_0^2), enquanto aqui se usam as variâncias observadas nas duas amostras.

O valor de t' para os dados de Gross e colaboradores (1993) é:

$$t'_{calc} = \frac{\bar{x}_A - \bar{x}_B}{\sqrt{\frac{s_A^2}{n_A} + \frac{s_B^2}{n_B}}} = \frac{1,5 - 1,1}{\sqrt{\frac{0,64}{53} + \frac{0,04}{64}}} = \frac{0,4}{\sqrt{0,012 + 0,001}} = \frac{0,4}{0,114} = 3,508.$$

Neste procedimento, o número de graus de liberdade (gl') não é mais dado por ($n_A + n_B - 2$), mas deve ser calculado do seguinte modo:

$$gl' = \frac{(w_A + w_B)^2}{\frac{w_A^2}{n_A - 1} + \frac{w_B^2}{n_B - 1}}, \quad \text{onde } w = \frac{s^2}{n}, \text{ em cada amostra.}$$

É mais conveniente obter inicialmente os valores de w, para depois calcular gl'. Assim,

$$w_A = \frac{s_A^2}{n_A} = 0{,}012 \quad \text{e} \quad w_B = \frac{s_B^2}{n_B} = 0{,}001.$$

O número de graus de liberdade corrigido (gl') para variâncias populacionais diferentes, neste exemplo, é:

$$gl' = \frac{(w_A + w_B)^2}{\frac{w_A^2}{n_A - 1} + \frac{w_B^2}{n_B - 1}} = \frac{(0{,}012 + 0{,}001)^2}{\frac{0{,}012^2}{52} + \frac{0{,}001^2}{63}} = \frac{0{,}000169}{0{,}000003} \cong 56.$$

O valor crítico de t', para um nível de significância de 0,01 e 56 graus de liberdade, é:

$$t'_{0{,}01;56} \cong 2{,}660.$$

Sendo o valor de t'_{calc} (3,508) maior do que o crítico (2,660), pode-se concluir que a taxa de creatinina difere significativamente entre diabéticos sem proteinúria e diabéticos com proteinúria, sendo mais elevada nos últimos.

Uma outra possibilidade de análise, quando as variâncias são significativamente diferentes, seria utilizar um teste não-paramétrico. Foi exatamente o que os autores do artigo fizeram, chegando à mesma conclusão.

Exemplo 3. O efeito da retirada do pâncreas e da hipófise sobre o nível de glicose no sangue (glicemia) foi estudado na tartaruga *Chrysemys d´Orbignyi* por Foglia e colaboradores (1955), que encontraram diferenças aparentemente importantes entre animais íntegros e indivíduos dos quais foram retiradas essas glândulas. Deseja-se testar a significância estatística destes resultados. A Tabela 8.2 apresenta os dados obtidos pelos pesquisadores e a análise estatística realizada com um programa de computador.

Tendo identificado o problema como o de uma comparação entre dois grupos independentes, a primeira coisa a fazer é comparar as variâncias para verificar que modalidade de teste t deve ser aplicada. Como o $F_{calc} = 252{,}2$ é muito maior do que $F_{0{,}05;3;11} = 4{,}63$, conclui-se que as variâncias diferem significativamente entre si e, então, o teste adequado nessas circunstâncias é o t para variâncias desiguais (t'). A Tabela 8.2 informa que o valor de t'_{calc} é 4,12 e o número corrigido de graus de liberdade é $gl' = 3$.

Como $t' = 4{,}12 > t'_{0{,}05;3} = 3{,}182$, rejeita-se a hipótese de igualdade entre as médias, podendo os autores afirmar que a retirada do pâncreas e da hipófise está associada a um aumento na glicemia, em tartarugas da espécie *Chrysemys d´Orbignyi*. Tal afirmativa é válida para $\alpha = 0{,}05$ apenas; para $\alpha = 0{,}01$ a conclusão deve ser a de que não há efeito da retirada dessas glândulas.

Note que, se for usado, no teste, o valor de t obtido pela fórmula clássica ($t = 7{,}65$), o resultado será que existe diferença significativa para $\alpha = 0{,}001$. Esta

TABELA 8.2 Níveis de glicemia (mg/100 mL) em jejum de 24 horas, em tartarugas da espécie *Chrysemys d´Orbignyi*

Grupo de tartarugas	Glicemia			Análises estatísticas
	n	Média	DP	
Íntegras	12	86	8,5	$F_{calc} = 252{,}2$; $gl = 3$ e 11
Hipófise e pâncreas retirados	4	364	135,0	$t' = 4{,}12$; $gl' = 3$
				$t = 7{,}65$; $gl = 14$

Fonte: Foglia e colaboradores, 1955.

conclusão, no entanto, não se justifica, porque a estatística de teste empregada não é a correta nas circunstâncias.[2]

UM COMENTÁRIO FINAL IMPORTANTE

Muitas pessoas pensam que se um resultado é estatisticamente significativo, isso representa automaticamente significância biológica ou clínica, o que não é verdadeiro. Considere, por exemplo, a seguinte situação hipotética: um pesquisador possui dados de 4 mil estudantes da universidade A, do sexo masculino, com idade entre 20 e 22 anos. A média da estatura nesses estudantes foi 175 cm, e o desvio padrão, 6,5 cm. Ele possui também dados de 4 mil alunos da mesma faixa etária, da universidade B, onde a média foi 175,3 e o desvio padrão, 6,5 cm. Comparando as amostras entre si, ele obtém uma diferença de 0,3 cm, estatisticamente significativa ($t_{calc} = 2,06 > t_{0,05;7998} \cong 1,96$). Conclui, então, com uma probabilidade de erro pequena, que os alunos da universidade B são, em média, 3 mm mais altos do que os da outra universidade. Qual o significado prático desse resultado? Provavelmente nenhum: uma diferença de 3 mm na estatura média dessas pessoas não tem a menor importância prática.

O que dizer, então, sobre a significância estatística do resultado? Ela não é conflitante com a significância prática?

Está havendo aqui confusão entre significância estatística e significância biológica. Pode-se perfeitamente ter uma sem ter a outra. A significância estatística serve para medir o grau de crença de que a diferença obtida seja espúria. Um resultado não-significativo estatisticamente indica que é provável que a diferença seja casual, determinada por um efeito de amostragem. Por outro lado, um resultado estatisticamente significativo indica que a diferença é bastante confiável e que é pequena (no exemplo, menor que 5%) a probabilidade de o resultado ser espúrio. Neste último exemplo, há evidência de que existe uma diferença real de 3 mm entre a estatura dos alunos das duas universidades. O que isso pode representar na prática é outra história. Assim, o pesquisador deve concluir que há uma diferença de 3 mm (que não serve para nada) na estatura dos jovens de 20 a 22 anos destas universidades.

Por outro lado, como interpretar, uma diferença média de 5 cm observada ao se estudarem duas amostras de seis indivíduos de cada universidade, com os mesmos valores de desvio padrão? Agora esta diferença, que poderia ter um sentido prático para um fabricante de roupas, por exemplo, não é estatisticamente significativa ($t_{calc} = 1,33 < t_{0,05;10} = 2,228$). A interpretação deve ser a de que as informações obtidas no estudo não são suficientes para justificar uma conclusão de que há diferença, ou porque o tamanho das amostras estudadas foi muito pequeno, como neste caso, ou, se as amostras forem grandes, porque provavelmente a diferença não é real.

A significância estatística (para um determinado α) depende do número de observações e da magnitude da diferença. Ela avalia se a diferença pode ser con-

---

[2] O leitor atento deve ter observado que alguns valores de *DP*, tanto no Exemplo 2 quanto no 3, são bastante altos quando comparados com a média, o que pode estar indicando que a distribuição de *x* não é normal. Se assim for, nem mesmo a variante *t'* do teste de Student pode ser aplicada, e a solução é tentar transformar os dados ou usar um teste não-paramétrico.

siderada verdadeira, mas de modo algum indica se ela é pequena, moderada ou grande. Assim, em um experimento científico podem resultar:

(a) diferenças pequenas muito significativas estatisticamente (isto é, provavelmente reais, mas de pouca importância prática);
(b) diferenças grandes não-significativas estatisticamente (devido ou ao pequeno tamanho amostral ou ao caráter espúrio da diferença);
(c) diferenças estatística e biologicamente significativas.

9

Comparação entre médias de duas amostras pareadas

Se as diferenças entre dois grupos experimentais forem pequenas, podem não se evidenciar caso as unidades do experimento sejam muito heterogêneas. Para diminuir as diferenças naturais existentes entre os indivíduos, o pesquisador pode organizar pares em que cada unidade experimental tenha seu próprio controle. O "controle" deve ser um indivíduo o mais semelhante possível ao "tratado" quanto às características que possam influenciar os valores a serem obtidos. Note que enquanto no plano experimental de amostras independentes, os grupos podem ser organizados de modo que variáveis intervenientes tenham a mesma freqüência nos dois grupos, em estudos envolvendo amostras pareadas o controle é feito indivíduo a indivíduo, isto é, cada um tem um "par" com as mesmas características.

Por exemplo, um médico que deseja comparar duas dietas alimentares para diabéticos poderá organizar o pareamento por sexo, idade e tempo de diagnóstico da doença, pois essas variáveis podem interferir no resultado obtido pela dieta. Assim, um paciente do sexo masculino, de 67 anos e diabético há 12, terá como par um outro da mesma faixa etária, sexo e tempo de doença. Uma mulher de 58 anos, diabética há 6, deverá ser pareada com outra da mesma faixa de idade e tempo de diabete.

Em cada par, um dos pacientes receberá a dieta A e o outro, a B, aleatoriamente. Para a atribuição ao acaso das dietas, pode-se usar o lançamento de uma moeda. Define-se de antemão, por exemplo, que, se o resultado for "cara", a dieta A será administrada ao paciente e a B ao controle; se for "coroa", os tratamentos serão invertidos. Pode-se também utilizar uma tabela de números aleatórios, usando os números ímpares para indicar a administração da dieta A ao paciente (e da B ao controle) e os pares para a situação inversa.

Um outro exemplo é o de um experimento sobre duas condições nutricionais em plantas. Pode-se usar duas sementes da mesma vagem ou da mesma espiga para assegurar a identidade genética dos indivíduos dos dois tratamentos. Cada semente do par será plantada, ao acaso, em um de dois potes contendo diferentes características de solo. O procedimento é repetido para várias vagens ou espigas, obtendo-se, assim, as condições de repetição necessárias para mensurar a variabilidade nos resultados.

A técnica do pareamento ou emparelhamento aumenta a eficiência do teste estatístico, tornando-o mais sensível a diferenças pequenas entre os tratamentos – diz-se que o emparelhamento torna o teste mais poderoso. As amostras organizadas dessa forma denominam-se *amostras pareadas, emparelhadas* ou *dependentes*.

O emparelhamento máximo é obtido quando cada indivíduo é controle de si próprio. Tal procedimento é bastante utilizado em experimentos nas áreas de fisiologia e de farmacologia, em que se realiza uma medida antes e outra após a aplicação de determinado tratamento ou procedimento.

Exemplo 1. Doulot e colaboradores (1992) estudaram o número de trocas ente cromátides-irmãs (TCI) em floricultores com e sem sintomas de intoxicação por pesticidas – parte desse trabalho foi descrito no capítulo anterior. Desejando controlar variáveis que poderiam estar mascarando os resultados, os autores realizaram um pareamento por sexo e idade, já que o número de TCI depende do sexo e aumenta com a idade. A Tabela 9.1 apresenta os indivíduos pareados da melhor forma possível, considerando a amostra disponível.

TABELA 9.1 Número de trocas entre cromátides irmãs (TCI) em floricultores com e sem sintomas de intoxicação por pesticidas, organizados em nove pares por sexo e idade

Par	Sexo e idade	TCI do indivíduo intoxicado	TCI do indiv. não-intoxicado	$x = TCI_{INTOX.} - TCI_{NÃO-INTOX.}$	x^2
1	F (45 e 48)	6,3	5,9	0,4	0,16
2	M (21 e 22)	6,4	2,6	3,8	14,44
3	F (53 e 50)	6,9	5,2	1,7	2,89
4	M (17 e 11)	6,4	5,3	1,1	1,21
5	F (63 e 78)	7,0	5,7	1,3	1,69
6	M (62 e 72)	5,6	5,7	−0,1	0,01
7	M (52 e 55)	5,4	2,9	2,5	6,25
8	M (30 e 37)	8,8	4,8	4,0	16,00
9	M (29 e 25)	5,3	7,1	−1,8	3,24
	Soma	58,1	45,2	12,9	45,89
	$\bar{x}$	6,45	5,02	1,43	

Fonte: Doulot e colaboradores, 1992.

Inspecionando os dados, verifica-se que geralmente o indivíduo com sintomas de intoxicação crônica apresenta um número médio de trocas entre cromátides-irmãs superior ao daqueles que não apresentam estes sintomas. Mas há exceções: nos pares 6 e 9, o TCI foi maior nos indivíduos não-intoxicados. A pergunta que fica é: será que estudando toda a população de floricultores, organizados em pares como foi feito aqui, não seriam observados mais casos como os verificados nos pares 6 e 9, contrariando a hipótese de que o TCI é um bom indicador de toxicidade genética?

A resposta a esta pergunta depende da realização de um teste *t* semelhante àquele que compara a média de uma amostra com a de uma população. A variável a ser testada, agora, não são os valores medidos de TCI, mas a *diferença algébrica* entre eles, isto é, a diferença acompanhada de sinal, que será denominada x. O sentido escolhido para a diferença não importa, podendo ser $x = TCI_{INTOXICADO} - TCI_{NÃO-INTOXICADO}$ ou $x = TCI_{NÃO-INTOXICADO} - TCI_{INTOXICADO}$. No entanto, uma vez escolhido o sentido, este deve ser mantido até o final da análise.

RACIOCÍNIO DO TESTE

A hipótese de partida do teste é a de que a intoxicação por pesticidas não altera o número habitual de TCI nos floricultores. Se esta afirmativa for correta, os valores de TCI obtidos nos pares de indivíduos deverão ser iguais ou muito parecidos, podendo ser algumas vezes um pouco maiores em indivíduos intoxicados, outras um pouco maiores nos não-intoxicados, ao acaso. Espera-se, então, que se não houver efeito do pesticida sobre o TCI, os valores de x sejam ou zero ou valores positivos pequenos ou valores negativos pequenos.

Se os pesquisadores dispusessem da população toda e se a hipótese de partida fosse correta, a média das diferenças (μ_x) deveria ser zero. Portanto, se intoxicados e não-intoxicados não diferem quanto ao TCI, a média de x na amostra não deve afastar-se significativamente de zero.

Considerando x como a diferença $TCI_{INTOXICADO} - TCI_{NÃO-INTOXICADO}$, a média das diferenças nos nove pares de floricultores é

$$\bar{x} = 12{,}9 / 9 = 1{,}43,$$

indicando que, na amostra, os intoxicados apresentaram em média 1,4 trocas a mais. Tal observação, no entanto, não pode ser transferida para a população de floricultores sem a realização de um teste de significância.

Para realizar o teste estatístico adequado, calcula-se o desvio entre $\bar{x}=1{,}43$ e $\mu = 0$ em termos de erros padrão e este valor é comparado com um valor tabelado, da mesma forma como foi feito em outros testes. Se o valor obtido for maior do que o crítico, conclui-se que há diferença entre os dois grupos de floricultores quanto ao TCI.

ETAPAS DO TESTE DE HIPÓTESES PARA AMOSTRAS PAREADAS

(1) Estabelecimento das hipóteses estatísticas
$H_0 : \mu = 0$
$H_A : \mu \neq 0$.
(2) Escolha do nível de significância
$\alpha = 0{,}05$
(3) Determinação do valor crítico do teste
Neste teste, $gl = n - 1$, onde n é o número de valores de x.
$t_{\alpha;gl} = t_{0,05;8} = 2{,}306$.
(4) Determinação do valor calculado do teste

$$t_{calc} = \frac{\bar{x} - \mu}{\frac{s}{\sqrt{n}}} \text{ ou simplesmente, } t_{calc} = \frac{\bar{x}}{\frac{s}{\sqrt{n}}}, \text{ já que } \mu = 0.$$

Sendo $s = \sqrt{\dfrac{\sum x^2 - (\sum x)^2 / n}{n-1}} = \sqrt{\dfrac{45{,}89 - (12{,}9)^2 / 9}{9-1}} = 1{,}851$, tem-se que

$$t_{calc} = \frac{1{,}43}{\frac{1{,}851}{\sqrt{9}}} = 2{,}318.$$

(5) Decisão
Como $|t_{calc}| = 2{,}318 > t_{0{,}05;8} = 2{,}306$, rejeita-se H_0. É muito pequena a probabilidade de que uma amostra de média = 1,43 seja obtida de uma população, onde $\mu = 0$. O mais provável é que a amostra seja originária de uma população onde a média das diferenças é maior do que zero. Ora, se $\mu > 0$, floricultores intoxicados têm mais trocas entre cromátides-irmãs do que os não-intoxicados.

(6) Conclusão:
Em floricultores com sintomas de intoxicação crônica por pesticidas, o número de trocas entre cromátides-irmãs (TCI) é maior do que entre indivíduos sem esses sintomas.

OBSERVAÇÕES: (1) Note que, se a diferença tivesse sido calculada como $x = (TCI_{\text{NÃO-INTOXICADO}} - TCI_{\text{INTOXICADO}})$, os valores de x teriam todos seus sinais trocados e a média seria $\bar{x} = -1{,}43$, mas o valor de $|t_{calc}|$ seria o mesmo. A conclusão também seria a mesma, pois sendo $\bar{x}$ um valor negativo, estaria indicando que os valores para os não-intoxicados são em média menores do que os de intoxicados.

(2) Pode ser interessante calcular a média do TCI para as duas amostras. Tais valores seriam 6,45 para os intoxicados e 5,02 para os não-intoxicados. Note que 6,45 – 5,02 = 1,43. Portanto, a diferença média pode ser obtida pela diferença entre as duas médias amostrais, mas a análise estatística correta deve ser feita sobre as diferenças intrapar, usando-se um teste t para amostras pareadas e não um teste t para grupos independentes.

FORMA USADA NAS PUBLICAÇÕES CIENTÍFICAS PARA REPRESENTAR A SIGNIFICÂNCIA ESTATÍSTICA DE UM VALOR CALCULADO

Exemplo 2. A médica Magda L. Nunes (1994, comunicação pessoal) mediu a sincronia entre os hemisférios cerebrais de recém-nascidos prematuros na 34ª semana de vida, realizando semanalmente esta mensuração até a 42ª semana de vida da criança. Os dados relativos à 36ª semana foram reunidos com os da 37ª, porque em alguns casos não foi possível obter informação em uma destas oportunidades. Os valores observados para o mesmo recém-nascido na 34ª e na 36–37ª semanas foram comparados por um teste t para amostras pareadas, já que se trata de duas medidas para o mesmo indivíduo.

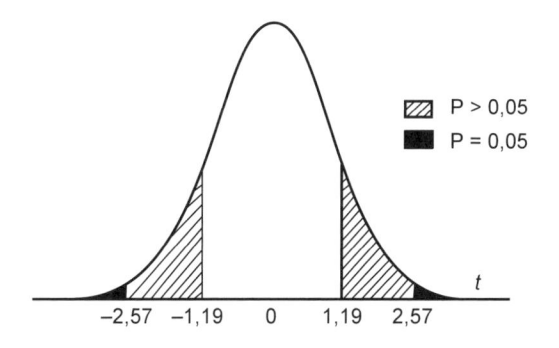

FIGURA 9.1 Distribuição t para 5 graus de liberdade, com as áreas caudais (P) indicadas para distintos valores de t.

A hipótese nula postulou que a sincronia entre hemisférios cerebrais não diferia nesses dois momentos. O valor de teste obtido em uma amostra de 6 crianças foi $t_{calc} = 1,192$, que é menor do que o t crítico para $\alpha = 0,05$ ($t_{0,05;5} = 2,571$). A área caudal da curva limitada pelo valor $t = |2,571|$ é 0,05. Então, como se pode ver na Figura 9.1, a área caudal limitada por $|t_{calc}| = |1,192|$ é maior do que 0,05.

A área caudal associada a um valor calculado de teste é denominada *nível descritivo amostral, nível crítico amostral* ou simplesmente *valor–P* e é indicada por *P*. O valor-*P* é a área que fica além de $|t_{calc}|$ e representa a probabilidade de se obter, ao acaso, um valor igual ou mais extremo que o valor obtido no teste estatístico, *na condição de que* a hipótese nula seja verdadeira.

O nível α de significância de um teste é um valor particular de *P*, escolhido como critério para estabelecer a significância estatística em um teste de hipóteses. Se α for 0,05, está-se considerando que um valor de t_{calc} com $P < 0,05$ é estatisticamente significativo. Deve-se, então, rejeitar H_0, pois se ela for verdadeira, a probabilidade de se obter, ao acaso, este valor t ou um ainda mais extremo é menor do que 0,05. Do mesmo modo, convencionou-se que um valor–*P* igual ou maior do que 0,05 deve conduzir à conclusão de que o resultado do teste não é estatisticamente significativo (não se deve, portanto, rejeitar H_0). Considera-se que se $P > 0,05$, a probabilidade de o resultado ser casual é alta, sendo, portanto, também alta a probabilidade de se cometer um erro do tipo I, rejeitando-se H_0 quando não se deveria.

Com auxílio da tabela da distribuição t, é possível determinar aproximadamente o tamanho da área *P* associada a qualquer valor de t_{calc}.

A Tabela 9.2 mostra o nível de significância bilateral, isto é, a área caudal bilateral exata referente a vários valores críticos de $|t|$ quando $gl = 5$. Segundo esta tabela, a área caudal (valor-*P*) associada a $t = 2,571$ é 0,05, e aquela relativa a $t = 3,365$ é 0,02. Então, a $t = 2,600$ está associado um valor-*P* entre 0,05 e 0,02. Um valor de $t_{calc} = 7,000$ fica fora e à direita da amplitude de valores de t apresentada na tabela. Portanto, o valor-*P* associado a $t = 7,000$ deve ser $P < 0,001$.

Na Figura 9.1, viu-se que o valor $t_{calc} = 1,192$, obtido para os dados do Exemplo 2, está mais no centro da curva do que o valor crítico 2,571; portanto, *P* é maior que 0,05. Realmente, olhando a Tabela 9.2, verifica-se que quando $t = 1,192$, $P > 0,20$. Assim, se a hipótese nula for verdadeira, um valor de t igual a $|1,192|$ ou ainda maior não é um evento raro (a probabilidade é maior do que 0,20). Então, com base no valor de t_{calc} (ou no valor-*P*) não se deve rejeitar a hipótese nula. Assim, não se pode concluir, com base na evidência disponível nessa amostra, que a sincronia inter-hemisférica medida na 34ª semana difere da medida na 36ª e 37ª semanas de vida do recém-nascido prematuro.

TABELA 9.2 Distribuição t quando gl = 5

		α Bilateral				
	0,20	0,10	0,05	0,02	0,01	0,001
t crítico	1,476	2,015	2,571	3,365	4,032	6,859
t calc.	1,192		2,600			7,000
Valor-*P*	>0,20		0,05>*P*>0,02			<0,001

Uma forma comum de representar o valor de t_{calc} e o respectivo nível crítico amostral P, para os exemplos citados, é:

$t_{calc} = 1,192; gl = 5; P > 0,20;$
$t_{calc} = 2,600; gl = 5; 0,05 > P > 0,02;$
$t_{calc} = 7,000; gl = 5; P < 0,001.$

Com as facilidades computacionais modernas, podem ser encontrados vários programas estatísticos que fornecem o valor–P exato, não havendo necessidade de consultar a tabela t para obtenção de um valor aproximado. Os dados do Exemplo 2 foram analisados com o auxílio de um desses programas, obtendo-se $P = 0,287$. A notação para o valor de t obtido no Exemplo 2 agora pode ser:

$t_{calc} = 1,192; gl = 5; P = 0,287.$

Assim, é de 0,287 a probabilidade de se observar, ao acaso, um valor de t_{calc} igual ou mais extremo do que $|1,192|$, se $H_0: \mu = 0$ é verdadeira.

O valor-P é uma medida de consistência entre os dados coletados e a hipótese nula, e reflete a probabilidade de se observarem os resultados dessa amostra em particular ou de uma amostra com resultados ainda mais extremos, se H_0 é verdadeira. Um valor-P alto indica que a informação fornecida pelos dados não é suficiente para rejeitar a hipótese nula (ou porque são poucos dados ou porque a diferença é pequena), enquanto que um valor-P baixo constitui evidência contra a hipótese nula.

10

Correlação linear simples

Avaliar se existe associação entre duas características quantitativas é objetivo de muitos estudos em biologia e ciências da saúde. Um ecologista pode estar interessado em saber, por exemplo, se há associação entre a quantidade de chumbo medida na água e o volume de dejetos despejados em determinado rio; um médico pode querer avaliar se a pressão arterial está relacionada à idade das pessoas. Quando se pode demonstrar que existe associação entre duas variáveis quantitativas, isto é, quando se constata que elas variam juntas, diz-se que as variáveis estão *correlacionadas*.

Exemplo 1. Um professor deseja saber se existe correlação entre o tempo dedicado ao estudo e o desempenho dos alunos em determinada disciplina. Sorteados 8 estudantes dessa disciplina, são obtidas, por exemplo, as informações constantes da Tabela 10.1, onde x representa o número de horas de estudo, e y, a nota obtida em uma prova, para cada aluno. Fica difícil concluir alguma coisa observando diretamente os dados na tabela, pois há grande variação nos resultados. Por isso, o primeiro passo é tentar organizá-los em um gráfico, para melhor visualizar as relações entre as variáveis.

DIAGRAMA DE DISPERSÃO

Para se avaliar a correlação entre características quantitativas, inicialmente os dados são representados em um gráfico cartesiano de pontos, denominado *diagrama de pontos* ou *diagrama de dispersão*. Cada ponto do gráfico corresponde a um aluno e é marcado segundo seu valor para x e para y. A Figura 10.1. apresenta esse gráfico para os dados do Exemplo 1.

Analisando a Figura 10.1, pode-se observar que os alunos que estudaram durante mais tempo tendem a ter notas mais altas e os que dedicaram menos horas ao estudo, a ter um desempenho pior na prova. No entanto, podem-se observar exceções (como o aluno D), o que indica que, embora pareça existir uma associação entre horas de estudo e nota, ela não é uma relação perfeita.

TABELA 10.1 Número de horas de estudo e nota obtida por 8 alunos em uma prova (dados fictícios)

Aluno	x (horas)	y (nota)
A	8	10
B	7	8
C	6	4
D	3	8
E	3	6
F	6	9
G	5	7
H	2	4

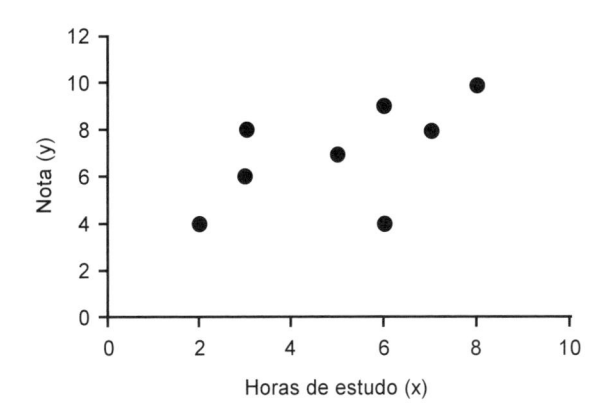

FIGURA 10.1 Diagrama de dispersão correspondente ao número de horas de estudo e nota obtida por 8 alunos em uma prova.

COEFICIENTE DE CORRELAÇÃO PRODUTO-MOMENTO *(r)*

Uma outra maneira de se avaliar a correlação é usar um coeficiente, que tem a vantagem de ser um número puro, isto é, independente da unidade de medida das variáveis. Isto interessa bastante, pois se pode ter duas unidades de medida diferentes para as variáveis (como nota e horas), o que dificultaria a interpretação da associação. O *coeficiente de correlação produto-momento (r)* é uma medida da intensidade de associação existente entre duas variáveis quantitativas, e sua fórmula de cálculo foi proposta por Karl Pearson em 1896. Por essa razão, é também denominado *coeficiente de correlação de Pearson*. Por ter sido o primeiro a ser proposto (vários outros foram criados depois), muitas vezes r recebe simplesmente nome de "coeficiente de correlação".

VARIAÇÃO NO COEFICIENTE DE CORRELAÇÃO

O coeficiente de correlação pode variar entre -1 e $+1$. Valores negativos de r indicam uma correlação do tipo inversa, isto é, quando x aumenta, y em média diminui (ou vice-versa). Valores positivos para r ocorrem quando a correlação é direta, isto é, x e y variam no mesmo sentido. As taxas sangüíneas de insulina e glicose apresentam correlação negativa; já a taxa do hormônio glucagônio tem correlação positiva com a glicemia.

O valor máximo (tanto $r = +1$ como $r = -1$) é obtido quando todos os pontos do diagrama estão em uma linha reta inclinada (Figura 10.2 a,b). Por outro lado, quando não existe correlação entre x e y, os pontos se distribuem em nuvens circulares (Figura 10.2 c). Associações de grau intermediário (r entre 0 e $|1|$) apresentam-se como nuvens inclinadas, de forma elíptica (Figura 10.2 d,e), sendo mais estreitas quanto maior for a correlação (Figura 10.2 d). Se, no entanto, a nuvem elíptica for paralela a um dos eixos do gráfico, a correlação é nula (Figura 10.2 f).

Quando os pontos formam uma nuvem cujo eixo principal é uma curva (Figura 10.2 g, h), o valor de r não mede corretamente a associação entre as variáveis. Isto ocorre porque a técnica para calcular esse coeficiente supõe que os pontos do gráfico formam nuvens elípticas, cujo eixo principal é uma *reta*. A solução, nesses casos, pode ser a aplicação de uma transformação, por exemplo a logarítmica, a uma ou ambas as variáveis, ou então usar diretamente um coeficiente de correlação não-paramétrico, como o coeficiente de Spearman.

CÁLCULO DO COEFICIENTE DE CORRELAÇÃO EM UMA AMOSTRA

A fórmula para se obter o coeficiente de correlação de Pearson em uma amostra é

$$r = \frac{cov_{xy}}{s_x \times s_y}, \text{ onde } cov_{xy} = \Sigma(x-\bar{x})(y-\bar{y})/(n-1).$$

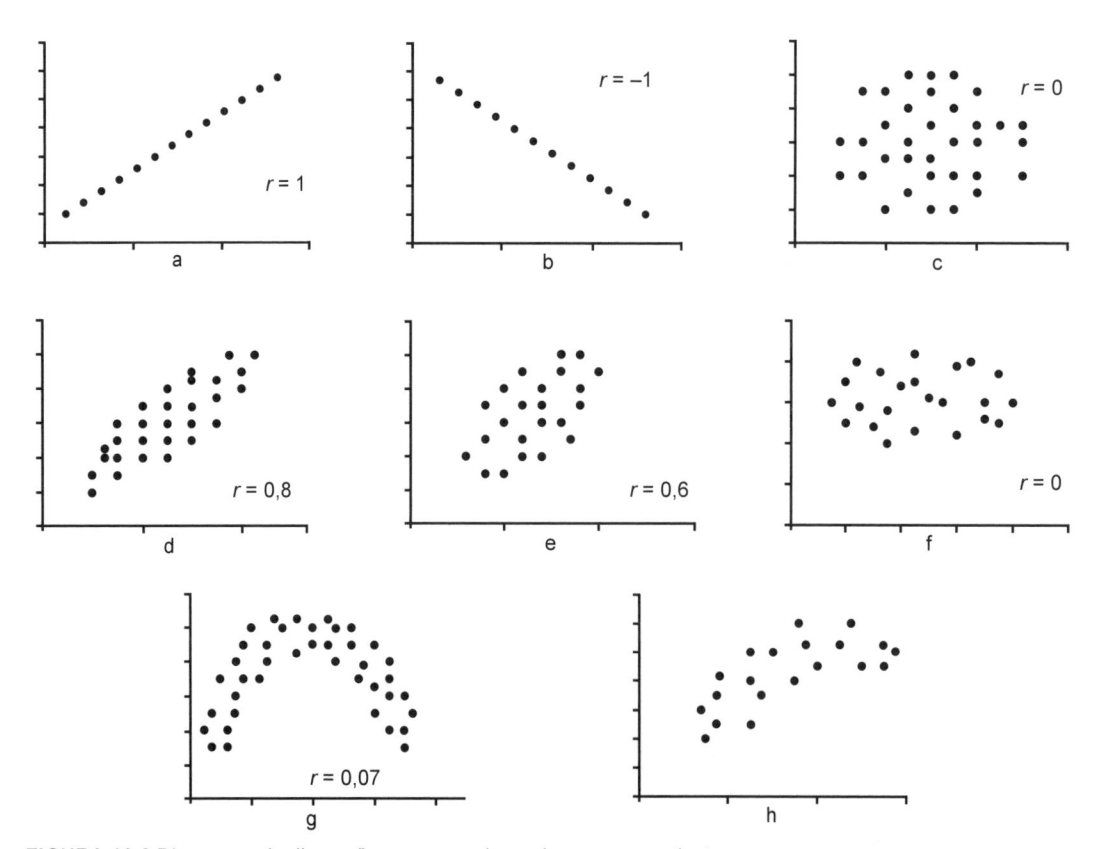

FIGURA 10.2 Diagramas de dispersão, com os valores de *r* correspondentes.

Realizando algumas simplificações nesta fórmula, resulta

$$r = \frac{\Sigma(x-\bar{x})(y-\bar{y})}{\sqrt{\Sigma(x-\bar{x})^2 \times \Sigma(y-\bar{y})^2}}.$$

O numerador do coeficiente de correlação é chamado de *soma dos produtos xy* e é representado abreviadamente por SP_{xy} e os elementos que estão dentro da raiz quadrada são as *somas de quadrados* de x e y (SQ_x e SQ_y), respectivamente. Tais denominações estão associadas às operações aritméticas necessárias para obtenção dessas quantidades. Assim, pode-se também escrever que

$$r = \frac{SP_{xy}}{\sqrt{SQ_x \times SQ_y}}.$$

A fórmula a seguir é uma alternativa mais conveniente para se calcular r, pois, já que não envolve o cálculo de desvios para x e y, exige um número menor de operações aritméticas.

$$r = \frac{\sum xy - \frac{(\sum x)(\sum y)}{n}}{\sqrt{\left[\sum x^2 - \frac{(\sum x)^2}{n}\right]\left[\sum y^2 - \frac{(\sum y)^2}{n}\right]}}$$

A fórmula alternativa foi usada para obtenção do coeficiente de correlação para os dados do Exemplo 1. Os cálculos intermediários estão apresentados na Tabela 10.2, e o coeficiente obtido foi

$$r = \frac{299 - (40 \times 56)/8}{\sqrt{(232 - 40^2/8)(426 - 56^2/8)}} = \frac{19}{32,98} = 0,58.$$

Note que o coeficiente de correlação ($r = 0,58$) não é acompanhado de qualquer unidade de medida.

TABELA 10.2 Quantidades necessárias para o cálculo do coeficiente de correlação para os dados da Tabela 10.1

Aluno	x	y	x^2	y^2	xy
A	8	10	64	100	80
B	7	8	49	64	56
C	6	4	36	16	24
D	3	8	9	64	24
E	3	6	9	36	18
F	6	9	36	81	54
G	5	7	25	49	35
H	2	4	4	16	8
Σ	40	56	232	426	299

TESTE DE HIPÓTESES SOBRE A CORRELAÇÃO

Raciocínio do teste

Quando se calcula o coeficiente r em uma amostra, é necessário ter em mente que se está, na realidade, estimando a associação verdadeira entre x e y existente na população. No exemplo anterior, foi obtido o valor de $r = 0{,}58$. No entanto, não se pode ter certeza de que na população de alunos haja, efetivamente, correlação entre horas de estudo e nota na prova, pois foi estudada apenas uma parte da população. O valor obtido poderia ser casual, representando um erro devido à amostragem. Para realizar um teste de hipóteses sobre a existência de correlação na população, usa-se um raciocínio análogo ao visto nos testes de hipóteses sobre médias, como explicado a seguir.

A correlação na população é designada por ρ (ro = letra r minúscula, no alfabeto grego). Supõe-se inicialmente que não existe correlação entre x e y, então, $\rho = 0$. Realizando-se um processo de amostragem aleatória, os valores de r obtidos nas amostras devem ser, na sua maioria, próximos de zero. Podem ocorrer valores mais afastados de zero, mas serão pouco freqüentes. A distribuição amostral de valores de r é simétrica quando a correlação populacional for 0, como se pode ver na Figura 10.3. Por outro lado, vai ficando mais e mais assimétrica à medida que ρ afasta-se de zero.

Para avaliar a significância do coeficiente de correlação, geralmente testa-se a hipótese nula de que $\rho = 0$, utilizando para tanto a distribuição t.[1]

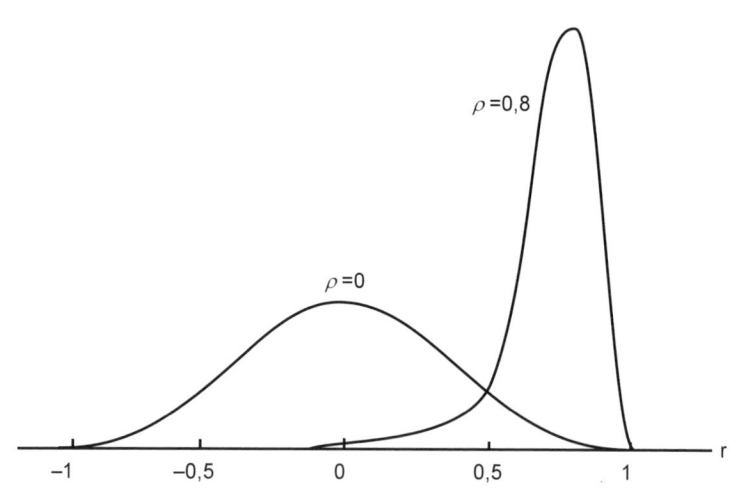

FIGURA 10.3 Distribuição amostral de r para $\rho = 0$ e $\rho = 0{,}8$, para amostras com $n = 9$. (Fonte: Hoel, 1963; p.174).

---

[1] Quando se deseja testar a hipótese de que ρ é um valor diferente de zero, é necessário usar uma transformação proposta por Fisher. A transformação de Fisher para r é: $r' = 0{,}5 \ln[(1 + r)/(1 - r)]$, onde ln é logaritmo natural. A variável r' tem distribuição aproximadamente normal, com média = $0{,}5 \ln[(1 + \rho)/(1 - \rho)]$ e erro padrão = $\sqrt{1/(n - 3)}$. O teste é feito comparando-se a estatística $z_{calc} = (r' - \rho)/\sqrt{1/(n - 3)}$ com um valor crítico para z, por exemplo, 1,96.

Etapas do teste de hipóteses da correlação

As etapas para o teste estatístico de um coeficiente de correlação são apresentadas a seguir, juntamente com a análise para o coeficiente obtido no Exemplo 1.

(1) Elaboração das hipóteses estatísticas
$H_0: \rho = 0$
$H_A: \rho \neq 0$
(2) Escolha do nível de significância
$\alpha = 0{,}05$
(3) Determinação do valor crítico do teste:
$t_{\alpha;gl} = t_{0{,}05;6} = 2{,}447$ ($gl = n - 2$, onde n é o número de pares de valores x, y)
(4) Determinação do valor calculado de t:

$$t_{calc} = \frac{r - \rho}{EP_r} = \frac{r}{\sqrt{\frac{1-r^2}{n-2}}}.$$

OBSERVAÇÃO: O parâmetro desaparece da fórmula porque se supõe que $\rho = 0$.

O valor de t_{calc} para o coeficiente $r = 0{,}58$ é

$$t_{calc} = \frac{r}{\sqrt{\frac{1-r^2}{n-2}}} = \frac{0{,}58}{\sqrt{\frac{1-0{,}58^2}{8-2}}} = \frac{0{,}58}{0{,}333} = 1{,}74.$$

(5) Como $|t_{calc}| = 1{,}74 < t_{0{,}05;6} = 2{,}45$, não se rejeita H_0.
(6) Conclusão:
Não existe evidência de correlação entre o tempo dedicado ao estudo e o desempenho obtido na prova. O valor de r obtido foi casual.

Suponha, agora, que existam razões para se acreditar que essa conclusão não espelha a realidade. Como interpretar o resultado obtido?

O teste estatístico está indicando que os dados amostrais não apóiam a existência de correlação populacional. Isto pode ser devido ao fato de que:

(a) Não existe realmente correlação entre x e y na população e o valor $r = 0{,}58$ foi um resultado espúrio.
(b) Existe correlação entre x e y, mas neste experimento não foi possível mostrar esta associação, provavelmente por causa do pequeno tamanho da amostra.

Para decidir por uma destas alternativas, só há uma solução: aumentar o tamanho da amostra. Se, efetivamente, existir correlação e se ela tiver a magnitude observada, um aumento em n ocasionará uma redução no erro padrão de r, com conseqüente aumento no t_{calc}, tornando-o, eventualmente, significante do ponto de vista estatístico. Por outro lado, se realmente não existir correlação entre x e y, à medida que se aumenta o tamanho amostral, o valor de r tenderá a zero. Com isso, o t_{calc} também tenderá a zero, deixando de ser estatisticamente significativo.

AVALIAÇÃO QUALITATIVA DE r QUANTO À INTENSIDADE

Uma vez determinada a existência de correlação na população, pode-se avaliá-la qualitativamente quanto à intensidade, usando-se o critério apresentado na Tabela 10.3.

TABELA 10.3 Avaliação qualitativa do grau de correlação entre duas variáveis

$|r|$	A correlação é dita
0	Nula
0 — 0,3	Fraca
0,3 ⊢— 0,6	Regular
0,6 ⊢— 0,9	Forte
0,9 ⊢— 1	Muito forte
1	Plena ou perfeita

Exemplo 2. A concentração sérica de várias proteínas foi determinada no sangue de cavalos puro-sangue manga-larga (Medeiros e colaboradores, 1977). Parte dos dados está apresentada na Tabela 10.4. Deseja-se saber se a quantidade de albumina está relacionada com o nível de alfa-globulinas 1 e 2 e com a concentração de beta-globulinas 1 e 2.

Os gráficos de dispersão que relacionam essas variáveis entre si estão apresentados na Figura 10.4. Calculando-se o coeficiente de correlação de Pearson entre níveis de albumina e níveis de alfa-globulinas obtém-se $r = -0,437$ ($gl = 21$). O $|t_{calc}|$ é 2,237, maior do que $t_{0,05;21} = 2,080$, então a correlação é estatisticamente significativa para $\alpha = 0,05$. Pode-se observar pela tabela t que o valor-P associado ao t_{calc} é $0,02 < P < 0,05$, indicando ser muito pequena probabilidade de que o valor observado de r seja casual.

Conclui-se, portanto, que existe correlação negativa de grau moderado entre os níveis de albumina e alfa-globulinas no sangue de cavalos manga-larga: à medida que aumenta o nível de albumina, diminui o das alfa-globulinas.

TABELA 10.4 Valores observados para várias proteínas séricas (g/100 mL) em 23 eqüinos puro-sangue manga-larga

Animal	Albumina	Alfa-globulinas 1 e 2	Beta-globulinas 1 e 2	Animal	Albumina	Alfa-globulinas 1 e 2	Beta-globulinas 1 e 2
1	2,88	1,66	1,22	13	3,17	1,92	2,30
2	3,65	1,06	1,52	14	3,13	1,93	2,02
3	3,43	1,85	2,11	15	2,80	1,60	2,00
4	3,55	1,82	2,21	16	2,36	2,13	1,60
5	2,74	1,82	1,90	17	2,86	1,43	2,44
6	3,65	1,82	2,30	18	3,67	1,88	2,07
7	2,99	2,02	2,20	19	3,64	1,36	2,37
8	3,00	2,20	2,90	20	2,94	2,14	2,40
9	3,87	1,63	2,11	21	3,40*	1,50*	–
10	4,32	1,36	2,08	22	3,20*	1,70*	–
11	2,99	1,67	2,46	23	3,30*	1,40*	–
12	2,57	1,64	2,03				

*Dados fictícios acrescentados para fins didáticos.
Fonte: Medeiros e colaboradores, 1977.

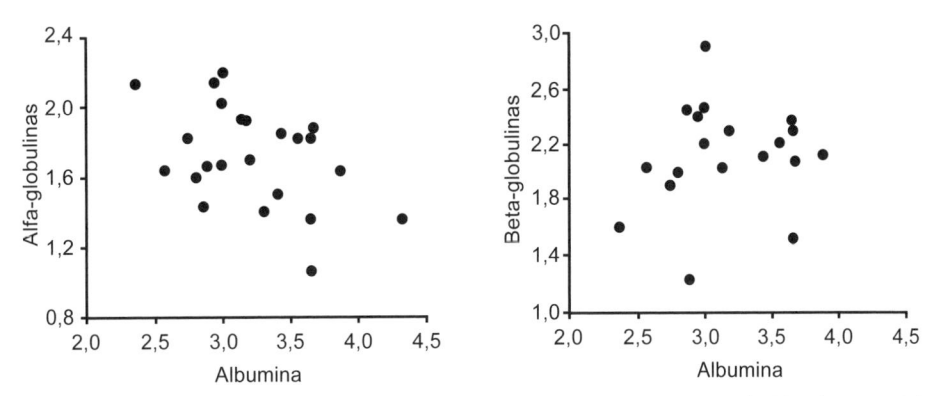

FIGURA 10.4 Relação entre níveis séricos de albumina e alfa-globulinas 1 e 2 (gráfico à esquerda) e albumina e beta-globulinas (à direita), em cavalos puro-sangue manga-larga.

O coeficiente de correlação entre quantidades de albumina e beta-globulinas foi $r = 0,011$, com um valor de $|t_{calc}|$ igual a 0,470 ($gl = 18$; $P > 0,40$). A conclusão, portanto, deve ser que não há evidências suficientes para se afirmar que existe correlação entre níveis de albumina e níveis de beta-globulinas nesses animais.

COEFICIENTE DE DETERMINAÇÃO

O coeficiente de determinação é o quadrado do coeficiente de correlação e informa que fração da variabilidade de uma característica é explicada estatisticamente pela outra variável.

Para os dados de albumina e alfa-globulinas, o coeficiente de determinação é

$$r^2 = (-0,439)^2 = 0,1927.$$

Isso significa que 19% da variação observada no nível sérico de albumina em cavalos manga-larga são "explicados" pelo fato de que a quantidade de alfa-globulinas também varia entre os indivíduos (e vice-versa).

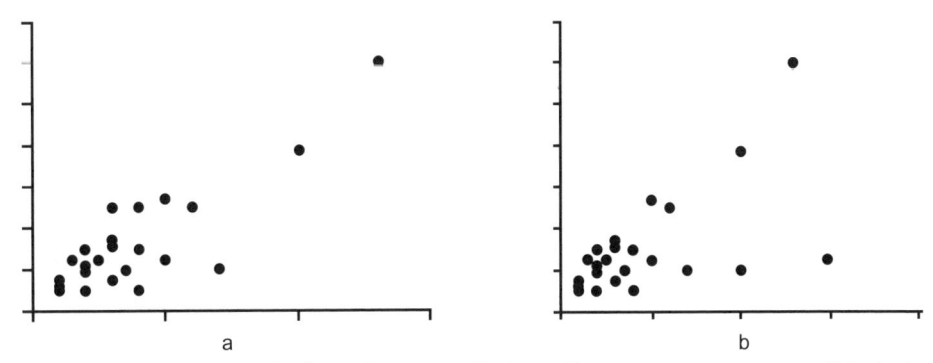

FIGURA 10.5 Diagramas de dispersão para variáveis contínuas: casos em que o coeficiente de correlação r deve ser usado com cautela.

Exemplo 3. Em um estudo realizado em 111 indígenas do sexo masculino, pertencentes à tribo Caingangue do Rio Grande do Sul (Salzano e colaboradores, 1980), a correlação entre o peso e a estatura foi $r = 0{,}58$ ($t = 7{,}43$; $gl = 109$; $P < 0{,}001$). Pode-se então dizer que 34% ($0{,}58^2$) da variação que se observa nestas pessoas quanto ao peso corporal explicam-se porque elas variam também quanto à estatura. Os 66% restantes devem ser explicados por outros fatores.

REQUISITOS AO ESTUDO DA CORRELAÇÃO

Embora não haja necessidade de satisfazer pressuposição alguma para calcular o coeficiente de correlação entre duas variáveis quantitativas, o *teste de significância* da correlação somente será realizado corretamente se:

(1) Tanto a variável x quanto a y têm distribuição normal.
(2) A variação dos valores de x para cada valor fixo de y é sempre a mesma, isto é, o valor de σ_x^2 é o mesmo nos vários níveis de y (homocedasticidade). No exemplo do tempo de estudo e nota na prova, isto equivaleria a dizer que, embora a nota esperada (a média) seja diferente para cada tempo de estudo, o grau de variação em torno dos diferentes valores esperados é o mesmo.
(3) Da mesma forma, a variação dos valores de y (σ_y^2) é a mesma para todos os valores de x.

Se os dados satisfazem tais pressuposições, o coeficiente de correlação de Pearson é o instrumento mais adequado para medir a associação entre x e y; se não satisfazem, não há nenhuma garantia de que esta seja a medida mais correta da correlação. Daí a importância de se examinar o gráfico de dispersão dos pontos antes de se efetuar uma análise desta natureza. Se as pressuposições são satisfeitas, a nuvem de pontos apresenta a forma de uma elipse.

A Figura 10.5 ilustra duas situações nas quais se deve usar com cautela o coeficiente de correlação de Pearson. No caso da Figura 10.5.a, o valor de r calculado para os dados é 0,84. No entanto, tal valor é altamente influenciado pelos dois pontos que se encontram à direita, afastados dos demais: retirando-os do cálculo, o valor de r diminui para 0,46. O problema consiste em aceitar que dois pontos apenas sejam os responsáveis por um aumento tão grande na medida da associação. A Figura 10.4.b, por outro lado, mostra que o coeficiente de correlação obtido não pode ser testado corretamente da forma mostrada acima, uma vez que a nuvem de pontos indica que está sendo violada a pressuposição de homocedasticidade. Situações como estas podem, às vezes, ser resolvidas por meio de uma transformação (logarítmica ou de outro tipo) nos dados representados em um ou ambos os eixos do diagrama.

Não é demais lembrar que o coeficiente de correlação mede uma associação, não uma relação de causa e efeito. Assim, se a correlação observada entre os níveis de albumina e alfa-globulinas no sangue de eqüinos manga-larga é $r = -0{,}44$, isto não quer dizer que a quantidade de albumina no sangue determina a de alfa-globulinas, ou vice-versa, mas apenas que os teores dessas proteínas estão variando juntos. Deve-se sempre considerar a possibilidade de que haja outros fatores determinando os níveis tanto de uma quanto da outra variável.

Finalmente, se a amostra for suficientemente grande (por exemplo, $n = 900$), mesmo um coeficiente de correlação muito baixo (como $r = 0,15$) pode ser estatisticamente muito significativo ($t = 4,55$, $P < 0,001$), embora esteja representando uma associação bastante fraca entre as variáveis. Isso mostra, mais uma vez, que a significância estatística reflete um julgamento feito para verificar se os dados justificam ou não a existência de correlação, a qual poderá ser forte, moderada ou fraca dependendo do valor de r.

11

Regressão linear simples

O estudo da regressão aplica-se àquelas situações em que há razões para supor uma relação de causa-efeito entre duas variáveis quantitativas e se deseja expressar matematicamente essa relação. Geralmente chama-se a *variável dependente* (ou *variável resposta*) de y e a *independente* (fator, *variável explicativa* ou *variável preditiva*) de x. As expressões a seguir, utilizadas em diferentes linguagens, têm todas basicamente o mesmo significado:
– y depende de x (linguagem coloquial);
– y é função de x (linguagem matemática);
– existe regressão de y sobre x (linguagem estatística).

O termo *regressão* deve-se a *sir* Francis Galton, que publicou, em 1886, um artigo no qual tentou explicar por que pais de alta estatura tinham filhos com estatura em média mais baixa do que a deles e pais de baixa estatura tinham filhos em média mais altos. Esse fenômeno foi chamado de "regressão à média", termo que, apesar de inadequado para expressar a dependência entre duas variáveis quantitativas, acabou sendo incorporado pelo uso à linguagem estatística.

Em um estudo de regressão, os valores da variável independente (x) geralmente são escolhidos, e para cada valor escolhido observa-se o valor de y correspondente. Por exemplo: se um pesquisador deseja estudar a forma pela qual a pressão arterial depende da idade, pode estudar indivíduos com $x = 30, 35, 40, 45$, etc., anos de idade e então medir suas pressões arteriais. No entanto, para que os resultados sejam fidedignos, o indivíduo de 30 anos não é escolhido propositadamente, mas sorteado da subpopulação de pessoas com essa idade, o mesmo ocorrendo com o de 35, o de 40 anos e assim por diante.

Os objetivos do estudo da regressão são:

(1) avaliar uma possível dependência de y em relação a x;
(2) expressar matematicamente esta relação por meio de uma equação.

GRÁFICO DE DISPERSÃO

Todo estudo de regressão deve iniciar pela elaboração de um gráfico de dispersão dos pontos. Esse passo é fundamental, pois o gráfico já dá uma boa idéia da existência ou não de regressão, bem como evita o erro de aplicar a técnica a dados para os quais não é adequada.

Exemplo 1. Suponha que um biólogo esteja estudando a relação entre a quantidade (μg/L) de determinado poluente (S) despejado por uma fábrica em um riacho, e o dano ecológico nesse curso d'água, medido por um escore de dano. Os valores observados pelo pesquisador estão indicados na Tabela 11.1, e a Figura 11.1 apresenta o gráfico de pontos correspondente.

Pelo gráfico, pode-se notar uma nítida dependência entre o escore de dano e a concentração do poluente S na água: tal dependência poderia ser representada genericamente por uma linha, possivelmente uma reta, admitindo-se como fruto do acaso os desvios existentes entre os pontos experimentais e a linha proposta.

Muitas são as relações de causa e efeito que podem ser resumidas por linhas retas, evitando-se, assim, o uso de tabelas de dados para mostrar a relação. A análise de *regressão linear simples* é um procedimento que fornece equações de linhas retas (por isso, o termo "linear"), que descrevem fenômenos em que há uma variável independente apenas (por isso, "simples"). Neste capítulo, serão vistos os passos necessários para se obter e ajustar uma linha reta aos dados experimentais, os pressupostos para o teste da regressão e as soluções para os casos em que essas pressuposições não são satisfeitas.

A RETA DE REGRESSÃO LINEAR

Equação da reta

A equação da reta pode ser dada por:

$$y = A + Bx$$

TABELA 11.1 Escore de dano ecológico medido para diferentes concentrações do poluente S no riacho R

Quantidade de poluente (μg/L)	Escore de dano ecológico
1	3
2	6
3	7
4	10
5	10
6	12

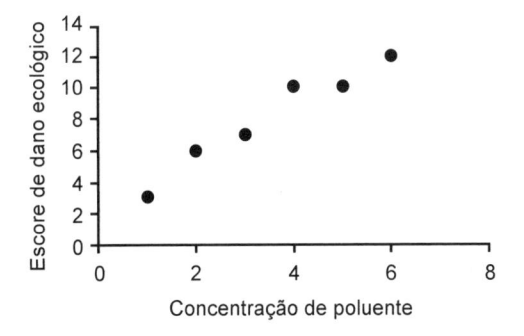

FIGURA 11.1 Relação entre concentração do poluente S e o dano ecológico no riacho R.

onde
    y = variável dependente;
    A = parâmetro ou coeficiente linear (valor de y quando $x = 0$);
    B = parâmetro ou coeficiente angular (inclinação da reta; acréscimo ou decréscimo em y para cada acréscimo de uma unidade em x);
    x = variável independente.

A Figura 11.2 ilustra os conceitos. A linha reta corta o eixo y no valor 10, logo $A = 10$, e para cada aumento de uma unidade em x, há um decréscimo correspondente de duas unidades em y, logo, $B = -2$.

Os pontos experimentais

No modelo matemático recém-indicado ($y = A + Bx$), a letra y representa um valor que é fixo e dependente de um determinado x, isto é, y é uma quantidade que não pode variar quando x assume determinado valor. Com dados biológicos, no entanto, é comum verificar-se variação na variável dependente quando ela é medida para um certo valor da variável independente. Por exemplo, valores diferentes de pressão arterial (y) são observados para indivíduos da mesma idade (x). Assim sendo, os pontos obtidos por um experimentador dificilmente se colocam exatamente em uma linha, embora se possa observar muitas vezes que os dados tendem a um alinhamento. Os "desalinhamentos" são interpretados como desvios, ao acaso, do comportamento geral do fenômeno. É por esta razão que se pensa em ajustar uma linha reta a pontos que não estão perfeitamente alinhados: a reta vai representar o comportamento médio dos valores de y à medida que x aumenta de valor. O modelo matemático proposto, neste caso, é $y = A + Bx + \varepsilon$, onde ε representa a diferença entre o valor observado e o esperado, segundo a reta, de y.

A linha reta representa o comportamento de valores de y *médios* esperados para distintos valores de x, isto é, a reta representa uma média que se modifica à medida que os valores de x aumentam. No caso do Exemplo 1, para $x = 2$ existe um conjunto de valores possíveis de escore de dano que podem ser obtidos quando a concentração do poluente S é 2μg/L, sendo que a média desses escores está sobre a linha verdadeira. Quando a concentração é 3 μg/L ($x = 3$), há um outro

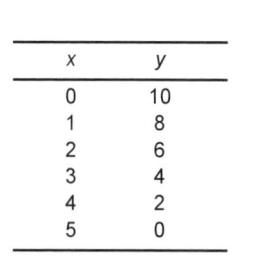

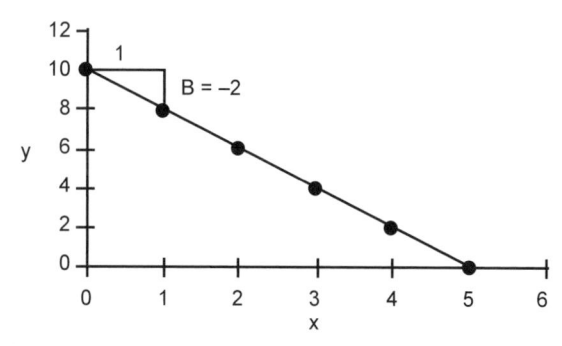

x	y
0	10
1	8
2	6
3	4
4	2
5	0

FIGURA 11.2 Reta que ilustra a equação $y = 10 - 2x$. A tabela mostra valores escolhidos de x e os de y correspondentes segundo esta equação.

conjunto observável de valores de dano, cuja média é um pouco maior do que a anterior e também está sobre a reta, e assim sucessivamente. Em cada uma destas "subpopulações", os valores de y variam ao redor da média deste grupo, como se pode ver na Figura 11.3. Uma pressuposição importante para o teste estatístico da regressão é a de que esta variação é a mesma nas várias subpopulações (homocedasticidade), conforme será visto mais adiante.

A linha que se pretende usar para representar o fenômeno parte dos dados experimentais, que constituem um conjunto de pontos mais ou menos desalinhados. Pode-se pensar, em um primeiro momento, em traçá-la à mão livre, buscando a reta que passa à menor distância de todos os pontos. Dependendo da amostra, no entanto, um desenho desse tipo vai estar sujeito a um grau maior ou menor de erro de julgamento sobre qual é a linha que melhor se ajusta aos dados. Na próxima seção, será apresentado um método analítico para a obtenção da "melhor" reta.

Por outro lado, uma vez desenhada a reta, deseja-se muitas vezes fazer previsões para y a partir de valores conhecidos de x. O processo gráfico consiste em escolher um valor de x, levantar uma perpendicular até a reta e, a partir dela, desenhar uma linha horizontal até o eixo y, buscando nele o valor esperado para y. Tais previsões estão sujeitas a erro, pois são feitas visualmente, com base no gráfico. Se, no entanto, for possível definir a equação que representa a reta, pode-se obter uma melhor estimativa para y, pois a equação fornece previsões independentes de julgamento gráfico. Esta equação pode ser obtida e se denomina *equação de regressão*. No caso da regressão linear simples, a equação de regressão é uma *reta de regressão*.

Obtenção da reta de regressão

A reta de regressão verdadeira seria obtida se fossem conhecidas os valores de x e y para todos os indivíduos da população. Nesse caso, seriam conhecidos a altura verdadeira da reta (o coeficiente linear A) e a inclinação verdadeira da reta (o coeficiente de regressão B).

No entanto, o mais comum é estudar a regressão entre x e y utilizando uma amostra da população de pontos. São calculados, então, a e b, que são as estima-

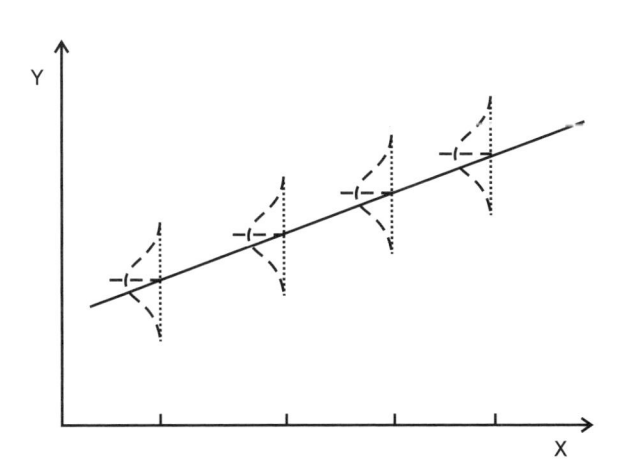

FIGURA 11.3 Representação do modelo de regressão linear, mostrando a distribuição de y ao redor da linha de regressão para quatro valores selecionados de x. Note que as médias de y estão sobre a linha reta e que a variação é a mesma nas quatro subpopulações. (Fonte: Snedecor e Cochran, 1971; p.183.)

tivas dos parâmetros A e B. Esses valores são obtidos pelo *Método dos Mínimos Quadrados,* assim chamado porque garante que a reta obtida é aquela para a qual se tem as menores distâncias (ao quadrado) entre os valores observados (y) e a própria reta[1].

O coeficiente *b* é calculado da seguinte maneira:

$$b = \frac{SP_{xy}}{SQ_x} = \frac{\Sigma(x-\bar{x})(y-\bar{y})}{\Sigma(x-\bar{x})^2} \quad \text{ou} \quad b = \frac{\Sigma xy - \dfrac{\Sigma x \Sigma y}{n}}{\Sigma x^2 - \dfrac{(\Sigma x)^2}{n}},$$

enquanto o coeficiente linear *a* é obtido por

$$a = \bar{y} - b\bar{x},$$

onde $\bar{y}$ e $\bar{x}$ são as médias para *y* e *x*, respectivamente.

A reta estimada de regressão é

$$\hat{y} = a + bx,$$

sendo $\hat{y}$ o valor estimado (ou esperado) de *y* para cada valor de *x*.

A Tabela 11.2 apresenta os cálculos necessários para estimar a reta de regressão que descreve o aumento no escore de dano ecológico conforme a quantidade de substância S presente na água do riacho R.

O valor de *b* para estes dados é:

$$b = \frac{\Sigma xy - \Sigma x \Sigma y / n}{\Sigma x^2 - (\Sigma x)^2 / n} = \frac{198 - (21 \times 48)/6}{91 - (21^2/6)} = \frac{30}{17,5} = 1,71$$

enquanto que o valor de *a* é:

$$a = \bar{y} - b\bar{x} = (48/6) - 1,71(21/6) = 8 - 1,71(3,5) = 2,02.$$

Verificou-se, então, que *b* = 1,71 graus de dano/µg/L, isto é, para cada acréscimo positivo de um (1) µg/L na concentração de S parece haver um aumento de

TABELA 11.2 Determinação das quantidades necessárias para obtenção dos coeficientes da reta de regressão para o escore de dano, conforme a concentração do poluente S

	x (µg/L)	y (dano)	xy	x²	y²	$\hat{y}$
	1	3	3	1	9	3,72
	2	6	12	4	36	5,43
	3	7	21	9	49	7,14
	4	10	40	16	100	8,86
	5	10	50	25	100	10,57
	6	12	72	36	144	12,28
Σ	21	48	198	91	438	48,00

[1] Isto é, os menores valores de $(\varepsilon)^2$.

1,7 no índice de dano ecológico. Por outro lado, o escore de dano esperado quando a concentração for zero é igual a 2,02.

A reta de regressão estimada para os dados da Tabela 11.2 é:

$$\hat{y} = 2,02 + 1,71x,$$

sendo $\hat{y}$ o valor estimado (ou esperado) de dano para cada valor de concentração de S.

Ajustamento da reta estimada aos pontos experimentais

Para desenhar a reta estimada sobre os pontos do gráfico, escolhem-se dois valores quaisquer de x (suficientemente afastados para diminuir erros no traçado da reta) e calculam-se os valores esperados ($\hat{y}$) correspondentes. Por exemplo:

Se $x = 1$, $\hat{y} = 2,02 + 1,71(1) = 3,72$.

Se $x = 8$, $\hat{y} = 2,02 + 1,71(8) = 15,70$.

De posse desses valores, marcam-se dois pontos [(1; 3,72) e (8; 15,70)] no gráfico de dispersão e, unindo-os, traça-se a reta obtida pelo método dos mínimos quadrados.

Na Figura 11.4 estão os pontos experimentais e a reta ajustada. Note que os pontos observados não estão perfeitamente sobre a reta estimada, mas um pouco afastados, isto é, os valores de y observados não são iguais aos esperados ($\hat{y}$). Tais diferenças são interpretadas como decorrentes das oscilações aleatórias dos valores de y em relação ao valor previsto. Portanto, parece razoável, num primeiro momento, estimar o escore esperado de dano ecológico com base na equação obtida. Por exemplo, para uma concentração de poluente igual a 4,5 estima-se que o dano seja:

$$\hat{y} = 2,02 + 1,71(4,5) = 9,72.$$

A Tabela 11.2 apresenta, na última coluna, os valores de dano esperados segundo a reta proposta, para as diferentes concentrações do poluente S examinadas.

É importante lembrar, no entanto, que a equação foi obtida com base nos dados de uma amostra. Será ela válida para toda a população de valores de concentração possíveis?

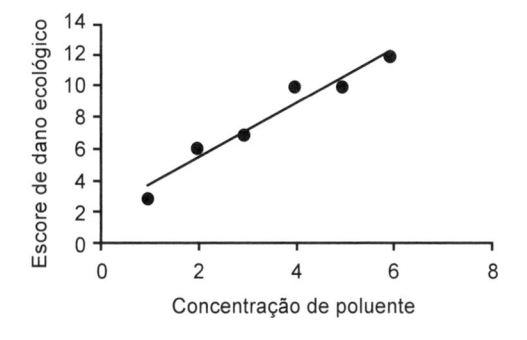

FIGURA 11.4 Reta de regressão $\hat{y} = 2,02 + 1,71x$ ajustada aos pontos experimentais relativos ao escore de dano ecológico conforme a concentração do poluente S na água do riacho R.

TESTE DE SIGNIFICÂNCIA DA REGRESSÃO

A dependência de y em relação a x é representada pelo coeficiente b. No entanto, ele é quase sempre determinado com base em uma amostra de dados. Não se trata, portanto, do valor verdadeiro do coeficiente de regressão, mas de sua estimativa. No caso do Exemplo 1, tal coeficiente foi obtido com base em seis observações apenas. Para se afirmar que o valor $b = 1,71$ representa uma dependência real de y em relação a x e justificar previsões para y com base na equação obtida, deve-se realizar um teste de hipótese sobre a existência de regressão na população.

Raciocínio do teste

Quando não existe dependência de y em relação a x, o coeficiente de regressão populacional, B, é igual a zero[2]. No entanto, valores de b obtidos em amostras aleatórias dessa população devem variar, ao acaso, ao redor de zero. A distribuição de b em torno de zero será gaussiana se a distribuição de y for normal (Figura 11.5). Para testar a hipótese de que B não é zero, determina-se o número crítico de erros padrão permitido para um afastamento não-significativo entre b e B e calcula-se, a seguir, o afastamento observado $(b - B)$, em unidades de erros padrão (t_{calc}). A decisão sobre a significância do desvio é semelhante àquelas vistas nas comparações entre médias e no teste de significância de r: se o valor calculado de t exceder o valor crítico, rejeita-se a hipótese de que b seja um desvio ao acaso de $B = 0$ e conclui-se pela existência de regressão de y em relação a x.

O teste de hipóteses relativo a $b = 1,71$, obtido no Exemplo 1, está apresentado a seguir.

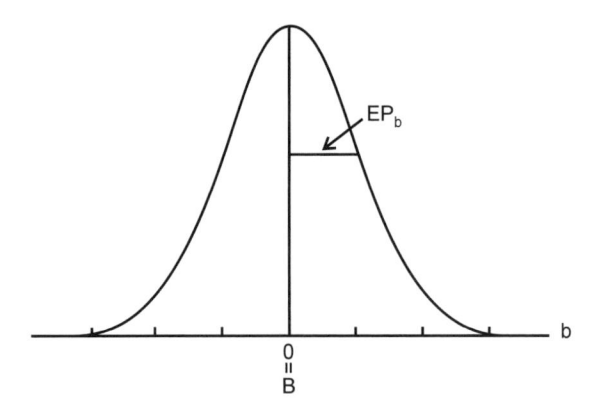

FIGURA 11.5 Distribuição amostral de b quando não há regressão na população.

---

[2] Embora letras gregas estejam sendo utilizadas neste texto para representar parâmetros, optou-se aqui por usar a letra B em vez do símbolo β, porque este último está sendo usado para indicar a probabilidade de erro do Tipo II.

Etapas do teste de hipóteses da regressão

(1) Elaboração das hipóteses estatísticas
$H_0 : B = 0$
$H_1 : B \neq 0$
(2) Escolha do nível de significância
$\alpha = 0,01$
(3) Determinação do valor crítico do teste
Aqui, como no teste da correlação, $gl = n - 2$, onde n = número de pontos experimentais[3]. Como $(n - 2) = 6 - 2 = 4$, $t\alpha_{;gl} = t_{0,01;4} = 4,604$.
(4) Determinação do valor calculado do teste

$$t_{calc} = \frac{b-B}{EP_b} = \frac{b}{EP_b}$$

B desaparece da equação, pois supõe-se, em H_0, que $B = 0$.

O EP_b é dado por

$$EP_b = \sqrt{\frac{\sum(y-\hat{y})^2}{(n-2)\Sigma(x-\bar{x})^2}}$$

Uma fórmula alternativa mais conveniente para calcular EP_b é:

$$EP_b = \sqrt{\frac{\sum y^2 - a\sum y - b\sum xy}{(n-2)\left(\sum x^2 - \frac{(\sum x)^2}{n}\right)}}$$

Para os dados do Exemplo 1,

$$EP_b = \sqrt{\frac{438-(2,02\times 48)-(1,71\times 198)}{(6-2)(91-21^2/6)}} = \sqrt{\frac{2,46}{70}} = \sqrt{0,0351} = 0,187$$

e o valor de t_{calc} é:

$$t_{calc} = \frac{1,71}{0,187} = 9,144.$$

Portanto, a distância entre b e zero é de aproximadamente 9 erros padrão.
(5) Decisão

Como $|t_{calc}| = 9,144 > t_{0,01;4} = 4,604$, rejeita-se H_0.

(6) Conclusão

O coeficiente de regressão populacional (B) não deve ser zero; logo, admitimos que existe regressão de y sobre x ($\alpha = 0,01$). Pode-se então concluir que o dano ecológico depende da concentração da substância S da seguinte forma: para cada acréscimo de um μg/L na concentração desse poluente na água, espera-se que o escore de dano ecológico aumente 1,71 unidades.

---

[3] Na verdade, estes dois testes são equivalentes. Se o coeficiente de correlação simples e o de regressão simples forem calculados para os mesmos dados, o valor numérico de t que testa cada um deles é exatamente o mesmo. Como o número de graus de liberdade também é igual, o mesmo valor-P está associado aos dois testes.

Pode-se também indicar a significância do teste estatístico usando o valor-P associado ao t_{calc}. Na distribuição t com 4 graus de liberdade, verifica-se que para $t = 9{,}144$, $P < 0{,}001$. Este valor-P indica que se não houver regressão de y sobre x, é muito pequena a probabilidade de se obter, ao acaso, um valor de b igual ou maior do que 1,71. Portanto, justifica-se a conclusão de que o dano ecológico depende da concentração de S.

UTILIDADES DA RETA DE REGRESSÃO

A reta de regressão permite:

(1) Representar a dependência de uma variável quantitativa em relação à outra por meio de uma equação simples.
(2) Prever valores para a variável dependente y de acordo com valores determinados (inclusive não-observados) da variável independente x. Isto é permitido dentro da faixa de valores estudados para x. Também é permitido para valores de x menores ou maiores do que os usados no estudo, desde que não haja uma distância muito grande entre o valor selecionado e o primeiro (ou o último) valor de x estudado.

REQUISITOS AO USO DA REGRESSÃO LINEAR

Certas exigências devem ser satisfeitas para se realizarem inferências válidas sobre o coeficiente de regressão linear, embora isso não seja necessário para calcular a e b. Estas exigências são:

(1) A variável y deve ter distribuição normal ou aproximadamente normal.[4]
(2) A variação de y deve ser a mesma em cada valor de x (homocedasticidade; Figura 11.3). Se não houver homocedasticidade, será necessário transformar os dados.
(3) Os pontos no gráfico devem apresentar uma tendência linear. Caso contrário, a equação que melhor representará o fenômeno não será uma reta, mas outra linha qualquer. Se os pontos se apresentarem em curva, pode-se tentar transformar os dados de forma a obter uma reta, ou ajustar uma curva, o que não é difícil com os modernos programas para computadores.
(4) Os valores de y foram obtidos ao acaso da população e são independentes uns dos outros.
(5) A variável x foi medida sem erro. Satisfazer esta exigência, na prática, é muito difícil. Por isso, o que se faz é pressupor que os erros ocorridos ao se medir x são desprezíveis ou, pelo menos, menores dos que os que estão associados à mensuração de y.

Violações das três primeiras pressuposições podem ser contornadas pelo uso de uma transformação dos dados. Já problemas relacionados com as exigências 4 e 5 são mais difíceis de resolver.

---

[4] Esta exigência não é necessária para x, ao contrário do que é exigido na análise de correlação entre x e y, quando ambas as variáveis devem ter distribuição normal.

ANÁLISE DE RESÍDUOS

Um teste para a validade das pressuposições para a regressão pode ser feito do seguinte modo:

(1) Calculam-se os resíduos para cada valor de y. Os resíduos representam a diferença entre aquilo que foi realmente observado e o que foi predito pelo modelo de regressão, isto é,:

$$\text{Resíduo} = \varepsilon = (y - \hat{y})$$

(2) Desenha-se um gráfico no qual os resíduos são colocados no eixo vertical e os valores esperados de y ($\hat{y}$), no horizontal.

Os pontos devem ficar distribuídos de forma equilibrada acima e abaixo de uma linha imaginária paralela ao eixo x na altura do resíduo zero, formando uma faixa aproximadamente retangular. A violação do pressuposto 2 (homocedasticidade) produz faixas em forma de cone, enquanto violações do pressuposto 3 (linearidade) produz faixas curvas (Figura 11.6).

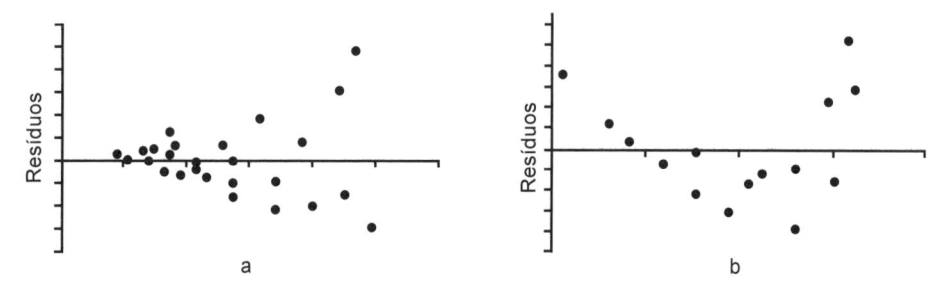

FIGURA 11.6 Teste gráfico da validade das pressuposições em uma análise de regressão linear; no eixo vertical, estão os resíduos e no horizontal, os valores de y preditos pela reta. Os gráficos sugerem que: (a) não existe homocedasticidade; (b) a reta não é a equação mais adequada para descrever o fenômeno.

Exemplo 2. Maria Liége Bazanella de Oliveira (1994) estudou fatores que podem influenciar os níveis de pressão arterial sistólica (PAS) medidos 12 a 24 horas após o nascimento, em recém-nascidos normais de Porto Alegre. O tamanho amostral foi 28 e as medidas foram tomadas quando a criança estava acordada. Entre diferentes variáveis consideradas, foi examinada a pressão arterial da mãe.

A Figura 11.7 mostra o gráfico de dispersão de pontos relativos às medidas de PAS em mães e filhos. A forma da nuvem sugere a existência de dependência da pressão arterial dos filhos em relação à de suas mães. Os dados foram analisados por um programa de computador e a equação de regressão ajustada aos dados foi

$$\text{PAS filho} = 54,2 + 0,148 \times (\text{PAS mãe}).$$

O EP_b foi 0,066 e no teste de significância da regressão obteve-se $t_{calc} = 2,254$ ($gl = 26$; $P = 0,033$). Conclui-se que a pressão arterial sistólica em recém-nascidos com 12 a 24 horas de vida, medida quando estão acordados, depende da pressão arterial da mãe, esperando-se um aumento médio de 0,148 na PAS do

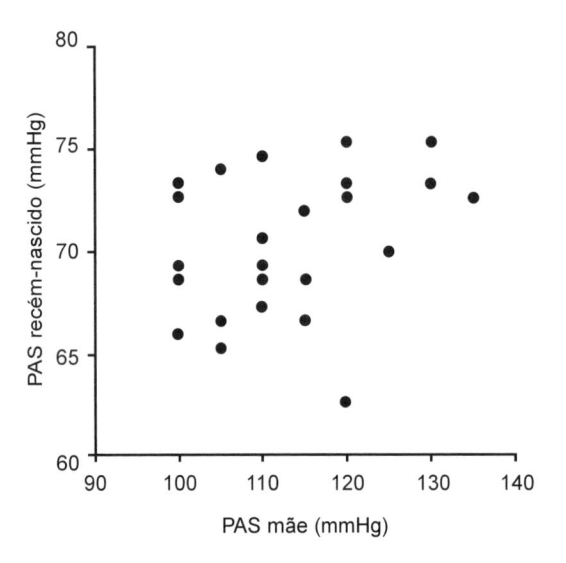

FIGURA 11.7 Pressão arterial sistólica (mmHg) em recém-nascidos com 12 a 24 horas de vida e suas mães.

filho para cada mmHg a mais na PAS da mãe. Em outras palavras, o grupo de mães que tem, em média, pressão arterial 10 mmHg mais alta do que as outras tem filhos com valores de PAS em média 1,5 mmHg mais altos também.

A validade desta análise deve ser verificada pela observação dos resíduos, que estão apresentados no gráfico da Figura 11.8. A distribuição dos resíduos está bem equilibrada acima e abaixo da linha correspondente ao resíduo zero com uma exceção, o que confirma que o modelo escolhido é razoável para os dados em estudo.

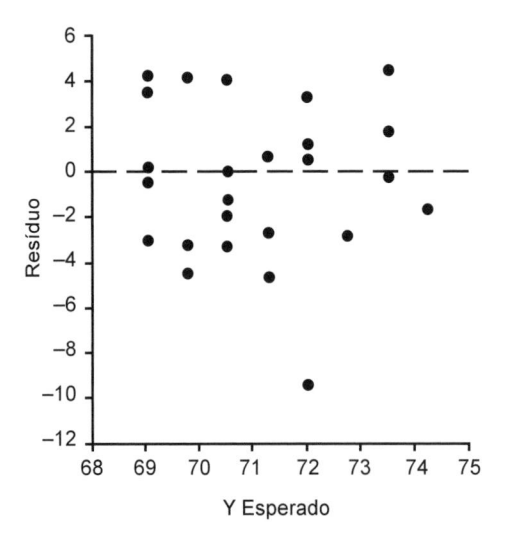

FIGURA 11.8 Gráfico dos resíduos relativos ao ajuste de uma reta de regressão aos dados de pressão arterial em recém-nascidos e suas mães.

Neste gráfico, observa-se presença de um resíduo discrepante, com valor aproximado de (–9). Esse resíduo corresponde a uma observação atípica *(outlier)*. Observações deste tipo podem alterar muito os resultados das análises, podendo ser decorrentes de

(1) erro de leitura ou anotação dos dados;
(2) erro na execução do experimento ou obtenção da medida;
(3) problemas não-controláveis na execução do experimento;
(4) características inerentes à variável.

Nenhuma observação atípica deve ser retirada da amostra sem um exame cuidadoso da causa desse resultado. A retirada justifica-se nos casos (1) a (3), mas se este dado estiver representando uma característica própria da variável (4), sua eliminação determinará uma avaliação distorcida do fenômeno.

12

Organização de dados qualitativos

Dados qualitativos (ou atributos ou dados categóricos), encontrados com muita freqüência em estudos da área biológica e da saúde, são aqueles que não representam quantidades, mas apenas categorias a que o indivíduo pode pertencer. A organização dos dados categóricos é feita por meio de tabelas de freqüência e de gráficos específicos para este tipo de resultado.

TABELAS SIMPLES DE FREQÜÊNCIAS

Também chamadas de *tabelas de entrada simples* ou *de entrada única*, apresentam a freqüência absoluta e/ou a relativa para cada categoria da variável. A Tabela 12.1 é uma desse tipo e apresenta informações quanto aos grupos sangüíneos ABO em uma amostra de 333 indivíduos saudáveis de Porto Alegre. A tabela apresenta o número de indivíduos em cada categoria de grupo sangüíneo e a percentagem de pessoas em cada classe.

Como nas variáveis quantitativas, a percentagem de casos em uma categoria da variável é uma estimativa da probabilidade de que este evento ocorra. Assim, 47,2% (ou a freqüência relativa 0,472) estima a probabilidade de que seja O o grupo sangüíneo de um porto-alegrense, cujo sangue ainda não foi tipado.

TABELAS DE DUAS ENTRADAS OU TABELAS DE CONTINGÊNCIA

Nas *tabelas de dupla entrada* ou *tabelas de contingência*, os indivíduos são agrupados segundo duas classificações, isto é, são analisados quanto a duas variáveis. Este tipo de tabela apresenta dois conjuntos de totais marginais, um para cada variável, além do total geral. Por esta razão, ao se calcular a percentagem de casos em cada categoria, deve-se colocar a soma 100% nos totais marginais tomados como referência, para que fique claro em relação a que total foi calculada a porcentagem.

Um exemplo de tabela de contingência pode ser visto na Tabela 12.2, a qual apresenta parte dos resultados de um estudo realizado em Pelotas, Rio Grande do Sul, sobre o consumo de medicamentos por crianças (Weiderpass e colaboradores,

TABELA 12.1 Grupos sangüíneos do sistema ABO em 333 indivíduos saudáveis de Porto Alegre

Grupo sangüíneo	N<u>o</u> de indivíduos	%
O	157	47,2
A_1	117	35,1
A_2	23	6,9
B	28	8,4
A_1B	6	1,8
A_2B	2	0,6
Total	333	100,0

Fonte: Salzano e colaboradores, 1967.

TABELA 12.2 Número e percentual de crianças que consumiram medicamentos no seu primeiro mês de vida, conforme a ordem de nascimento, em Pelotas (1993)

Ordem de nascimento	Consumo de medicamentos		Total
	Sim	Não	
Primeiro filho	161 (72%)	62 (28%)	223 (100%)
Segundo filho	123 (66%)	63 (34%)	186 (100%)
Terceiro filho	86 (67%)	42 (33%)	128 (100%)
Quarto ou posterior	57 (48%)	61 (52%)	118 (100%)
Total	427 (65%)	228 (35%)	655 (100%)

Fonte: Weiderpass e colaboradores, 1998.

1998). Diversas variáveis foram examinadas pelos pesquisadores, entre elas classe social, renda familiar, escolaridade da mãe e ordem de nascimento. Os dados apresentados na tabela referem-se a esta última variável.

Os dados indicam que a freqüência de uso de medicamentos em crianças com um mês de vida, nessa cidade, é bastante alta (65%, ou 427 em 655). Verifica-se também que, aparentemente, o consumo de medicamentos está relacionado com a ordem de nascimento. Parece que o primogênito usa medicamentos com maior freqüência (72%) do que os demais e que a administração de medicamentos diminui bastante do quarto filho em diante (48%). Esta conclusão, no entanto, deve ser validada usando-se um teste estatístico, como será mostrado posteriormente.

A tabela de dupla entrada pode se expandir para admitir informações quanto a três ou mais variáveis, como pode ser visto na Tabela 12.3. Estão ali apresentados dados sobre a resistência à infecção pelo *Schistosoma mansoni* em duas espécies do gênero *Biomphalaria*, que são vetores da esquistossomose. Os dados referem-se à mortalidade em formas juvenis e adultas de gastrópodos de três origens: (1) Taim – Rio Grande do Sul (forma pigmentada de *B. tenagophila*), (2) Joinville – Santa Catarina (forma albina de *B. tenagophila*) e (3) Instituto de Ciências Biológicas da Universidade Federal de Minas Gerais (*B. glabrata*). Note que os totais tomados como referência para o cálculo das percentagens foram os das colunas. Note também que, aparentemente, a mortalidade por infecção pelo *S. mansoni* foi maior entre as formas juvenis, exceto nas do Taim. Quanto aos adultos, a mortalidade parece ter sido maior em Joinville. Novamente são necessários testes estatísticos que confirmem estas conclusões preliminares.

TABELA 12.3 Número e percentagem, entre parênteses, de gastrópodos mortos devido à infecção por *Schistosoma mansoni*: dados referentes a formas juvenis e adultas pigmentadas de *Biomphalaria tenagophila* do Taim – Rio Grande do Sul, albinas de Joinville – Santa Catarina e uma amostra de *Biomphalaria glabrata* de Minas Gerais

Condição	B. tenagophila (pigmentados, Taim)		B. tenagophila (albinos, Joinville)		B. glabrata (controle, MG)	
	Juvenis	Adultos	Juvenis	Adultos	Juvenis	Adultos
Mortos	2 (2)	3 (3)	130 (42)	14 (13)	80 (73)	3 (3)
Sobrev.	108 (98)	107 (97)	180 (58)	96 (87)	30 (27)	107 (97)
Total	110 (100)	110 (100)	310 (100)	110 (100)	110 (100)	110 (100)

Fonte: Scherrer e colaboradores, 1990.

GRÁFICOS

Os gráficos utilizados para variáveis qualitativas são muito variados. Serão apresentados a seguir os mais comuns.

Diagramas de colunas e de barras

Para elaborar um *diagrama de colunas*, foram desenhadas colunas de igual largura, cada uma representado uma das categorias da variável. As colunas são separadas entre si por um espaço correspondente a 50% (mais comumente), 75% ou 100% da largura escolhida. A altura de cada coluna é proporcional à respectiva freqüência relativa. A base da coluna tem valor arbitrário. Podem-se usar colunas justapostas para representar mais de um conjunto de dados. A Figura 12.1 mostra o diagrama de colunas correspondente aos dados da Tabela 12.1 (grupos sangüíneos).

Note que existem duas diferenças importantes entre o diagrama de colunas e o histograma. A primeira é a de que, neste último, o eixo horizontal representa medidas, que podem variar, teoricamente, entre $-\infty$ e $+\infty$, enquanto no diagrama de colunas a reta horizontal representa apenas uma linha de apoio para as colunas, podendo ser dispensada. A segunda está no fato de que sendo um gráfico

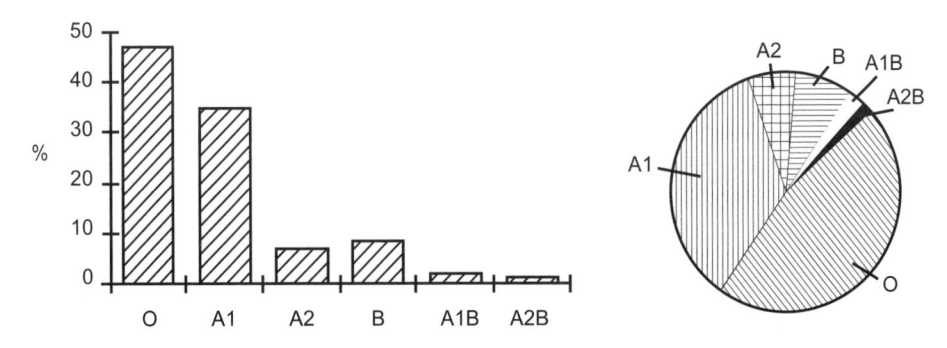

FIGURA 12.1 Diagrama de colunas, à esquerda, e gráfico de setores, à direita, relativos aos dados sobre freqüência de grupo sangüíneos ABO em Porto Alegre. Fonte: Salzano e colaboradores, 1967.

para variáveis contínuas, o histograma apresenta as colunas justapostas, a passo que no diagrama de colunas elas são separadas umas das outras.

O *diagrama de barras* é o diagrama de colunas desenhado de forma que as freqüências fiquem no eixo horizontal. É bastante conveniente quando o nome das categorias é extenso. A Figura 12.2 é um exemplo deste tipo de gráfico, representando os dados relativos à freqüência de uso de medicamentos por crianças de um mês de idade.

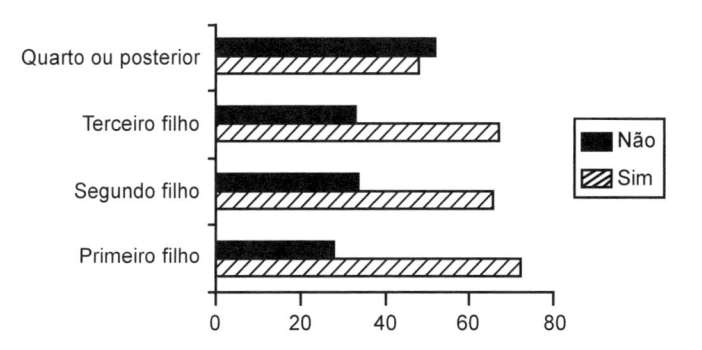

FIGURA 12.2 Uso de medicamentos por crianças com um mês de idade, em Pelotas, segundo a ordem de nascimento. Dados do ano de 1993. Fonte: Weiderpass e colaboradores, 1998.

Diagrama de setores

Neste tipo de gráfico, a área de um círculo é dividida em áreas proporcionais às freqüências relativas de cada categoria (Figura 12.1). Para tanto, emprega-se uma "regra de três" direta: se 100% corresponde a 360 graus, a percentagem a ser representada corresponde a g graus. Para representar a freqüência de indivíduos do grupo O em Porto Alegre, por exemplo, o cálculo foi feito do seguinte modo:

$$100\% \rightarrow 360°$$
$$47,2\% \rightarrow g \text{ e então } g = \frac{360 \times 47,2}{100} = 170°.$$

A seguir, escolhe-se um ponto de início em qualquer parte da circunferência e, a partir daí, marca-se um arco de 170° com auxílio de um transferidor. Estes dois pontos indicarão os limites do setor correspondente ao grupo sangüíneo O. Os demais setores são obtidos da mesma forma.

Cartogramas

Outro tipo de gráfico comum são os *cartogramas,* mapas com as freqüências indicadas por círculos de tamanhos diferentes ou zonas com sombreados de intensidade diferentes. A Figura 12.3 mostra um cartograma representado as zonas de alta, média e baixa urbanização em Porto Alegre, utilizadas por Bonorino e colaboradores (1993) em um estudo sobre a influência da urbanização em polimorfismos cromossômicos de *Drosophila nebulosa*.

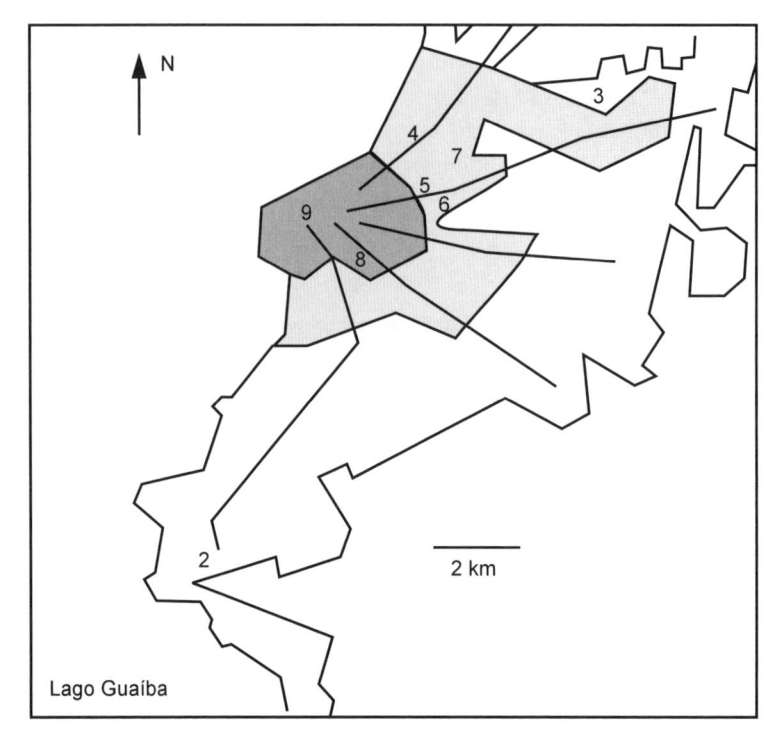

FIGURA 12.3 Zonas de alta (cinza escuro), média (cinza claro) e baixa (vazio) urbanização na cidade de Porto Alegre, Rio Grande do Sul. Os números representam locais de coleta da mosca-das-frutas *Drosophila nebulosa*. (Fonte: Bonorino e colaboradores, 1993.)

13

Probabilidade em variáveis qualitativas

A idéia de probabilidade tem acompanhado as discussões apresentadas aqui sem que tenha havido uma apresentação formal desse conceito. Como o assunto é amplo, e uma abordagem detalhada fugiria dos objetivos deste texto, serão apresentados apenas aqueles aspectos da teoria de probabilidades que servem como base para a análise estatística de dados qualitativos. No caso das variáveis quantitativas, a lógica que norteia o raciocínio é fundamentalmente a mesma.

UM POUCO DE HISTÓRIA[1]

Os jogos de azar são usados pelo homem desde a Antigüidade e constituem modelos de situações comandadas pelo acaso. Não é de admirar, portanto, que estejam associados aos primeiros interesses por uma análise matemática da questão da incerteza. Embora alguns problemas específicos já tivessem sido resolvidos antes dessa época, as bases da teoria da probabilidade surgiram somente na metade do século XVII, em uma troca de cartas entre dois ilustres matemáticos franceses, Blaise Pascal (1623-1662) e Pierre de Fermat (1601-1665), iniciada em 1654. Essa correspondência envolvia o problema de como dividir o prêmio de um jogo envolvendo várias partidas se, por alguma razão, o jogo fosse interrompido antes que algum jogador tivesse vencido o número de partidas combinado previamente. O problema, que não era novo, foi apresentado a Pascal por Antoine Gombaud, o Chevalier de Meré, homem de letras e membro da corte de Luís XIV. Pascal e Fermat apresentaram soluções diferentes para o problema, sendo que o primeiro buscou a resposta usando os valores esperados de duas ações alternativas enquanto Fermat centrou a solução no cálculo de probabilidades de um evento. Nenhum dos dois, no entanto, publicou imediatamente seu resultado.

De Meré avaliou, depois, que o estudo matemático das probabilidades não era coisa que deveria ser pesquisada a fundo, e afirmou que o tempo gasto nesse estudo "poderia ser mais bem-empregado", opinião que felizmente não foi com-

---

[1] Veja interessantes revisões sobre a história das probabilidades em Crusius (2001), Kasner e Newman (1976) e Maistrov (1974).

partilhada por vários matemáticos da época. Em 1655, esteve na França o astrônomo, físico e matemático holandês Christian Huygens (1629-1695), que tomou conhecimento do problema da divisão do prêmio, e não sabendo da solução dos franceses, dedicou-se a buscar também uma resposta. A solução de Huygens acabou sendo publicada primeiro (1657) que as de Pascal e Fermat (1679), naquele que seria o primeiro livro a tratar do cálculo de probabilidades.

O interesse pelo assunto começou a crescer entre os matemáticos. Jacques Bernoulli (1654-1705), entre outras contribuições, enunciou e demonstrou a "Lei dos grandes números", importante teorema que uniu o conceito abstrato da probabilidade com a realidade expressa pelos números[2]. Pierre-Simon de Laplace (1749-1827), matemático, físico e astrônomo francês, embora talvez mais conhecido por suas descobertas em mecânica celeste, também tem uma participação importante no âmbito da teoria de probabilidades. Entre outras descobertas e proposições, Laplace notou que a distribuição binomial aproxima-se de uma normal quando n aumenta, desenvolveu diversos métodos a serem usados em demografia, entre eles um modo de construir tabelas de mortalidade, e verificou que na França nasciam mais homens do que mulheres, na razão 25/24, aproximadamente. Laplace costumava dizer que a teoria de probabilidades nada mais é do que o bom senso transformado em cálculo. Foi somente após a publicação de seu trabalho "Théorie Analytique des Probabilités" (1812) que as aplicações da teoria de probabilidades se tornaram cientificamente justificáveis na prática.

O marquês de Condorcet (Jean Antoine de Caritat, 1743-1794), sociólogo e economista, pensava que a teoria de probabilidades poderia ser aplicada nos julgamentos dos tribunais, a fim de diminuir o risco de decisões erradas. Ele propôs que os tribunais fossem compostos de um grande número de juízes para que, tornando maior o número de opiniões independentes, ficassem neutralizadas as opiniões extremas. No entanto, Condorcet não foi auxiliado por suas idéias: um tribunal de muitos juízes, todos eles extremistas, acabou por condená-lo à guilhotina. Este fato nos leva a meditar sobre a importância da aleatorização na amostragem, mas isto já é outro assunto.

A penetração das idéias sobre probabilidade no pensamento científico moderno foi muito além das expectativas dos pensadores dos séculos XVII e XVIII, especialmente quando, na ciência e na indústria, desenvolveu-se a visão estatística da natureza. A estatística inferencial, com testes de hipótese e estimação por intervalos de confiança, não poderia ter-se desenvolvido sem as noções fundamentais da teoria das probabilidades.

NOÇÕES DE PROBABILIDADE PARA VARIÁVEIS CATEGÓRICAS

Inúmeros acontecimentos, em nosso cotidiano, são determinados pelo acaso, configurando situações que podem ser classificadas como "sorte" ou "azar". Sair apressadamente de casa e ver o ônibus recém-saindo do ponto, não estudar para uma prova e esta não se realizar por doença do professor, encontrar na rua uma pessoa com a qual se precisa muito conversar são acontecimentos familiares a todos.

---

[2] Lei dos grandes números: Se n for suficientemente grande, a diferença entre a freqüência relativa de um evento e a sua probabilidade verdadeira é um número desprezível.

Duas características são comuns a tais acontecimentos: qualquer um deles pode ou não ocorrer, portanto, não pode ser previsto com certeza, e qualquer um deles ocorrerá um certo número de vezes (e não ocorrerá outro número de vezes) ao longo de certo período de tempo.

Existem, portanto, situações de incerteza nas quais, embora não se saiba o que efetivamente vai ocorrer, pode-se listar quais são os resultados possíveis (como no caso de um nascimento: pode nascer um menino ou uma menina) e tem-se também uma idéia razoável da freqüência com que cada resultado ocorre (os nascimentos do sexo masculino e feminino são quase igualmente freqüentes na espécie humana). Os matemáticos costumam denominar esta situação de *ensaio probabilístico* ou *ensaio aleatório*.

Costuma-se chamar de *evento* a cada um dos resultados possíveis de uma situação como a mencionada e de *probabilidade* ao grau de crença de que cada evento vá ocorrer. Um exemplo clássico é o do lançamento de uma moeda: se a moeda for honesta, o evento "cara" tem probabilidade de ocorrer igual a 1/2 e o evento "coroa" tem a mesma probabilidade de resultar.

Em um estudo de probabilidades relacionadas a certo fato, o mais difícil é justamente medir nosso grau de crença na ocorrência de cada um dos eventos, isto é, medir suas probabilidades. Um dos modos de fazê-lo é utilizando o conceito de freqüência relativa, do seguinte modo: imagine certa quantidade de eventos mutuamente excludentes (isto é, se um ocorre, o outro não pode ocorrer), que representam todos os resultados possíveis de um ensaio aleatório. Alguns destes eventos tem a característica A; outros não. A probabilidade *(Pr)* de que ocorra um evento com a característica A é dada por

$$Pr(A) = \frac{n^o \text{ de eventos que apresentam A}}{n^o \text{ total de eventos}}.$$

Por exemplo, sabe-se que há 26 cartas pretas e 26 vermelhas em um baralho comum de 52 cartas, se os curingas não forem considerados. Portanto, a probabilidade de se tirar, às cegas, uma carta vermelha desse baralho é

$$Pr(\text{vermelha}) = 26/52 = 1/2 = 0,5.$$

Quando se associa cada evento à sua probabilidade de ocorrência por meio de uma tabela ou gráfico, tem-se o que se denomina uma *distribuição de probabilidades* (um histograma de todos os valores de uma variável contínua em uma população representa uma distribuição de probabilidades). A Tabela 13.1 mostra a distribuição de probabilidades relacionada ao lançamento de uma moeda honesta e o gráfico de bastões da Figura 13.1 representa a distribuição de probabilidades para o número de cartas vermelhas em uma mão de cinco cartas.

Note que os exemplos da moeda e do baralho envolvem um conhecimento muito bom sobre o fenômeno em análise. É sabido, por exemplo, que em uma moeda honesta a cara tem a mesma probabilidade de ocorrer que a coroa, devido

TABELA 13.1 Distribuição de probabilidades relacionada ao lançamento de uma moeda honesta

Faces da moeda	Probabilidade de ocorrência
Cara	1/2 ou 0,5
Coroa	1/2 ou 0,5

às propriedades físicas da moeda. Na maioria das situações, no entanto, nosso conhecimento sobre o fenômeno não é tão bom. Por exemplo, para saber qual a probabilidade de que um porto-alegrense possua o tipo sangüíneo O, do sistema ABO, é necessário realizar um levantamento com base em uma amostra aleatória retirada da população de Porto Alegre. A probabilidade verdadeira de "ser O" seria obtida estudando-se toda a população desta cidade. Na falta desta informação, a freqüência relativa amostral deste tipo sangüíneo é usada como uma estimativa da probabilidade verdadeira. Por isso, é comum trabalhar-se, na prática, não com as probabilidade verdadeiras, mas com suas estimativas obtidas em amostras.

Salzano e colaboradores (1967) estudaram uma amostra de 333 indivíduos da população de Porto Alegre (Tabela 12.1). Com base nos dados obtidos pelos pesquisadores, pode-se dizer que os eventos possíveis e respectivas probabilidades estimadas para os grupos sangüíneos ABO nesta cidade são:

| Evento: | O | A_1 | A_2 | B | A_1B | A_2B |
| Probabilidade estimada: | 0,472 | 0,351 | 0,069 | 0,084 | 0,018 | 0,006 |

Ao organizar uma distribuição de probabilidades, devem estar arrolados *todos* os eventos possíveis, isto é, todas as categorias possíveis da variável, bem como suas respectivas probabilidades, cuja soma, como não poderia deixar de ser, é 1.

PROPRIEDADES DAS PROBABILIDADES

(1) A probabilidade de um evento impossível é igual a zero e a de um evento certo é igual a 1. Como decorrência, a probabilidade de um evento qualquer é um número entre 0 inclusive e 1 inclusive.

$$0 \leq Pr \leq 1.$$

(2) A soma das probabilidades dos eventos (categorias) que compõem uma variável categórica é 1 se esses eventos se excluírem mutuamente, isto é, se um indivíduo não puder pertencer simultaneamente a duas categorias da variável.

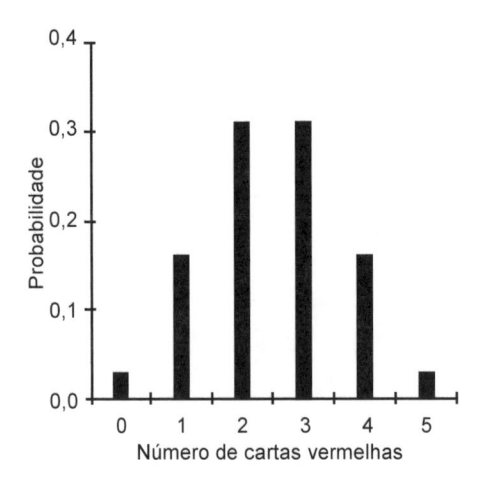

FIGURA 13.1 Distribuição de probabilidades para o número de cartas vermelhas em uma mão de cinco cartas.

OPERAÇÕES COM PROBABILIDADE

Boa parte das perguntas relacionadas ao cálculo de probabilidades pode ser respondida pela aplicação das regras da soma e do produto de probabilidades.

Regra da soma

A probabilidade de que ocorram os eventos A ou B ou ambos é a soma de suas probabilidades menos a probabilidade de que ocorram A e B simultaneamente. Quando os eventos são mutuamente excludentes, isto é, não podem ocorrer juntos, esta regra se simplifica e pode ser generalizada do seguinte modo:

"A probabilidade de que ocorra o evento A, ou o evento B, ou... ou o evento Z, sendo A,B,..., Z *mutuamente excludentes* e categorias de uma mesma variável, é a soma de suas respectivas probabilidades".

$$Pr(A \text{ ou } B \text{ ou... ou } Z) = Pr(A) + Pr(B) + ... + Pr(Z).$$

No caso dos grupos sangüíneos, a probabilidade de que um indivíduo seja do grupo A, não importando o subgrupo, é:

$$Pr(A) = Pr(A_1) + Pr(A_2) = 0,351 + 0,069 = 0,420.$$

Regra da multiplicação

"A probabilidade de que ocorram, simultaneamente, os eventos E, F, G... é o produto de suas respectivas probabilidades, *se estes eventos forem independentes* entre si."

$$Pr(E \text{ e } F \text{ e } G...) = Pr(E) \times Pr(F) \times Pr(G)...$$

Gênero e grupo sangüíneo são características independentes na espécie humana. Admitindo uma proporção sexual de 1:1 em Porto Alegre, a probabilidade de um porto-alegrense selecionado ao acaso ser do sexo feminino e ter tipo sangüíneo O é:

$$Pr(\text{sexo feminino e grupo O}) = Pr(\text{sexo feminino}) \times Pr(O) = 0,5 \times 0,472 = 0,236.$$

PROBABILIDADE CONDICIONAL

Quando duas variáveis são independentes, o fato de se ter conhecimento sobre uma delas não altera a expectativa sobre a probabilidade da outra. Saber de antemão se a pessoa é do sexo masculino ou feminino não altera a probabilidade de que ela tenha o tipo sangüíneo O ou A do sistema ABO, pois a freqüência destes tipos é a mesma nos dois sexos. Nas variáveis não-independentes (ou associadas, ou correlacionadas), o conhecimento sobre uma delas altera as probabilidades atribuídas às categorias da outra.

Sabe-se, por exemplo, que todos os indígenas não-miscigenados da Amazônia possuem o tipo sangüíneo O. A presença, em uma tribo, de um indivíduo A ou B é indicação de que houve miscigenação com não-indígenas, onde estes tipos são mais comuns. Portanto, o conhecimento da população da qual provém uma amostra de sangue trazida para um laboratório altera as expectativas quanto ao resultado de uma determinação do tipo ABO. Suponha que está sendo tipado o sangue de um índio amazônico Yanomami, originário de uma aldeia não-miscigenada. A probabilidade de que o resultado seja "tipo A" é zero. Se, no entanto, se tratar do sangue de um porto-alegrense, estima-se que esta probabilidade seja 0,42, como visto acima. A alteração da probabilidade de "tipo A" pelo conhecimento da origem étnica da pessoa demonstra que grupo sangüíneo ABO e etnia não são variáveis independentes.

A probabilidade é dita *condicional* quando a probabilidade de um evento depende da condição em que ele está sendo considerado. Assim, a probabilidade de uma pessoa apresentar tipo sangüíneo A depende de sua condição étnica.

A probabilidade condicional é usada para testar a associação entre variáveis, por exemplo, o peso do recém-nascido e os fatores que podem determiná-lo. Crianças que nascem com peso baixo costumam ter mais problemas de saúde nos primeiros meses de vida, razão pela qual muitos estudos são feitos para identificar fatores que propiciam o baixo peso ao nascer. A Tabela 13.2 mostra o resultado de um levantamento feito em 1982 em Pelotas, RS, sobre a relação entre o hábito, pela mãe, de fumar durante a gravidez e o peso do recém-nascido. Os dados mostram que, nessa cidade, a probabilidade de um bebê nascer com baixo peso é de 275/2419 = 0,114 se a mãe fumou quando grávida e de 311/4807 = 0,065 se ela não fumou no período.

TABELA 13.2 Incidência de baixo peso ao nascer em recém-nascidos de Pelotas, RS, em 1982, conforme o uso de fumo, pela mãe, durante a gravidez

Classificação da mãe quanto ao hábito de fumar	Baixo peso		Total	Probabilidade de baixo peso
	Sim	Não		
Fumante	275	2144	2419	0,114
Não-fumante	311	4496	4807	0,065

Fonte: Barros e colaboradores, 1984.

RISCO RELATIVO E RAZÃO DE CHANCES

Thompson e Thompson (1988; p.91) apresentam dados que mostram claramente que o risco de ter um filho com síndrome de Down aumenta com a idade da mãe (Tabela 13.3).

Em medicina, costuma-se representar o aumento do risco de certo resultado (por exemplo, síndrome de Down) devido à presença de um fator (por ex., idade) por intermédio do *risco relativo (RR)*. O risco relativo é a razão

TABELA 13.3 Probabilidade de nascimento de uma criança com síndrome de Down associada à idade materna

Síndrome de Down	Idade materna, em anos					
	25-29	30-34	35-37	38-40	41-43	44 ou +
Freqüência:	1/1050	1/700	1/300	1/150	1/65	1/30
Probabilidade:	0,0010	0,0014	0,0033	0,0067	0,0154	0,0333

Fonte: Thompson e Thompson, 1988; p.91.

entre duas probabilidades condicionais: aquela obtida entre as pessoas que apresentam o fator de risco e a probabilidade para as pessoas que não o apresentam.

Com as informações fornecidas na Tabela 13.3 pode-se calcular que o risco relativo de uma mulher com 44 anos ou mais ter um filho com síndrome de Down, comparado com uma mulher de 25 a 29 anos, é

$$RR = \frac{\text{Probabilidade (Down aos 44 ou mais)}}{\text{Probabilidade (Down aos 25-29)}} = \frac{1/30}{1/1050} = \frac{0{,}0333}{0{,}0010} = 33{,}3.$$

O valor de RR indica que o risco de ter um filho com síndrome de Down para uma mulher com 44 anos ou mais é 33 vezes o risco para uma mulher de 25 a 29 anos.

Quando o estudo é do tipo retrospectivo ou caso-controle, isto é, inicialmente avalia-se a presença ou não de um resultado ou desfecho (por exemplo, criança com síndrome de Down) e se verifica, depois, a existência prévia ou não do fator (mãe com mais de 43 anos ou não), então o risco relativo deve ser estimado usando-se a fórmula do *odds ratio* (*OR*) ou *razão de chances* (*RC*)

$$RC = AD/BC,$$

onde A, B, C e D correspondem ao número de indivíduos observados em uma tabela na qual fator e resultado são dispostos como na Tabela 13.4. A freqüência A representa o número de pessoas que apresenta o fator e o resultado de interesse; B é o número de indivíduos que apresenta o fator, mas não o desfecho e assim por diante.

O uso da fórmula de RC para estimar o risco em estudos retrospectivos somente é lícito *se a doença ou problema for raro na população,* como é o caso da síndrome de Down. Em estudos nos quais se pode calcular o risco relativo pela razão entre duas probabilidades (RR), esta exigência não precisa ser satisfeita.

Exemplo 1. Crianças hospitalizadas e alimentadas por nutrição endovenosa às vezes apresentam colestase, um bloqueio do fluxo da bile que pode produzir cálculos biliares e outros problemas. Suponha que foi realizado um estudo caso-controle para avaliar o efeito de uma infecção grave sobre o risco de colestase em crianças com nutrição parenteral. A Tabela 13.4. mostra o resultado de um estudo feito em 113 crianças hospitalizadas. Como o desfecho, isto é a colestase, é uma característica rara na população, o risco relativo foi estimado através de:

$$RC = \frac{AD}{BC} = \frac{19 \times 32}{61 \times 1} = \frac{608}{61} = 9{,}97.$$

Este valor indica que se uma criança hospitalizada com nutrição endovenosa contrair uma infecção grave, o risco de ela apresentar colestase é praticamente multiplicado por 10.

É bom lembrar que o valor 9,97 deve ser avaliado estatisticamente, pois é uma estimativa obtida em uma amostra. A significância da razão de chances pode ser testada de vários modos. Uma das técnicas empregadas é o teste do qui-quadrado (χ^2), que será vista no Capítulo 15. Os leitores interessados gostarão de saber que o χ^2_{calc} para os dados da Tabela 13.4 é 5,54 ($P < 0{,}02$), indicando que crianças com infecção têm maior risco de desenvolver colestase.

TABELA 13.4 Presença de colestase em crianças com nutrição endovenosa, com e sem infecção grave

Infecção grave	Colestase		Total
	Sim	Não	
Sim	19 (A)	61 (B)	80
Não	1 (C)	32 (D)	33
Total	20	93	113

Fonte: Carvalho, 1993.

Pode-se também construir um intervalo de confiança para a RC. Existem vários procedimentos para tal fim, que variam quanto à facilidade de cálculo e à precisão. O intervalo de 95% de confiança para *RC*, usando a aproximação de B. Woolf (1955)[3], é 1,3 – 78,1, o que significa que a razão de chances verdadeira pode ser qualquer valor entre estes dois extremos. A pouca precisão obtida para o intervalo de confiança, que é bastante amplo, indica que uma amostra de 113 indivíduos, para este tipo de estudo, não é uma amostra grande.

---

[3] O procedimento proposto por Woolf fornece uma aproximação satisfatória se as freqüências A, B, C e D não forem pequenas. Outros procedimentos podem ser encontrados em Kirkwood (1988; p.183) ou Fleiss (1981; p.71). O método de Woolf usa a curva normal como uma aproximação para o *logaritmo natural* de RC, sendo o erro padrão dado por

$$EP(\ln RC) = \sqrt{\frac{1}{A} + \frac{1}{B} + \frac{1}{C} + \frac{1}{D}} \ .$$

O intervalo de 95% de confiança para o logaritmo natural de *RC* é ln*RC* ± 1,96 [*EP*(ln*RC*)]. A exponencial dos valores obtidos serão os extremos do intervalo desejado. No Exemplo 1, ln*RC* = ln(9,97) = 2,30, *EP*(ln*RC*) = 1,05 e 2,30 ±1,96(1,05) = (0,242 – 4,358). Tomando a exponencial dos extremos obtidos tem-se o intervalo de 95% de confiança para a razão de chances: (1,27 – 78,10).

14

Distribuição binomial

As variáveis aleatórias qualitativas ou categóricas podem ser variáveis em que somente dois eventos ou resultados são possíveis (variáveis dicotômicas ou binárias) e variáveis nas quais há mais de dois eventos ou resultados possíveis (variáveis politômicas).

A distribuição binomial descreve o comportamento de uma variável dicotômica em amostras aleatórias. O sexo, o tipo Rh, ser saudável ou doente são exemplos de variáveis dicotômicas. Os dois estados (resultados, eventos ou categorias) possíveis para a variável dicotômica são muitas vezes denominados *sucesso* (indicado por S) e *fracasso* ou *falha* (F), o que provavelmente se deve aos primeiros estudos feitos sobre probabilidades, que envolviam ganhos e perdas em jogos de azar. Em geral, considera-se como sucesso o resultado de interesse do pesquisador, nem sempre representando, este resultado, um sucesso social ou biológico.

Costuma-se denominar P a probabilidade verdadeira do sucesso[1] e Q a do fracasso. Sabe-se então que $P + Q = 1$, portanto, $Q = 1 - P$.

CÁLCULO DE PROBABILIDADES COM USO DA DISTRIBUIÇÃO BINOMIAL

A distribuição binomial é utilizada para determinar a probabilidade de que certa proporção de sucessos seja observada em um grupo de indivíduos. Por exemplo, imagine que, em determinada população, 30% das pessoas têm alergia respiratória. Como o interesse é estudar este tipo de alergia, considera-se "ser alérgico" como o sucesso (S). Neste caso, $P = 0,3$. O fracasso ou falha (F) será representado pela situação "não ser alérgico" e $Q = 0,7$.

Algumas perguntas podem agora ser respondidas:

---

[1] A letra P é usada tanto para indicar a proporção de sucessos em uma população quanto o nível crítico amostral associado a um teste estatístico (na verdade não há conflito, pois ambos são probabilidades). Por isso, mesmo correndo o risco de dificultar um pouco as coisas para o leitor, preferiu-se manter esta simbologia por ser a mais comum na literatura, na esperança de que o contexto, na qual está sendo usado, seja suficientemente claro para não deixar dúvidas sobre o significado do símbolo.

Pergunta 1. Qual é a probabilidade de que uma pessoa, selecionada ao acaso dessa população, apresente alergia respiratória?

Esta probabilidade é igual à proporção de sucessos na população, isto é, $Pr(S) = P = 0,3$.

Pergunta 2. J e L são amigos. Qual a probabilidade de que um dos dois apresente este tipo de alergia?

Para responder a esta pergunta, é necessário considerar todas as possibilidades em que um dos dois é alérgico e o outro, não. Tais possibilidades são duas: ou J é alérgico e L, não; ou L é alérgico e J, não. A probabilidade de J ser alérgico, como vimos, é 0,3 e o mesmo vale para L. A probabilidade de que um dos dois seja alérgico é obtida combinado-se as regras da soma e da multiplicação:

Pr [(J ser alérgico e L não ser) ou (J não ser alérgico e L ser)] =
Pr [(S e F) + (F e S)] = [PQ + QP] = 2 PQ
= [(0,3×0,7) + (0,7×0,3)] = 2(0,3×0,7) = 0,42
Pr (uma pessoa dentre duas ser alérgica) = 0,42.

Este raciocínio é usado também para um número maior de pessoas, como se vê nas respostas às próximas perguntas.

Pergunta 3. Qual a probabilidade de que duas pessoas dentre três apresentem alergia respiratória?

Pr (2 pessoas dentre 3 serem alérgicas) =
Pr (2 sucessos e um fracasso em 3) =
Pr (SSF + SFS + FSS) = PPQ + PQP + QPP = $3P^2Q$
Pr (2 pessoas dentre 3 sejam alérgicas) = $3(0,3)^2(0,7) = 0,189$

Note que 3 é o número de combinações de 2 pessoas alérgicas e 1 não-alérgica em um grupo de três pessoas.

Pergunta 4. Qual a probabilidade de que 2 dentre 4 pessoas dessa população sejam alérgicas?

Pr (2 pessoas em 4 serem alérgicas) =
Pr (2 sucessos e 2 fracassos em 4) =
Pr (SSFF + SFSF + SFFS + FFSS + FSFS + FSSF) = C_2^4 (PPQQ) = $C_2^4 P^2 Q^2$.
Nota: C_2^4 é o número de combinações de 4 elementos, tomando-os 2 a 2.

Chamando de x o número de sucessos e de n o número de indivíduos envolvidos na amostra, vê-se que a *probabilidade de x sucessos em n* indivíduos será:

$$Pr\ (x\text{ em }n) = C_x^n P^x Q^{n-x} = \frac{n!}{x!(n-x)!} P^x Q^{(n-x)}$$

OBSERVAÇÃO: 1: $n! = n (n-1)(n-2)...1$. Por exemplo: $4! = 4(3)(2)(1) = 24$.
2: $0! = 1$, por convenção.

Esta fórmula permite calcular a probabilidade de x sucessos em n observações sem haver a necessidade de enumerar todas as combinações possíveis.

Assim, para a probabilidade de se ter 2 alérgicos dentre 4, o cálculo pela fórmula seria:

$$Pr(x = 2 \text{ em } n = 4) = \frac{4!}{2!2!} (0{,}3^2)(0{,}7^2) = \frac{4\times3\times2\times1}{(2\times1)(2\times1)} (0{,}09)(0{,}49) = 0{,}265.$$

Pergunta 5. Qual seria a probabilidade de que em um grupo de 6 pessoas, 4 sejam alérgicas?

$$Pr(x=4 \text{ em } n=6) = \frac{6!}{4!2!} (0{,}3^4)(0{,}7^2) = \frac{6\times5\times4\times3\times2\times1}{(4\times3\times2\times1)(2\times1)} (0{,}008)(0{,}49) = 15(0{,}004) = 0{,}060.$$

O mesmo resultado pode também ser obtido da tabela da distribuição binomial (Tabela A.5), bastando informar corretamente n, x e P.

Na distribuição binomial, enquanto x é a variável, n e P são os parâmetros, pois as probabilidades para qualquer distribuição binomial ficam claramente definidas com apenas estas duas últimas informações.

A regra da soma pode ser combinada com os resultados da tabela da binomial para resolver certas questões, como a que segue.

Pergunta 6. Se em determinada população, 30% das pessoas têm alergia respiratória, qual a probabilidade de que, em um grupo de 6 pessoas, no máximo 2 sejam alérgicas?

A resposta a esta pergunta envolve uma soma de probabilidades, que podem ser obtidas da Tabela A.5:

$$Pr\ (x \leq 2 \text{ em } n=6) = Pr\ (x=0) + Pr\ (x=1) + Pr\ (x=2)$$
$$= 0{,}118 + 0{,}303 + 0{,}324 = 0{,}745.$$

DISTRIBUIÇÃO AMOSTRAL DE PROPORÇÕES

O número de sucessos (x) ou indivíduos com a característica de interesse em uma amostra de tamanho n pode ser expresso também como a proporção (p) de sucessos na amostra:

$$p = x/n.$$

Tanto o número (x) quanto a proporção de sucessos (p) estão sujeitos à variação amostral. A distribuição que descreve esta variação é a distribuição binomial.

Suponha, por exemplo, que várias amostras de 10 indivíduos são retiradas ao acaso de uma população em que a freqüência de indivíduos alérgicos é $P=50\%$. Que proporção de indivíduos alérgicos (p) pode ser observada em uma amostra?

Uma possibilidade é a obtenção de uma amostra com nenhum alérgico (então $x = 0$ em $n = 10$ e $p = 0$), ou, então, uma amostra com 1 alérgico e 9 não-alérgicos ($x = 1$, $n = 10$, $p = 0{,}1$), ou ainda com 2 alérgicos e 8 não-alérgicos ($x = 2$, $n = 10$, $p = 0{,}2$) e assim sucessivamente. Na Tabela 14.1 estão indicadas todas as possibilidades para amostras de tamanho 10.

Qual seria, agora, a ocorrência relativa dessas amostras considerando-se o total de amostras possíveis de 10 pessoas, ou seja, qual a freqüência relativa de cada x (ou p)? Ora, a freqüência relativa nada mais é do que uma estimativa da probabilidade com que ocorrem os diferentes tipos de amostras. Essa probabilidade pode ser obtida diretamente da tabela da distribuição binomial ou aplicando a fórmula vista na seção anterior (usando x = número de indivíduos alérgicos em uma amostra de $n = 10$ indivíduos, tirada de uma população onde $P = 0,5$).

A Tabela 14.1 apresenta as constituições possíveis de amostras aleatórias de 10 indivíduos. Também estão ali as freqüências relativas correspondentes a cada tipo de amostra (obtidas da Tabela A.5), quando na população 50% das pessoas são alérgicas. A coluna *fr* mostra que se fossem retiradas ao acaso 100 amostras de 10 indivíduos dessa população, esperar-se-ia que em 11,7% delas a proporção de alérgicos fosse 0,3, ou seja, seriam esperadas ao redor de 12 amostras com 3 indivíduos alérgicos e 7 não-alérgicos. Ela mostra também que, conforme esperado, as amostras mais freqüentes são aquelas em que a proporção de alérgicos é 0,4, 0,5 ou 0,6.

A Figura 14.1 representa graficamente a distribuição amostral de probabilidades relativa às proporções que podem ser obtidas em amostras de $n = 10$, sendo $P = 0,5$ na população.

Embora p seja uma fração, sua distribuição amostral não é contínua, mas discreta, pois existe um número limitado de valores de p possíveis, dependendo do tamanho da amostra. A distribuição amostral de proporções (DAP) é binomial. Ela é perfeitamente simétrica quando $P = 0,5$ e aproximadamente simétrica para valores de P entre 0,3 e 0,7, se o tamanho amostral não for muito pequeno. Fora desse intervalo, a assimetria começa a ficar mais acentuada.

A representação da DAP da Figura 14.1 faz uso de um gráfico apropriado para variáveis discretas, já que com amostras de tamanho 10 apenas determinadas proporções podem ocorrer. Em amostras de tamanho 100, no entanto, podem ser observadas as proporções 0; 0,01; 0,02;... 0,99; 1. À medida que n aumenta, a distância entre os valores possíveis de p diminui gradativamente. No gráfico, o espaço entre as barras diminui e a distribuição amostral de p vai se aproximando de uma distribuição contínua.

Quando as amostras são grandes, a DAP fica muito próxima a uma curva normal (Figura 14.2), podendo-se usar esta distribuição para realizar inferências

TABELA 14.1 Amostras de 10 elementos obtidas aleatoriamente de uma população na qual 50% dos indivíduos são alérgicos ($P = 0,5$)

| Tipo de amostra | | Proporção de alérgicos | *fr* de cada tipo |
Alérgicos (*x*)	Não-alérgicos (*n-x*)	na amostra (*p*)	de amostra
0	10	0	0,001
1	9	0,1	0,010
2	8	0,2	0,044
3	7	0,3	0,117
4	6	0,4	0,205
5	5	0,5	0,246
6	4	0,6	0,205
7	3	0,7	0,117
8	2	0,8	0,044
9	1	0,9	0,010
10	0	1	0,001
			1,000

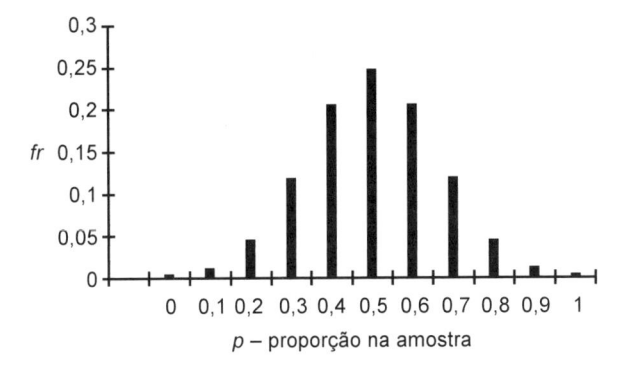

FIGURA 14.1 Gráfico de bastões que representa a freqüência com que ocorrem diferentes proporções de sucessos em amostras de tamanho 10, obtidas de uma população na qual P = 0,5.

sobre as proporções. Para decidir se uma amostra é suficientemente grande para que o uso da distribuição normal seja adequado, aplica-se a seguinte regra:

"A distribuição normal é aceita como uma aproximação à binomial sempre que $nP > 5$ e também $nQ > 5$".

A média (μ_p) da DAP é P e o erro padrão é $\sigma_p = \sqrt{\dfrac{PQ}{n}}$.

Na Figura 14.2 está esquematizada a DAP para amostras de 100 elementos, obtidas de uma população em que a proporção de alérgicos é $P = 0,5$. O erro-padrão dessa distribuição é:

$$\sigma_p = \sqrt{\dfrac{PQ}{n}} = \sqrt{\dfrac{0,5 \times 0,5}{100}} = \sqrt{0,0025} = 0,05.$$

Neste caso, pode-se usar a distribuição normal como uma aproximação, pois $nP = 100(0,5) = 50 > 5$ e também $nQ = 100(0,5) = 50 > 5$. Com base nas propriedades conhecidas dessa curva, pode-se estimar que cerca de 68% das amostras mostrarão valores de p entre 0,45 e 0,55 ($P \pm \sigma_p$) e que aproximadamente 95% das amostras possíveis terão valores de p dentro do intervalo $P \pm 1,96\sigma_p$, isto é, entre 0,40 e 0,60.

Tal aproximação da DAP à curva normal permite realizar testes de hipóteses com proporções, de forma semelhante à usada para médias.

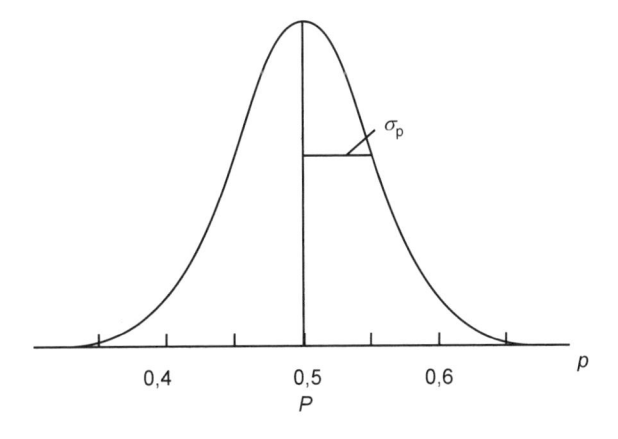

FIGURA 14.2 Distribuição amostral de proporções observadas em amostras aleatórias de 100 indivíduos, obtidas de uma população onde P = 0,5.

COMPARAÇÃO ENTRE AS PROPORÇÕES DE DUAS POPULAÇÕES QUANDO SE DESCONHECE UMA DELAS (TESTE PARA UMA PROPORÇÃO)

O raciocínio feito em um teste para uma proporção é idêntico ao utilizado no teste para uma média. Portanto, pode-se ir diretamente a um exemplo.

Exemplo 1. Flores e colaboradores (1994) testaram a capacidade preditiva de quiromantes do seguinte modo: apresentaram a quatro deles 26 fotocópias de impressões digitais e palmares, das quais 13 eram de pessoas que haviam falecido por leucemia linfocítica aguda. Foi solicitado aos quiromantes que identificassem as impressões de indivíduos sãos e de indivíduos portadores de "uma doença muito grave". Os dados dos quatro quiromantes foram reunidos porque não se observou diferença estatisticamente significativa (valor-P > 0,20) entre eles quanto ao número de acertos. Quarenta e cinco das 80 respostas fornecidas estavam corretas. A proporção esperada de acertos ao acaso é a mesma que se deve esperar usando para a decisão o lançamento de uma moeda: 0,5. O que se pode concluir, então, sobre a capacidade preditiva destes quiromantes?

(1) Elaboração das hipóteses estatísticas
$H_0 : P_A = P_0 = 0,5$ (isto é, a proporção de acertos dos quiromantes é igual à proporção de acertos ao acaso)
$H_1 : P_A \neq P_0$

(2) Escolha do nível de significância
$\alpha = 0,05$

(3) Determinação do valor crítico
$z_{0,05} = 1,96$

(4) Determinação do valor calculado do teste[2]

$$z_{calc} = \frac{|p - P_0| - C}{\sqrt{\frac{P_0 Q_0}{n}}}, \text{ onde}$$

p é a proporção de sucessos na amostra
P_0 é a proporção na população tomada como referência e $Q_0 = 1 - P_0$
$C = 1/(2n)$ é uma correção que aproxima melhor a DAP da curva normal.

No Exemplo 1, $p = 45/80 = 0,563$ e $C = 1/(2 \times 80) = 0,006$. Então,

$$z_{calc} = \frac{|0,563 - 0,5| - 0,006}{\sqrt{0,5 \times 0,5 / 80}} = \frac{|0,063| - 0,006}{0,056} = 1,018$$

(5) Decisão:
Como $|z_{calc}| = 1,018 < z_{0,05} = 1,96$, aceita-se H_0.

(6) Conclusão:
A proporção de acertos obtidos pelos quiromantes não difere da proporção de acertos esperados ao acaso. Concluíram corretamente os autores que "não há indícios de que a quiromancia sirva para prever o futuro dos indivíduos" ($\alpha = 0,05$).

---

[2] Antes do cálculo, é necessário verificar se nP e nQ são maiores do que 5. Aqui, $P = P_0$. Como $nP_0 = 80 \times 0,5 = 40$ e $nQ_0 = 40$, pode-se usar a distribuição normal como uma aproximação à binomial.

OBSERVAÇÃO: Note que aqui poderia ter sido feito um teste unilateral, já que a quiromancia será útil somente se acertar mais do que o previsto ao acaso. Mesmo usando um teste unilateral, no entanto, a conclusão é a mesma, já que $z_{calc} = 1,018$ é menor do que o valor unilateral crítico para $\alpha = 0,05$ ($z_{0,05\ unilateral} = 1,64$).

ESTIMAÇÃO DA PROPORÇÃO POPULACIONAL (P)

Um problema diferente do anteriormente visto é o enfrentado quando se obtém certa proporção em uma amostra e se deseja estimar a proporção verdadeira na população.

Exemplo 2. O maricá (*Mimosa bimucronata*), leguminosa arbustiva nativa e comum no Sul do Brasil, apresenta sementes com dificuldade de germinação. Como a literatura informa que as condições de armazenamento das sementes podem modificar a germinabilidade nas leguminosas, aumentando-a em algumas espécies e diminuindo-a em outras, desejou-se avaliar a percentagem de germinação em sementes de maricá armazenadas de diferentes modos. Um dos experimentos consistiu em armazenar 150 sementes durante um ano, em condições de temperatura e umidade ambientais (Ferreira e Callegari-Jacques, 1980).

No ensaio de germinação, 93 das sementes germinaram, o que corresponde a uma proporção de 0,62. É arriscado, no entanto, concluir que se as sementes do maricá forem armazenadas nas condições descritas, 62% delas vão germinar, pois tal informação provém de uma amostra e está, portanto, sujeita ao erro aleatório.

Para estimar a taxa de germinação verdadeira, utiliza-se um procedimento semelhante ao visto para a estimação da média, podendo-se usar as fórmulas abaixo *desde que a proporção amostral p seja um valor entre 0,3 e 0,7*:

$\hat{P}_{inferior} = p - z_\alpha EP_p - C$

$\hat{P}_{superior} = p + z_\alpha EP_p + C$, onde

p é proporção de sucessos na amostra;

z_α é o valor de z correspondente ao intervalo de confiança desejado (por exemplo $z_{0,05} = 1,96$);

$EP_p = \sqrt{pq/n}$ é o erro padrão estimado da proporção;

$q = 1 - p$;

$C = 1/(2n)$.

No Exemplo 2, $p = 0,62$, $q = (1 - 0,62) = 0,38$, $EP_p = \sqrt{0,62 \times 0,38/150} = 0,040$ e $C = 1/(2 \times 150) = 0,003$.

Os limites para o intervalo de 95% de confiança ($IC_{95\%}$) para a proporção verdadeira de sementes que germinam, tendo sido armazenadas nas condições descritas, são:

$\hat{P}_{inferior} = 0,62 - 1,96(0,040) - 0,003 = 0,539$

$\hat{P}_{superior} = 0,62 + 1,96(0,040) + 0,003 = 0,701$

$IC_{95\%}$: (0,54; 0,70).

Preferindo-se apresentar o resultado como percentagem, basta multiplicar esses valores por 100. Nesse caso, o intervalo de 0,95 de confiança para a percentagem de sementes que germinam, tendo sido armazenadas conforme descrito anteriormente, é 53,9% – 70,1%.

Quando a proporção amostral não está entre 0,3 e 0,7, como exigido para utilização das fórmulas indicadas acima, deve-se usar a distribuição binomial exata para se estimar P, o que é um procedimento complicado. No entanto, existe uma "aproximação quadrática" para a obtenção do IC para P, que é válida mesmo se a proporção está próxima de zero ou um. Os limites do IC para P usando a aproximação quadrática são:

$$\hat{P}_{inferior} = \frac{(2np + z^2 - 1) - z\sqrt{z^2 - (2 + \frac{1}{n}) + 4p(nq + 1)}}{2(n + z^2)}$$

e

$$\hat{P}_{superior} = \frac{(2np + z^2 + 1) + z\sqrt{z^2 + (2 - \frac{1}{n}) + 4p(nq - 1)}}{2(n + z^2)}$$

onde z é o valor crítico para a confiança desejada.

Exemplo 3. O jornal *Correio do Povo* publicou, em 1º de junho de 1994, que o pólen do ligustro estava provocando reações alérgicas (conjuntivite, asma e rinite) nos habitantes de Santo Ângelo, RS. O ligustro (*Ligustrum japonicum*) é uma árvore ornamental comum naquela localidade. O Dr. E. Ferreira realizou testes cutâneos em 100 pessoas desta cidade e 8 delas apresentaram reações alérgicas ao pólen dessa planta. Como deve ser expressa a percentagem (populacional) de pessoas alérgicas ao ligustro?

Como a proporção observada de afetados ($p = 0,08$) está fora dos limites 0,30 a 0,70, as fórmulas mais simples não podem ser empregadas. O intervalo de 95% de confiança para P, então, deverá ser obtido do seguinte modo:

$$\hat{P}_{inferior} = \frac{(2 \times 100 \times 0,08 + 1,96^2 - 1) - 1,96\sqrt{1,96^2 - (2 + \frac{1}{100}) + [4 \times 0,08(100 \times 0,92 + 1)]}}{2(100 + 1,96^2)}$$

$$\hat{P}_{inferior} = \frac{(16 + 3,84 - 1) - 1,96\sqrt{3,84^2 - (2,01) + [29,76]}}{207,68} = \frac{18,84 - 11,02}{207,68} = 0,038$$

$$\hat{P}_{superior} = \frac{(2 \times 100 \times 0,08 + 1,96^2 + 1) + 1,96\sqrt{1,96^2 + (2 - \frac{1}{100}) + [4 \times 0,08(100 \times 0,92 - 1)]}}{2(100 + 1,96^2)}$$

$$\hat{P}_{superior} = \frac{(16 + 3,84 + 1) + 1,96\sqrt{3,84 + (1,99) + [29,12]}}{207,68} = 0,156$$

Pode-se então dizer, com 95% de confiança, que a percentagem verdadeira de pessoas alérgicas ao pólen do ligustro, em Santo Ângelo, é um valor entre 4% e 16%.

Observações: (1) Note que o intervalo de confiança encontrado para P é assimétrico ao redor de 8%, como se espera que sejam os intervalos para percentagens próximas de 0% ou 100%.

(2) O intervalo obtido tem uma precisão que pode ser considerada baixa (o intervalo é muito amplo). A solução para se obter uma estimativa mais precisa, com a mesma confiança, é aumentar o tamanho da amostra estudada.

COMPARAÇÃO ENTRE AS PROPORÇÕES DE DUAS AMOSTRAS INDEPENDENTES

Quando se deseja comparar as proporções de determinado sucesso em duas amostras independentes, há dois testes estatísticos aplicáveis: o teste z e o teste qui-quadrado. O último é o mais popular, mas deve ser aplicado às freqüências absolutas. O teste do qui-quadrado será descrito no próximo capítulo.

Para testar a hipótese nula $H_0: P_A = P_B$, usa-se a seguinte fórmula:

$$z_{calc} = \frac{|p_A - p_B| - C}{\sqrt{p_0 q_0 (1/n_A + 1/n_B)}}$$

onde

$$C = 0{,}5\left(\frac{1}{n_A} + \frac{1}{n_B}\right),$$

p_A e p_B são a proporção de sucessos nas amostras A e B, respectivamente;

n_A e n_B são os tamanhos das amostras A e B;

p_0 é a proporção de sucessos considerando as duas amostras juntas e pode ser obtida do seguinte modo:

$$p_0 = \frac{x_A + x_B}{n_A + n_B},$$ (x_A e x_B são o número de sucessos, respectivamente, nas amostras A e B; $q_0 = 1 - p_0$.

A regra de decisão já se conhece: se $|z_{calc}| < z_\alpha$, não se rejeita H_0. Caso contrário, a hipótese nula deve ser rejeitada.

Exemplo 4. Na Tabela 12.3 (Capítulo 12) foi apresentada a mortalidade de gastrópodos do gênero *Biomphalaria* à infestação com *Schistosoma mansoni* (Scherrer e colaboradores, 1990). Parece que as formas albinas da espécie *B. tenagophila* encontradas em Joinville, Santa Catarina, são mais suscetíveis que as pigmentadas, que vivem no Taim, Rio Grande do Sul. Para testar esta hipótese com os indivíduos juvenis, foi usado o procedimento explicado acima para a proporção de animais que morreram (*p*).

Os dados referentes às duas amostras, são os seguintes:

RS: $n_A = 110$ SC: $n_B = 310$
$x_A = 2$ $x_B = 130$
$p_A = 0{,}02$ $p_B = 0{,}42$

As hipóteses estatísticas a serem testadas são:

$H_0 : P_{RS} = P_{SC}$
$H_1 : P_{RS} \neq P_{SC}$

Com base nestas informações,

$$C = 0{,}5 \, (1/110 + 1/310) = 0{,}0062$$

$$p_0 = \frac{x_A + x_B}{n_A + n_B} = \frac{2+130}{110+310} = 0{,}31 \text{ e } q_0 = 1 - 0{,}31 = 0{,}69$$

$$z_{calc} = \frac{|0{,}02 - 0{,}42| - 0{,}0062}{\sqrt{0{,}31 \times 0{,}69 (1/110 + 1/310)}} = \frac{0{,}3938}{0{,}0513} = 7{,}676.$$

Como $|z_{calc}| = 7{,}676 > z_{0{,}001} = 3{,}29$, rejeita-se a hipótese de igualdade entre as proporções populacionais e conclui-se que, ao menos nas formas juvenis, os gastrópodos do Rio Grande do Sul são mais resistentes ao esquistossoma que os de Santa Catarina.

15

Distribuição qui-quadrado

Nos exemplos analisados no capítulo anterior, as variáveis estudadas eram dicotômicas, compreendendo apenas dois estados ou categorias. Um número grande de variáveis qualitativas, no entanto, é politômica, como a situação de um paciente após um tratamento (melhora, piora, sem alteração), os conceitos após uma avaliação (A, B, C, D), os tipos no sistema sangüíneo ABO. Tais variáveis não podem ser tratadas pelos métodos de análise vistos, a não ser transformando-as em dicotômicas por reunião de categorias, havendo, nesse caso, perda de informação. Karl Pearson, em 1899, desenvolveu uma técnica estatística mais geral, adequada para variáveis qualitativas com duas ou mais categorias, denominada teste qui-quadrado (χ^2). Com essa técnica podem ser resolvidos vários problemas, entre eles os seguintes:

(1) Verificar se uma distribuição observada de dados ajusta-se a uma distribuição esperada (teórica): o teste é chamado *teste χ^2 de aderência* ou *de ajustamento;*
(2) Comparar duas ou mais populações com relação a uma variável categórica: o teste denomina-se *teste χ^2 de comparação de proporções* (ou, *teste χ^2 de heterogeneidade* entre populações);
(3) Verificar se existe associação entre duas variáveis qualitativas: o teste é chamado de *teste χ^2 de associação.*

ESTATÍSTICA χ^2 DE PEARSON

A estatística χ^2 foi criada por K. Pearson para medir o grau de discrepância entre um conjunto de freqüências observadas (O) e o conjunto de freqüências esperada segundo determinada hipótese (E). Para compreender as bases de seu cálculo, considere o exemplo didático a seguir.

Exemplo 1. Imagine a situação na qual um investigador está estudando a presença dos antígenos R e S (fictícios) em tecido humano. O assunto é de grande importância, pois seriam antígenos relacionados com a histocompatibilidade e qualquer informação relativa à herança desses antígenos é de grande valia nos

casos de transfusões e transplante de tecidos e órgãos. Imagine que existam três tipos de pessoas:
- Tipo R: pessoas que só possuem o antígeno R.
- Tipo S: pessoas que só possuem o antígeno S.
- Tipo RS: pessoas que possuem os dois antígenos.

O pesquisador faz a hipótese de que estes tipos são determinados geneticamente por um par de genes R e S autossômicos co-dominantes, isto é, que estão no mesmo loco cromossômico e se expressam ambos, independentemente, no heterozigoto. No caso, os genótipos para cada tipo seriam: genótipo RR (determinando o fenótipo R); genótipo SS (fenótipo S); genótipo RS (fenótipo RS).

Se esta hipótese estiver correta, então filhos resultantes de cruzamentos de mulheres RS com homens RS devem apresentar os três genótipos possíveis, nas proporções 1/4 para R, 1/2 para RS e 1/4 para S, conforme determina a Primeira Lei de Mendel, ilustrada na Figura 15.1.

Desejando testar a hipótese de que os alelos R e S são co-dominantes, o pesquisador então estudou 24 filhos de casamentos do tipo RS×RS, escolhidos aleatoriamente, e obteve 6 indivíduos do tipo R, 15 do tipo RS e 3 do tipo S. Aparentemente, os dados não estão de acordo com a idéia de herança co-dominante, pois em 24 pessoas deveria haver 6 do tipo R (1/4 de 24), 12 do tipo RS (1/2 de 24) e 6 do tipo S (1/4 de 24). No entanto, os resultados obtidos em amostras podem diferir do que seria esperado devido ao erro de amostragem. A questão é: até que ponto as diferenças podem ser atribuídas ao acaso?

Para responder a esta pergunta, é preciso primeiro haver uma medida da diferença entre as freqüências observadas (O) e as esperadas (E) segundo a hipótese feita. Uma boa idéia seria usar as diferenças entre O e E, elevando-as ao quadrado para que sua soma não seja zero. A soma das diferenças $(O - E)^2$ poderia ser usada como a medida que se deseja. No entanto, ela não leva em conta que a diferença de um indivíduo em relação a um número esperado de 5 indivíduos (1/5) é proporcionalmente maior do que a diferença de um indivíduo em relação a um esperado de 10 (1/10). Por isso, cada diferença $(O - E)^2$ é dividida pelo número esperado (E). A soma dessas quantidades constitui a medida desejada e denomina-se χ^2.

Em resumo, a fórmula para calcular o χ^2 é:

$$\chi^2_{calc} = \sum \frac{(O-E)^2}{E}$$

e o cálculo, para os dados do Exemplo 1, está efetuado na Tabela 15.1. Note que a soma $\sum(O - E)$ deve ser igual a zero (ou muito próxima de zero se tiverem sido

Genótipos do casal:	Mulher: RS		Homem: RS
Gametas possíveis:	R e S		R e S
Genótipos possíveis nos filhos:	RR	RS ou SR	SS
Fenótipos correspondentes aos genótipos:	R	RS	S
Proporção esperada para cada fenótipo:	1/4	2/4	1/4

FIGURA 15.1 Esquema mostrando tipos e proporções esperadas em um cruzamento de dois indivíduos heterozigotos para os genes co-dominantes R e S.

TABELA 15.1 Cálculo do χ^2 para as freqüências observadas dos tipos R, RS e S, na suposição de que os antígenos deste sistema são determinados por genes co-dominantes

Categorias	Nº Observado (O)	Proporção esperada	Nº Esperado (E)	O – E	(O – E)²	(O – E)²/E
R	6	1/4	6	0	0	0
RS	15	2/4	12	3	9	0,75
S	3	1/4	6	-3	9	1,50
Σ	24	1	24	0		2,25

feitas aproximações nos valores de E), pois a falta de indivíduos em uma categoria é compensada pelo excesso em outra e vice-versa.

O χ^2 calculado é 2,25 e mede a diferença geral entre os números observados e os que deveriam ser obtidos se a herança dos tipos R, RS e S fosse co-dominante.

DISTRIBUIÇÃO χ^2

O pesquisador deve agora decidir-se por uma das duas conclusões a seguir:

(1) As diferenças ocorridas entre as freqüências observadas O e as esperadas E são casuais e pode-se dizer que os tipos R, RS e S são determinados por genes co-dominantes;
(2) As diferenças observadas entre O e E não são casuais, tendo ocorrido porque os tipos R, RS e S não são determinados da maneira suposta.

Devido ao modo como é calculado, o χ^2 será zero quando não houver diferença entre os números observados e os esperados, ficando maior à medida que aumentam as discrepâncias entre O e E. Diferenças grandes são pouco prováveis quando a hipótese que norteou a obtenção de E for verdadeira. Com este raciocí-

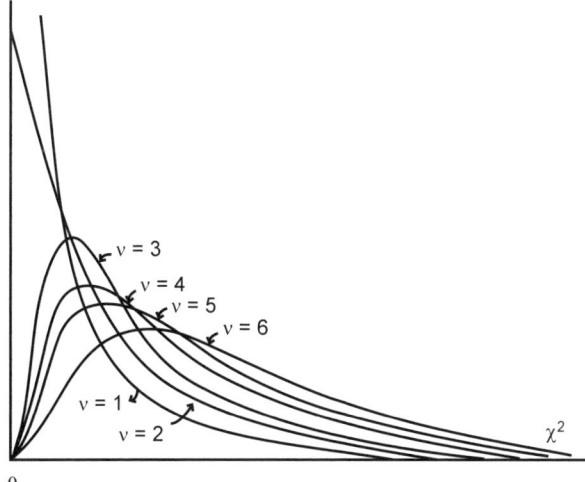

FIGURA 15.2 Distribuição χ^2 para vários graus de liberdade, aqui indicados por v. (Fonte: Hoel, 1963; p. 201.)

nio, somente se espera um valor de χ^2 alto quando os dados não apoiarem a hipótese formulada. No teste qui-quadrado, como em qualquer teste estatístico, um valor calculado será considerado "excessivamente grande" quando cair na região de significância de uma distribuição teórica, no caso a do χ^2.

A forma da distribuição χ^2 depende do número de categorias que compõem a variável qualitativa. Via de regra ela é assimétrica, começando no zero e apresentando apenas valores positivos. A assimetria diminui à medida que aumenta o número de categorias (Figura 15.2), as quais determinam o número de graus de liberdade, como será visto mais adiante. Para simplificar, a distribuição χ^2 será apresentada neste texto por meio de uma curva assimétrica geral, sem a preocupação de detalhar sua forma conforme o número de graus de liberdade. A Figura 15.3 mostra o esquema da distribuição χ^2 para $gl = 2$, que será usada para analisar os dados do Exemplo 1, referente à herança dos antígenos R e S.

Na distribuição χ^2, a região de significância é unilateral e está localizada na extremidade direita da curva, uma vez que os valores de χ^2 próximos de zero, por indicarem diferenças pequenas, não interessam na rejeição da hipótese nula. O valor crítico deve ser procurado na Tabela A.6, para o nível de significância desejado (α) e, no caso de tabelas de entrada simples, um número de graus de liberdade dado por:

$$gl = (\text{n}^{\underline{o}} \text{ de categorias} - \text{n}^{\underline{o}} \text{ de parâmetros independentes}$$
$$\text{estimados a partir da amostra} - 1).$$

Na grande maioria das vezes, porém, não há necessidade de se estimarem parâmetros a partir da amostra, de modo que o cálculo do número de graus de liberdade fica simplesmente

$$gl = \text{número de categorias} - 1.$$

Observações: 1. A estimativa dos parâmetros ocorre quando se deseja verificar o ajustamento de uma distribuição empírica de dados a uma distribuição teórica, por exemplo, uma normal. Neste caso, é necessário estimar μ e σ e calcular o número esperado de indivíduos em vários intervalos da variável x.

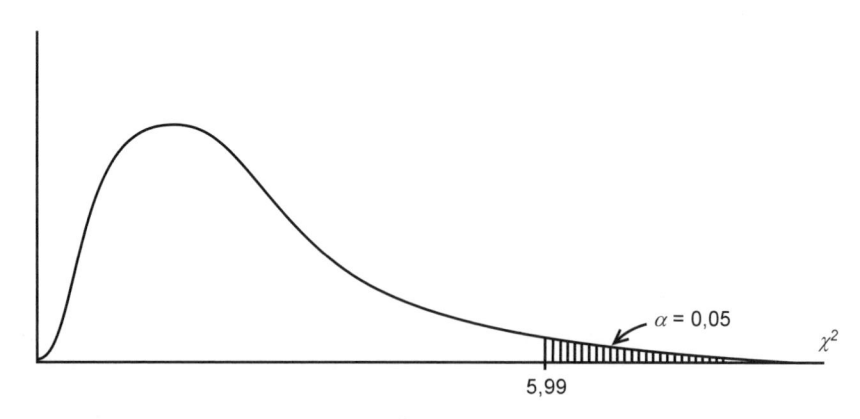

FIGURA 15.3 Forma geral da distribuição χ^2 para $gl=2$, com a região de significância ($\alpha = 0,05$) sombreada.

(2) Em genética de populações, é comum desejar-se um teste para a lei de equilíbrio de Hardy-Weinberg. As freqüências gênicas (parâmetros) são inicialmente estimadas na amostra, para depois se realizar o teste. Neste caso, o número de graus de liberdade deve seguir a primeira fórmula apresentada e não a simplificada, sendo: gl = (nº de categorias − nº de alelos independentes − 1) ou gl = (nº de categorias − nº de alelos).

TESTE DE ADERÊNCIA OU DE AJUSTAMENTO

O teste χ^2 de aderência ou de ajustamento foi o utilizado pelo pesquisador interessado na herança dos antígenos R e S. Os dados são classificados em tabelas simples, de uma entrada apenas. O objetivo é verificar se uma distribuição observada de freqüências (O) ajusta-se a uma distribuição de valores esperados segundo determinada teoria (E). A seqüência dos procedimentos, exemplificada com os dados do Exemplo 1, é:

(1) Elaboração das hipóteses estatísticas:
H_0 : A distribuição de freqüências observadas (O) é igual à distribuição de freqüências esperadas segundo a hipótese que se está testando (E). Abreviadamente, H_0: $O = E$
H_A : $O \neq E$

(2) Escolha do nível de significância:

$\alpha = 0{,}05$

(3) Determinação do valor crítico do teste:

gl = (número de categorias − 1) = (3 − 1) = 2, então, $\chi^2_{0,05;2} = 5{,}99$.

(4) Determinação do valor calculado do teste:

$$\chi^2_{calc} = \sum \frac{(O - E)^2}{E} = 2{,}25.$$

(5) Decisão

Como $\chi^2_{calc} = 2{,}25 < \chi^2_{0,05;2} = 5{,}99$, não se rejeita H_0.

(6) Conclusão
A distribuição de freqüências observadas não difere da distribuição esperada; as diferenças observadas foram casuais. Então, não há evidências que contradigam a hipótese de que o mecanismo genético que determina os tipos R, RS e S é o de herança simples com co-dominância.

TESTE DE COMPARAÇÃO DE PROPORÇÕES

O teste χ^2 de comparação (ou de heterogeneidade) entre proporções é usado para comparar duas ou mais populações quanto a uma variável qualitativa. Os dados são organizados em tabelas de contingência, nas quais as linhas representam as várias amostras e as colunas, as categorias da variável (pode-se também colocar as amostras nas colunas e as categorias nas linhas). Nesse tipo de estudo, os tamanhos das amostras são fixos, isto é, o pesquisador decide, para cada amostra, quando termina o levantamento dos dados. Ele não controla a freqüência nas categorias, sendo estas, portanto, variáveis aleatórias.

A hipótese que se deseja verificar, neste teste, é a de que a proporção de indivíduos em cada categoria é a mesma nas diferentes populações amostradas, isto é, as populações não diferem com relação à variável estudada. O exemplo abaixo ilustra esta aplicação do χ^2.

Exemplo 2. O coleóptero *Chauliognathus flavipes* pode apresentar 10 diferentes padrões para as manchas pretas que ocorrem sobre os élitros[1], que são amarelos. Machado e Araújo (1994) coletaram insetos dessa espécie em várias localidades do Rio Grande do Sul, nos anos de 1989 e 1990. A Tabela 15.2 apresenta dados obtidos para as localidades de Porto Alegre, São Leopoldo e Caxias do Sul, com respeito aos padrões 2 (claro), 3 (intermediário) e 10 (escuro), com o objetivo de comparar as freqüências de tais padrões nas três populações.

Os padrões de manchas nos élitros não são categorias de uma variável dicotômica, de modo que os procedimentos utilizados para comparação de proporções por meio de um teste z não podem ser aqui aplicados. Poder-se-ia pensar em dicotomizar a variável, reunindo os padrões claro e intermediáro em uma categoria e deixando o escuro em outra, e realizar três testes de comparação entre percentagens, tomando-se as amostras duas a duas. Entretanto, tal procedimento, além de acarretar perda de informação, é mais trabalhoso, além de não ser correto do ponto de vista estatístico, já que realizando vários testes com os mesmos dados está-se aumentando o risco de obter uma significância espúria. O teste χ^2 de heterogeneidade compara as três amostras simultaneamente, sem a necessidade de reunir as categorias, evitando-se, assim, tais problemas.

O cálculo das freqüências esperadas agora é feito de modo diferente do usado no teste χ^2 de ajustamento. Aqui parte-se da pressuposição de que não existe diferença entre localidades quanto às freqüências dos padrões dos élitros. Chamando de P a proporção populacional para o padrão claro, isto equivale a dizer que $P_{PAlegre} = P_{S.Lepoldo} = P_{Caxias\ do\ Sul}$. Essa mesma igualdade vale também para os demais padrões, de modo que se poderia generalizar afirmando, em H_0, que as proporções relativas aos três padrões são as mesmas nas três populações.

Se as localidades não diferem quanto às freqüências desses padrões, pode-se considerar que elas constituem uma população única no que se refere a essa variável. Neste caso, a melhor estimativa para a proporção, por exemplo, do padrão claro, nesta população, deve reunir os dados das três amostras, sendo 161/242= 0,665 (ou 66,5 %).

TABELA 15.2 Número de indivíduos da espécie *Chauliognathus flavipes* com diferentes padrões de manchas nos élitros, coletados em três localidades do Rio Grande do Sul

Localidade	Padrão dos élitros			Total
	Claro	Intermediário	Escuro	
Porto Alegre	67 (*60,5*)	20 (*19,6*)	4 (*10,9*)	91
São Leopoldo	68 (*77,2*)	29 (*24,9*)	19 (*13,9*)	116
Caxias do Sul	26 (*23,3*)	3 (*7,5*)	6 (*4,2*)	35
Total	161	52	29	242

Entre parênteses: número esperado segundo o postulado em H_0.
Fonte: Machado e Araújo, 1994.

---

[1] Élitros são asas coriáceas que ficam sobrepostas às asas membranosas, protegendo-as.

Assim, considerando verdadeira a hipótese de que as populações não diferem, o número esperado de indivíduos com élitros claros na amostra de Porto Alegre é 66,5% de 91, isto é, 60,5 indivíduos (use uma decimal no cálculo do valor esperado). Pode-se também pensar em usar uma "regra de três" simples, do seguinte modo: se em 242 indivíduos foram observados 161 com élitros claros, em uma amostra de 91 coleópteros coletados em Porto Alegre espera-se encontrar:

$$242 \rightarrow 161$$
$$91 \rightarrow E \qquad E = \frac{161 \times 91}{242} = 60,5 \text{ coleópteros com élitros claros.}$$

Note que 161 é o total da coluna "Claro", 91 é o total da linha "Porto Alegre" e 242 é o total geral.

Assim, a fórmula geral para o número esperado em cada casela[2] da tabela de contingência, é:

$$E = \frac{\text{total da coluna} \times \text{total da linha}}{\text{total geral}} = \frac{TC \times TL}{TG}.$$

Aplicando esta fórmula, o número esperado de insetos com padrão intermediário, em Porto Alegre, é:

$$E = \frac{52 \times 91}{242} = 19,6.$$

O número esperado para o padrão escuro, na amostra, pode ser obtido do mesmo modo ou então calculando-se a diferença para atingir o total 91.

Igual raciocínio vale para a obtenção dos valores de E para as outras amostras.

Os números que estão entre parênteses na Tabela 15.2 são os esperados (E) em cada casela, calculados conforme explicado, isto é, supondo que as populações não diferem entre si. Os números observados (O) podem agora ser comparados com os esperados (E) pela fórmula do χ^2. Se as diferenças forem pequenas, podem ser explicadas pelo acaso e, portanto, a conclusão será a de que não há diferença entre localidades quanto ao padrão dos élitros. Se as diferenças forem grandes, a conclusão será de que existe diferença entre locais de coleta. A decisão sobre a significância das diferenças entre números observados e números esperados é tomada fazendo uso da distribuição χ^2, com graus de liberdade = $(L - 1)(C - 1)$, em que L e C são o número de categorias nas linhas e colunas, respectivamente.

O cálculo do χ^2 é feito em uma tabela separada, como na Tabela 15.3.

Etapas do teste χ^2 de comparação entre proporções

(1) Elaboração das hipóteses estatísticas:
H_0: $O = E$, sendo que E foi calculado supondo que a proporção de élitros escuros, intermediários e claros é a mesma nas três populações. Ou seja, E foi calculado supondo que não há diferença entre locais quanto ao padrão dos élitros.
H_1: $O \neq E$

---

[2] Casela ou cela é o encontro de uma linha com uma coluna.

TABELA 15.3 Padrão dos élitros em *Chauliognathus flavipes*: cálculo do qui-quadrado para o teste de heterogeneidade entre localidades

O	E	(O – E)	(O – E)²	(O – E)²/E
67	60,5	6,5	42,25	0,698
68	77,2	–9,2	86,64	1,096
26	23,3	2,7	7,29	0,313
20	19,6	0,4	0,16	0,008
29	24,9	4,1	16,81	0,675
3	7,5	–4,5	20,25	2,700
4	10,9	–6,9	47,61	4,368
19	13,9	5,1	26,01	1,871
6	4,2	1,8	3,24	0,771
Σ 242	242,0	0		12,500 = χ^2_{calc}

(2) Escolha do nível de significância:
$\alpha = 0,05$.

(3) Determinação do valor crítico do teste:
O número de graus de liberdade nas tabelas de contingência é

$$gl = (L-1)(C-1), \text{ onde}$$

L = número de categorias-linhas, isto é, número de categorias da variável que está nas linhas da tabela (no exemplo, $L = 3$ localidades);

C = número de categorias-colunas, isto é, número de categorias da variável que está nas colunas ($C = 3$ padrões de élitros).

No Exemplo 2, $gl = (3-1)(3-1) = 4$, o que leva ao valor crítico $\chi^2_{0,05;4} = 9,49$.

(4) Determinação do valor calculado do teste:

$$\chi^2_{calc} = \sum \frac{(O-E)^2}{E}, \text{ sendo } E = \frac{TC \times TL}{TG}$$

O valor de χ^2 obtido para os dados do Exemplo 2 foi 12,500.

(5) Decisão
Como $\chi^2_{calc} = 12,500 > \chi^2_{0,05;4} = 9,49$, rejeita-se H_0.
(Note que o nível crítico amostral para $\chi^2_{calc} = 12,5$ é $0,02 > P > 0,01$, portanto é muito baixa a probabilidade de se obter, ao acaso, um valor de χ^2_{calc} igual ou maior do que 12,5 se as populações não diferirem entre si).

(6) Conclusão
As freqüências observadas diferem significativamente das esperadas quanto à freqüência dos padrões nos élitros. Portanto, as três populações de *Chauliognathus flavipes* diferem quanto a esta característica ($\alpha = 0,05$).

Uma interpretação mais adequada dos resultados deve ser feita usando a análise de resíduos, conforme será explicado mais adiante. Pode-se, entretanto, elaborar uma conclusão provisória, examinando, em cada amostra, as percentagens observadas para cada categoria (Tabela 15.4). Assim, parece que a freqüência de élitros escuros é menor em Porto Alegre, o padrão claro é menos freqüente em coleópteros de São Leopoldo, enquanto na amostra de Caxias do Sul há uma redução na percentagem da categoria "Intermediário".

TABELA 15.4 Percentagem de indivíduos na espécie *Chauliognathus flavipes* com diferentes padrões de manchas nos élitros

Localidade	N	Padrão			Total
		Claro	Intermediário	Escuro	
Porto Alegre	91	74%	22%	4%	100%
São Leopoldo	116	59%	25%	16%	100%
Caxias do Sul	35	74%	9%	17%	100%
Todas	242	67%	21%	12%	100%

O teste de comparação de proporções usando χ^2 compara várias amostras quanto a uma variável qualitativa, com duas ou mais categorias. A comparação de duas amostras quanto a uma variável dicotômica (tabelas 2×2), portanto, é um caso particular deste teste. Viu-se que tal situação pode ser analisada por um teste z de comparação entre duas proporções, mas pode-se também realizar um teste χ^2, com $gl = 1$, como será exemplificado mais adiante. Os dois procedimentos levam à mesma conclusão.[3]

TESTE DE ASSOCIAÇÃO OU DE INDEPENDÊNCIA

O teste χ^2 de associação (ou teste de independência) é utilizado para testar a correlação entre variáveis categóricas, assim como o coeficiente r é calculado e testado com o mesmo fim para variáveis quantitativas. Para realizar um teste χ^2 de associação, os indivíduos de uma amostra são estudados quanto a duas variáveis qualitativas e os dados são organizados em uma tabela de contingência, na qual as linhas e as colunas representam as categorias das duas variáveis em análise. Neste teste, o único total fixo (controlado pelo pesquisador) é o total de indivíduos estudados.

Exemplo 3. Vieira e Prolla (1979) estudaram uma amostra de 384 pacientes com problemas pulmonares, classificando-os segundo a presença ou não de eosinófilos no escarro e o tipo de pneumopatia diagnosticada (Tabela 15.5). Poder-se-ia perguntar: "Constituem os dados obtidos evidência suficiente de associação entre estas duas variáveis"?

Quando se pensa em associação entre duas variáveis categóricas, o raciocínio para o cálculo do número esperado (E) pressupõe que não há associação entre elas. No Exemplo 3, parte-se do pressuposto de que a presença de eosinófilos no escarro e o tipo de penumopatia são variáveis independentes. Ora, se essas duas variáveis forem independentes, a probabilidade de se observar eosinófilos no escarro de uma pessoa do Grupo 1 (com asma) deve ser calculada pela regra do produto:

Pr(eosinófilos no escarro e asma) = Pr(eosinófilos no escarro) × Pr(asma)

$$\text{Pr(eosinófilos no escarro e asma)} = \frac{228}{384} \times \frac{197}{384} = 0{,}305.$$

---

[3] É interessante notar que se gl é igual a 1, $z^2 = \chi^2$.

TABELA 15.5 Presença de eosinófilos no escarro e tipo de doença pulmonar em 384 pacientes porto-alegrenses

Eosinófilos no escarro	Grupo quanto ao tipo de pneumopatia*				Total
	Grupo 1	Grupo 2	Grupo 3	Grupo 4	
Sim	142 (72%)	26 (58%)	32 (44%)	28 (41%)	228 (59%)
Não	55 (28%)	19 (42%)	41 (56%)	41 (59%)	156 (41%)
Total	197 (100%)	45 (100%)	73 (100%)	69 (100%)	384

*Grupo 1: asma; Grupo 2: bronquite crônica *com* broncoespasmo; Grupo 3: bronquite crônica ou enfisema *sem* broncoespasmo; Grupo 4: outras doenças pulmonares.
Fonte: Vieira e Prolla, 1979.

Assim, se não houver associação entre penumopatia e presença de eosinófilos no escarro, espera-se que 30,5% dos 384 pacientes estudados apresentem esses leucócitos no escarro e sejam asmáticos, correspondendo a 117 pacientes (0,305 × 384 = 117,1).

Reunindo os cálculos feitos para obter o valor esperado, tem-se:

$$E = \frac{228}{384} \times \frac{197}{384} \times 384 = \frac{228 \times 197}{384} = 117,1.$$

Note que 228 é o total da linha referente a "Eosinófilos = sim", 197 é o total da coluna "Grupo 1" e 384 é o total geral. Substituindo na fórmula acima os valores por "total da linha correspondente à casela (TL)", "total da coluna correspondente à casela (TC)" e "total geral (TG)" e efetuando uma simplificação, verifica-se que o número esperado em qualquer casela pode ser calculado, como no teste χ^2 de comparação entre proporções, por

$$E = \frac{TC \times TL}{TG}$$

Uma vez obtidos os números esperados, calcula-se $\chi^2_{calc} = \Sigma(O - E)^2/E$. O número de graus de liberdade também é $(L - 1)(C - 1)$, onde L = número de categorias-linhas e C = número de categorias-colunas.

A hipótese nula deste teste é a de que não existe associação entre as variáveis em estudo (ou H_0: $O = E$ supondo independência). Se o χ^2_{calc} for um valor pequeno, não se rejeita H_0 e interpretam-se as diferenças entre os números observados *(O)* e os esperados *(E)* como casuais. Se o χ^2_{calc} for um número significativamente grande, estará indicando associação (ou não-independência) entre as variáveis.

Para os dados do Exemplo 3, o χ^2_{calc} é 30,439 e $gl = (2 - 1)(4 - 1) = 3$. Por inspeção da Tabela A.6, verifica-se que a este valor de χ^2 está associado um nível crítico amostral $P < 0,001$. Logo, rejeita-se H_0 e conclui-se que existe associação entre o tipo de pneumopatia e a ocorrência de eosinófilos no escarro.

Uma conclusão simples de existência de associação é em geral insatisfatória para os pesquisadores, que gostariam de entender melhor o tipo de associação observada. Para responder a esta indagação, existem várias técnicas estatísticas; a análise de resíduos é uma das mais interessantes.

ANÁLISE DE RESÍDUOS EM TABELAS L × C

A análise de resíduos é usada como auxiliar na interpretação de dados organizados em tabelas L × C. Por seu intermédio, é possível avaliar como as diferentes casas contribuem para o valor do χ^2_{calc}.

Calcula-se inicialmente o *resíduo padronizado* (R_p) para cada casela:

$$R_p = \frac{O-E}{\sqrt{E}}.$$

A seguir, cada resíduo deve sofrer uma correção, passando a denominar-se *resíduo ajustado* (R_{aj}):

$$R_{aj} = \frac{R_p}{\sqrt{\left(1-\frac{TC}{TG}\right)\left(1-\frac{TL}{TG}\right)}}.$$

Finalmente, os valores de R_{aj} são comparados com valores críticos da distribuição normal, por exemplo $z = 1,96$ para um nível de 0,05 de significância. Se R_{aj} for maior do que z_α, conclui-se que o valor observado na casela (O) desvia-se significativamente (para mais ou para menos, conforme o sinal de R_{aj}) do valor esperado (E).

O resíduos ajustados obtidos para os dados da Tabela 16.5 estão apresentados na Tabela 15.6. Na primeira casela, o resíduo ajustado foi obtido do seguinte modo:

$$R_p(sim; grupo\ 1) = \frac{O-E}{\sqrt{E}} = \frac{142-117,0}{\sqrt{117,0}} = +2,311$$

$$R_{aj}(sim; grupo\ 1) = \frac{R_p}{\sqrt{\left(1-\frac{TC}{TG}\right)\left(1-\frac{TL}{TG}\right)}} = \frac{+2,311}{\sqrt{\left(1-\frac{197}{384}\right)\left(1-\frac{228}{384}\right)}} = +5,20.$$

Como $R_{aj} = |+5,20| > z_{0,05} = 1,96$, conclui-se que o número de asmáticos que apresentam eosinófilos no escarro foi significativamente maior (pois R_{aj} é positivo) do que o esperado se as variáveis fossem independentes. Portanto, existe associação positiva entre asma e presença de eosinófilos no escarro.

A interpretação dos demais resíduos ajustados é feita do mesmo modo, após compará-los com z_α. Por exemplo, no Grupo 3 a freqüência de indivíduos com eosinófilos no escarro é significativamente menor do que o esperado ao acaso ($|R_{aj}| = -3| > 1,96$).

TABELA 15.6 Resíduos ajustados (R_{aj}) obtidos para os dados da Tabela 15.4. Os valores em itálico são significativos ao nível 0,05

Eosinófilos no escarro	Grupo quanto ao tipo de pneumopatia*			
	Grupo 1	Grupo 2	Grupo 3	Grupo 4
Sim	5,20	−0,23	−3,00	−3,51
Não	−5,20	0,23	3,00	3,51

* Grupo 1: asma; Grupo 2: bronquite crônica com broncoespasmo; Grupo 3: bronquite crônica ou enfisema sem broncoespasmo; Grupo 4: outras doenças pulmonares.

Na Tabela 15.6 há seis resíduos significativos. Combinando este resultado com as percentagens observadas na Tabela 15.5, a conclusão geral é a de que indivíduos com eosinófilos no escarro são mais freqüentes entre os asmáticos (72%) e menos comuns em pacientes dos Grupos 3 (44%) e 4 (41%). Em pacientes do Grupo 2, a percentagem de pessoas com eosinófilos no escarro (58%) não difere significativamente daquela observada para o total da amostra (59%)[4].

CONDIÇÕES PARA O USO DO χ^2

O teste χ^2 deve ser realizado com freqüências observadas absolutas, isto é, número de casos. Informações na forma de percentagens somente podem ser utilizadas modificando-se a fórmula de cálculo do χ^2.

Além disso, é necessário lembrar que a distribuição teórica do χ^2 é uma distribuição contínua de valores. Quando $gl = 1$, porém, a distribuição empírica do χ^2_{calc} não se aproxima suficientemente da distribuição teórica do χ^2 para permitir testes adequados. Para aproximar melhor estas duas distribuições, usa-se a correção para continuidade proposta por F. Yates, que será apresentada na próxima seção.

Finalmente, o uso da distribuição teórica do χ^2 pressupõe que os valores esperados (E) não sejam excessivamente pequenos. Classicamente, as exigências relativas a este aspecto eram:

(1) O total da amostra devia ser superior a 25 (ou 30, segundo alguns autores).
(2) No máximo 20% dos valores esperados nas categorias (E) poderiam ser inferiores a 5 e nenhum E poderia ser menor do que 1.

Estudos recentes, porém, sugerem que estas exigências quanto às freqüências esperadas são rigorosas demais, sendo que muitos valores de E podem ser iguais a 1 sem afetar de modo importante o teste (ver, por exemplo, revisões em Everitt, 1992; p. 39, e Zar, 1999; p. 470 e 504). Assim, uma abordagem mais moderna respeitaria as seguintes condições:

(1) **Em testes de ajustamento** (tabelas de entrada única, n > 25):
  (a) Tabelas com apenas duas categorias ($k = 2$): E deve ser 5 ou mais em cada categoria e usa-se a correção de Yates para o cálculo do χ^2_{calc}, como será explicado a seguir. Se algum $E < 5$, é preferível obter diretamente o valor-P associado ao teste de hipóteses pela distribuição binomial.
  (b) Tabelas com $k > 2$ e todos os esperados iguais: para testes usando $\alpha = 0{,}05$, os valores de E devem ser iguais ou maiores do que 1,0; para $\alpha = 0{,}01$, E deve ser igual ou maior do que 2,0.
  (c) Tabelas com $k > 2$ e esperados diferentes: aplica-se o teste χ^2 se forem satisfeitas três exigências: $n \geq 10$ e $n^2/k \geq 10$ e $n/k \geq 2$ para testes com $\alpha = 0{,}05$ (para $\alpha = 0{,}01$, a última exigência fica $n/k \geq 4$).

---

[4] Note que 59% é a porcentagem esperada de indivíduos com eosinófilos no escarro em cada grupo se não houver associação entre presença de eosinófilos no escarro e tipo de pneumopatia.

(2) **Em tabelas de contingência** (dupla entrada):
   (a) Tabelas 2×2 (com duas linhas e duas colunas): nenhum E pode ser menor do que 5. Além disso, deve-se utilizar a correção de Yates (ver adiante) no cálculo do χ^2_{calc}. Se o esperado mínimo não for alcançado, usar o teste Exato de Fisher.
   (b) Tabelas 2×C (com duas linhas e mais de duas colunas): o χ^2 pode ser calculado se todos os E forem ≥ 1.
   (c) Tabelas L×C (com mais de duas linhas e mais de duas colunas): o teste χ^2 é um procedimento seguro se o número Esperado Médio for 6,0 ou maior para testes com $\alpha=0,05$, e 10,0 ou maior para testes com $\alpha=0,01$. O Esperado Médio pode ser obtido dividindo-se o total de indivíduos estudados pelo número de caselas.

OBSERVAÇÕES: (1) Já foi sugerido que o teste G, baseado na razão de verossimilhanças, fosse usado como uma alternativa para solucionar o problema dos "esperados pequenos", mas os autores não são unânimes em preferi-lo como substituto do χ^2 neste caso.
(2) Com o moderno desenvolvimento dos computadores pessoais e programas estatísticos, não é difícil obter o nível crítico amostral exato do χ^2_{calc} para amostras que apresentam valores de E pequenos demais.

CORREÇÃO PARA CONTINUIDADE DE YATES

Correções para continuidade são rotineiramente recomendadas nos testes χ^2 com $gl = 1$ (somente nestes casos). O número de graus de liberdade é 1 em tabelas de entrada simples com duas categorias e em tabelas 2×2. A correção para continuidade mais conhecida para este teste é a correção de Yates, embora sejam encontradas várias outras propostas na literatura[5]. A correção da Yates consiste em subtrair 0,5 de cada diferença absoluta entre números observados e esperados, antes de calcular o quadrado da diferença. O χ^2_{calc} com esta correção é obtido do seguinte modo:

$$\chi^2_{Yates} = \sum \frac{(|O-E|-0,5)^2}{E}$$

TABELA 15.7 Enzima glioxalase (GLO) em duas populações de *Saimiri sciureus ustus* do rio Jamari, Rondônia. À esquerda: números observados; à direita: cálculo do χ^2 com a correção de Yates

Tipo	Margem		O	E	O–E	|O–E|–0,5	(|O–E|–0,5)²/E
	Esquerda	Direita					
GLO 2	72	74	72	80,3	–8,3	7,8	0,758
GLO 2-3	22	3	22	13,7	8,3	7,8	4,441
Total	94	77	74	65,7	8,3	7,8	0,926
%GLO 2	77%	96%	3	11,3	–8,3	7,8	5,348
			171	171,0	0		11,473

Fonte: Silva e colaboradores, 1993.

---

[5] Zar (1999; p. 494) mostra como empregar a correção de Haber, melhor que a de Yates, mas de cálculo menos simples.

A aplicação da correção de Yates em um teste de comparação de proporções pode ser visto no Exemplo a seguir.

Exemplo 4. Em um estudo genético realizado em macacos amazônicos da subespécie *Saimiri sciureus ustus*, Silva e colaboradores (1993) encontraram variação nas freqüências de dois tipos da enzima glioxalase (GLO) em animais que vivem nas margens do rio Jamari, em Rondônia. Na Tabela 15.7 estão os números observados de animais com diferentes tipos enzimáticos, coletados nas margens esquerda e direita desse rio. A tabela ilustra também como se calcula o χ^2 com correção de Yates para esses dados.

O χ^2_{Yates} para os dados de Silva e colaboradores (1993) foi 11,473, com gl = 1, sendo estatisticamente significativo ao nível 0,001. Concluíram, corretamente, os autores que existe diferença entre as populações das duas margens do rio Jamari, sendo que o tipo GLO 2 é mais freqüente nos animais que vivem na margem direita deste rio.

FÓRMULA ALTERNATIVA PARA O CÁLCULO DO χ^2 EM TABELAS 2×2

Em tabelas 2×2, pode-se indicar as caselas por *A, B, C, D* e o total geral por *N*, como mostrado na Tabela 15.8. O χ^2 para tabelas desse tipo, com correção de Yates, pode ser obtido pela fórmula a seguir, computacionalmente mais conveniente (não se esqueça de verificar antes se algum E < 5). Para um cálculo sem a correção de Yates, retira-se do numerador a quantidade *N*/2.

$$\chi^2_{Yates} = \frac{N\left(|AD-BC|-\frac{N}{2}\right)^2}{(A+B)(C+D)(A+C)(B+D)}$$

Exemplo 5. Stein (1984) estudou 73 pacientes diabéticos, atendidos no Hospital de Clínicas de Porto Alegre, com o objetivo de avaliar a associação entre proteinúria (excreção excessiva de proteínas na urina) e presença ou não de retinopatia (doença degenerativa não-inflamatória da retina). Os pacientes com uma taxa de proteínas menor do que 1g/L na urina foram reunidos no grupo denominado "sem proteinúria" e aqueles com valores mais altos, no grupo "com proteinúria". Os dados obtidos em cada grupo estão apresentados na Tabela 15.8.

O menor valor esperado nesta tabela é 17×36/73 = 8,4 e já que este valor é maior do que 5, pode-se aplicar um teste χ^2 de associação. Usando para o cálculo a fórmula alternativa apresentada acima, obtém-se:

TABELA 15.8 Presença de retinopatia em diabéticos com e sem proteinúria

Pacientes	Presença de retinopatia		Total
	Sim	Não	
Com proteinúria	33 *(A)*	4 *(B)*	37
Sem proteinúria	23 *(C)*	13 *(D)*	36
Total	56	17	73 *(N)*

Fonte: Stein, 1984.

$$\chi^2_{Yates} = \frac{N\left(|AD-BC|-\frac{N}{2}\right)^2}{(A+B)(C+D)(A+C)(B+D)} = \frac{73\left(|33\times13-4\times23|-\frac{73}{2}\right)^2}{37\times36\times56\times17} = \frac{6591918,3}{1268064} = 5,20.$$

O $\chi^2_{Yates} = 5,20$ excede o valor crítico para $gl = 1$ e $\alpha = 0,05$ (3,84), rejeitando-se, assim, a independência entre presença de proteinúria e de retinopatia. Conclui-se, então, que os pacientes que têm proteinúria apresentam uma freqüência maior de retinopatia (33/37 ou 89%) do que aqueles que não têm proteinúria (64%). O valor-P associado a esta conclusão é $0,02<P<0,05$.

16

Amostras

De uma forma geral, as populações ou universos nos quais o pesquisador está interessado são grandes demais para serem estudados na sua totalidade. O tempo necessário para estudar toda a população, as despesas e o número de pessoas envolvidas são de tal monta que tornam o estudo proibitivo. Por isso, o mais comum é se estudarem amostras retiradas da população de interesse.

Para que os resultados obtidos em uma amostra possam ser generalizados para a população, isto é, para que se possam realizar inferências válidas, a amostra deve ser *representativa* da população. A melhor maneira de se obter uma amostra representativa é empregar um procedimento aleatório para a seleção dos indivíduos.

Uma vantagem de se usarem amostras aleatórias é que, para este tipo de amostras, existem inúmeros métodos estatísticos que poderão auxiliar o pesquisador. Na verdade, todas as técnicas apresentadas neste texto pressupõem o uso de amostras aleatórias. Além disto, tal tipo de amostragem não dá oportunidade ao pesquisador de escolher, mesmo de forma inconsciente, uma amostra que favoreça a hipótese que ele gostaria de ver confirmada.

Alguns procedimentos básicos para a obtenção de amostras aleatórias são apresentados a seguir.

PRINCIPAIS PROCEDIMENTOS DE AMOSTRAGEM

Amostragem aleatória simples

Uma *amostra aleatória simples* é aquela obtida de tal modo que todos os indivíduos da população têm igual probabilidade de serem selecionados.

Para se obter uma amostra aleatória simples, atribui-se, inicialmente, um número de ordem a cada elemento da população. A seguir, por meio de um dispositivo aleatório qualquer, seleciona-se ao acaso a quantidade desejada de indivíduos. Um procedimento aleatório a ser utilizado pode ser colocar em uma urna todos os números que serão submetidos ao sorteio, retirando depois alguns às cegas. Pode-se ainda usar os números de loteria sorteados nos últimos anos, ou uma tabela de números aleatórios (como a Tabela A.13), ou ainda programas de computador para selecionar aleatoriamente os componentes da amostra.

Um ponto importante a salientar é que, usando este procedimento, nenhum indivíduo, por ter esta ou aquela característica, terá oportunidade maior de ser escolhido, pois a escolha independe da vontade do selecionador da amostra.

Amostragem aleatória estratificada

Às vezes, a população é constituída de subpopulações ou estratos e pode ser razoável supor que a variável de interesse apresenta comportamento diferente nos distintos estratos. Neste caso, para que uma amostra seja representativa, ela deve apresentar a mesma estratificação do universo de origem. Para garantir que o procedimento aleatório produza uma amostra estratificada adequada, deve-se:

(1) Verificar quais os estratos presentes na população.
(2) Calcular seus tamanhos relativos (proporções).
(3) Determinar o tamanho dos estratos na amostra, observando estas mesmas proporções.
(4) Obter aleatoriamente os elementos para cada estrato, ou sorteando dentro de cada estrato, ou sorteando dentro da população e preenchendo os espaços reservados para cada estrato.

Exemplo 1. Deseja-se avaliar o número médio de cáries em escolares de 8 anos de certa escola. Como parece razoável supor que esta variável depende do nível socioeconômico da criança, o procedimento de amostragem escolhido é o de amostragem por estratos. Para tanto,

(1) Verifica-se, inicialmente, quais os níveis socioeconômicos existentes nessa escola (suponha que sejam três: A, B e C).
(2) Avalia-se a participação relativa de cada um, por exemplo, o nível A abrange 3% da população, o nível B 22% e o C, 75%.
(3) Determina-se então que, para uma amostra de 120 crianças, quatro deverão ser do nível A (pois 3% de 120 é 3,6), 26 do nível B e 90 do C.
(4) Sorteiam-se, aleatoriamente, quatro dentre as crianças do nível A, 26 do B e 90 do C. Ou então realiza-se o sorteio diretamente do total de crianças da escola e preenchem-se as subamostras conforme os indivíduos vão sendo selecionados. Caso seja sorteado um número que corresponda a um aluno A e já tenham sido selecionadas quatro crianças para este estrato, o número é desprezado e o sorteio prossegue.

Os extratos podem ser estabelecidos com base em variáveis qualitativas, como visto acima, ou variáveis quantitativas; neste caso, os estratos são determinados com base em faixas de valores, por exemplo, faixas etárias.

Amostragem aleatória sistemática

Se os elementos da população estão ordenados de alguma maneira (em listas, filas, prateleiras, linhas de produção), é possível realizar uma amostragem sistemática, a qual é feita do seguinte modo:

(1) Escolhe-se uma constante conveniente.
(2) Sorteia-se o primeiro indivíduo.
(3) Evitam-se tantos indivíduos quantos forem indicados pela constante e toma-se o indivíduo seguinte.
(4) Repete-se o processo a partir do segundo passo até obter o tamanho amostral desejado.

Exemplo 2. Em um hospital há 10 mil fichas de pacientes. Deseja-se uma amostra de 500 pacientes, isto é, 5% ou um a cada 20 indivíduos da população. O ponto de partida será uma ficha selecionada aleatoriamente dentre as primeiras 20, por exemplo a de número 9. A próxima a ser retirada será a 29ª, a seguinte a 49ª, etc.

Nas amostras sistemáticas, deve-se estar atento para a possibilidade da variável em estudo apresentar ciclos que se confundam com a constante utilizada na amostragem, o que poderia invalidar os resultados do estudo.

Amostragem aleatória por conglomerados

Se a população apresenta-se subdividida em pequenos grupos ou conglomerados (freqüentemente no espaço), é muitas vezes conveniente a realização da amostragem diretamente nos conglomerados, do seguinte modo:

(1) Identificam-se os conglomerados por meio de números de ordem.
(2) Sorteiam-se os conglomerados.
(3) Analisam-se todos os indivíduos pertencentes aos conglomerados sorteados.

Exemplo 3. Deseja-se fazer uma pesquisa de opinião em uma vila. Numeram-se os quarteirões, que são os conglomerados, em um mapa. Sorteia-se uma determinada quantidade de quarteirões. Todas as residências do quarteirão escolhido deverão ser visitadas para obtenção dos dados desejados.

CÁLCULO DO TAMANHO MÍNIMO DA AMOSTRA

Não existe número fixo para o tamanho da amostra a ser estudada. Há uma solução para cada caso, dependendo:

(1) Do tipo de problema que se quer resolver. Exemplos de problemas possíveis são: caracterizar uma variável ainda não-investigada na população; comparar duas populações quanto a uma variável dada; verificar se duas variáveis estão associadas.
(2) Do tipo de variável. Estudos envolvendo variáveis qualitativas geralmente exigem amostras maiores. Dentre as variáveis quantitativas, as que apresentam maior variabilidade nos dados também exigem amostras maiores.
(3) Da magnitude do erro estatístico aceito pelo pesquisador. Quanto menos o pesquisador quer errar em suas conclusões, maior deverá ser o tamanho da amostra.
(4) Do tamanho da diferença considerada importante pelo pesquisador em uma comparação entre grupos. Diferenças menores exigem amostras maiores.

(5) Do poder desejado para o teste, isto é, da probabilidade de que a amostra identifique uma diferença ou um efeito real.
(6) Do tempo, verbas e pessoal disponíveis, bem como da dificuldade em se obterem os dados e da complexidade do experimento.

O tamanho mínimo amostral é obtido a partir da análise estatística que se pretende realizar, posteriormente, com os dados do experimento. Tanto nos testes de hipóteses quanto no cálculo de intervalos de confiança, está embutida uma medida do erro de amostragem, que é o erro padrão. Ora, este envolve o tamanho amostral (n), sendo, portanto, um ponto de partida natural para a determinação de n, como será visto a seguir.

O número de fórmulas para se obter n acompanha a multiplicidade de tratamentos estatísticos possíveis. Será apresentado a seguir o raciocínio que acompanha o cálculo de n para estimar a média de uma população. Os demais raciocínios seguem o mesmo padrão e serão dadas apenas as fórmulas correspondentes a alguns dos modelos básicos de análise estatística.

Cálculo de n para estimar μ

Exemplo 4. A hemoglobina, importante pigmento transportador de oxigênio e CO_2, é um tetrâmero composto de duas cadeias α e duas β. A α-talassemia é uma anemia hereditária causada pela diminuição parcial ou total da síntese da cadeia α da hemoglobina. Suponha que certo pesquisador deseja saber qual a média para a contagem de eritrócitos (por mm^3 de sangue) em crianças com α-talassemia. Quantas crianças ele deve estudar para obter tal estimativa?

Neste caso, a obtenção de n é feita a partir da fórmula do intervalo de confiança que estima μ:

$$\hat{\mu} = \bar{x} \pm t_{\alpha;gl} \frac{s}{\sqrt{n}}.$$

O limite inferior deste intervalo de confiança é dado por:

$$\hat{\mu}_I = \bar{x} - t_{\alpha;gl} \frac{s}{\sqrt{n}}.$$

Escrevendo $\hat{\mu}_I = \mu$ para simplificar, reunindo as médias no mesmo lado e multiplicando ambos os lados da igualdade por (-1), tem-se:

$$\bar{x} - \mu = t_{\alpha;gl} \frac{s}{\sqrt{n}}.$$

Reordenando os elementos e elevando ao quadrado os dois lados da igualdade resulta:

$$(\bar{x} - \mu)^2 = \frac{s^2}{n} \times (t_{\alpha;gl})^2$$

e então,

$$n = \frac{s^2}{(\bar{x} - \mu)^2} \times (t_{\alpha;gl})^2.$$

O número n é o tamanho amostral *mínimo* a ser utilizado pelo pesquisador.

Para calcular n, é necessário ter uma estimativa da variabilidade da característica (s^2), que pode ser obtida de uma amostra-piloto ou da literatura. Suponha que revisando a literatura, o pesquisador observou que em uma amostra de 531 recém-nascidos normais estudados em Porto Alegre, a média ±desvio padrão para a contagem de eritrócitos foi 4,8 ± 0,6 milhões/mm^3 (Pedrollo, Hutz e Salzano, 1990). Se for razoável supor que a variabilidade em crianças normais e crianças com α-talassemia é semelhante, esse desvio padrão pode ser usado como uma estimativa provisória de s para se calcular n.

Agora é necessário estabelecer o erro de estimação admissível, isto é, uma diferença máxima, aceita como razoável, entre a média a ser obtida na amostra e a média verdadeira ($\bar{x} - \mu$). Pela fórmula, pode-se ver que quanto menor esta diferença, maior será n. Suponha que o pesquisador estipula em 0,2 milhão/mm^3 o erro máximo para sua estimativa.

Falta apenas obter da tabela o valor de $t_{\alpha;gl}$ para substituir na fórmula. Ora, esse valor depende do nível de confiança (1 – α) desejado para a estimativa e de gl (= $n-1$). Suponha que foi escolhido o nível 95%. Como resolver o problema de encontrar gl se ainda não se tem n? A solução é escolher um tamanho amostral provisório n_0, calcular gl e obter $t_{\alpha;gl}$. Estas informações são colocadas na fórmula, encontra-se novo valor de n e volta-se à tabela para obter novo valor de $t_{\alpha;gl}$. Realizam-se vários cálculos iterativamente, até que n estabilize.

Suponha que o pesquisador escolheu um valor inicial $n_0 = 30$. Então, $gl = 29$, $t_{\alpha;gl} = t_{0,05;29} = 2,045$ e

$$n_1 = \frac{s^2}{(\bar{x} - \mu)^2} \times (t_{\alpha;gl})^2 = \frac{(0,6)^2}{(0,2)^2} \times (2,045)^2 = 9 \times 4,182 = 37,6.$$

No cálculo de n, a aproximação é sempre feita para o inteiro imediatamente superior. Então, se $n_1 = 38$, $gl = 37$, $t_{0,05;37} \cong 2,021$ e

$$n_2 = \frac{(0,6)^2}{(0,2)^2} \times (2,021)^2 = 9 \times 4,084 = 36,8.$$

Para $n_2 = 37$, $t_{0,05;36} \cong 2,021$, logo $n_3 = 37$ e o valor de n estabiliza em 37.

O pesquisador necessita, então, de no mínimo 37 indivíduos para estimar, com 95% de confiança, a média da contagem de eritrócitos na população de recém-nascidos com α-talassemia. Se ele considerar que o tamanho amostral está muito grande, poderá usar uma precisão menor (isto é, uma diferença maior entre $\bar{x} - \mu$), ou uma estimativa com menor confiança (por exemplo, 90%), ou ambas as coisas.

Note que o valor calculado de n é uma aproximação, já que os cálculos são feitos com base na suposição de que a estimativa de s^2 usada na fórmula não é muito diferente do valor real.

Fórmulas para o cálculo do tamanho amostral

O tamanho amostral depende de qual é o objetivo do pesquisador, que pode desejar:

(1) Estimar um parâmetro (média, percentagem, coeficiente de correlação).
(2) Comparar amostras.

Serão apresentadas, a seguir, algumas fórmulas para o cálculo de n para ensaios que envolvam uma ou duas amostras. Para experimentos diferentes destes, veja fórmulas em Zar (1999).

Cálculo de *n* visando estimar parâmetros

(*f* 1) Para estimar a média da população (μ):

$$n = \frac{s^2}{(\overline{x} - \mu)^2} \times (t_{\alpha;gl})^2$$

Obs.: É necessário ter uma estimativa provisória de s (de uma amostra-piloto ou da literatura) e realizar iterações[1], conforme explicado; $(\overline{x} - \mu)$ é o erro admissível de estimação e $gl = n - 1$.

(*f* 2) Para estimar uma proporção (*P*) na população (a variável é dicotômica):

$$n = \frac{P(1-P)z_\alpha^2}{(p-P)^2}$$

Obs.: é necessário uma suposição provisória sobre o valor da proporção populacional (*P*); não são necessárias iterações.

(*f* 3) Para estimar o coeficiente de correlação:

$$n = \frac{(1-r^2) \times (t_{\alpha;gl})^2}{r^2} + 2$$

Obs.: É necessário supor um valor de correlação a ser detectado pela amostra e realizar iterações, conforme explicado; $gl = n - 2$.

Cálculo de *n* visando comparar dois grupos

As fórmulas a seguir foram obtidas de Kirkwood (1988; p. 196-197) e Zar (1999; p. 529 e 559). Todas exigem uma estimativa provisória sobre a variância (s^2) ou a proporção (*P*) e uma decisão prévia sobre o tamanho da diferença, entre os parâmetros, que se deseja detectar.

Nas fórmulas (*f* 4) e (*f* 5), t_α é o valor de tabela da distribuição *t* de Student para o nível de significância bilateral que será usado na análise dos dados ($t_{\alpha;gl}$) e u_β é o valor de *t unilateral,* para o mesmo número de graus de liberdade, correspondente a β, isto é, 1 menos o poder desejado para o teste (veja Exemplo 5).

Do mesmo modo, em (*f* 6) e (*f* 7) z_α é o valor de z crítico para um teste bilateral com nível de significância igual a α e $w_\beta = z_\beta$, que é o valor crítico *unilateral* de z para uma probabilidade de erro tipo II igual a β (ou um poder igual a $1-\beta$; veja Exemplo 6).

(*f* 4) Para comparar uma média amostral ($\overline{x}$) com uma média populacional (μ), isto é, para testar H_0: $\mu_A = \mu_0$:

$$n = \frac{s^2}{(\mu_A - \mu_0)^2} \times (t_\alpha + u_\beta)^2,$$

sendo $gl = n-1$ e t_α e u_β valores da tabela *t* de Student para este número de graus de liberdade.

(*f* 5) Para comparar as médias de dois grupos independentes (H_0: $\mu_A = \mu_B$):

$$n \text{ para cada amostra} = \frac{s_A^2 + s_B^2}{(\mu_A - \mu_B)^2} \times (t_\alpha + u_\beta)^2,$$

sendo que $gl = (n_A + n_B - 2)$, s^2_A e s^2_B são estimativas provisórias das variâncias nas populações A e B, respectivamente, e t_α e u_β são valores da tabela *t* de Student, como já explicado.

---

[1] Processo de resolução de uma equação mediante uma seqüência de operações repetitivas, em que o resultado de cada uma é usado para solucionar uma das incógnitas da seguinte.

(f 6) Para comparar uma proporção amostral (p) com uma proporção populacional (P_0) (H_0: $P_A = P_0$):

$$n = \frac{\left[z_\alpha \sqrt{P_0 Q_0} + w_\beta \sqrt{P_A Q_A}\right]^2}{(P_A - P_0)^2},$$

onde $Q = 1 - P$ e z_α e w_β são valores da curva normal, conforme explicado anteriormente.

(f 7) Para comparar duas proporções amostrais (H_0: $P_A = P_B$):

$$n \text{ para cada amostra} = \frac{\left[z_\alpha \sqrt{2 P_0 Q_0} + w_\beta \sqrt{P_A Q_A + P_B Q_B}\right]^2}{(P_A - P_B)^2},$$

onde $P_0 = (P_A + P_B)/2$ e z_α e w_β são valores da curva normal, como já explicado.

Exemplo 5. Um biólogo quer comparar dois genótipos observados em borboletas da espécie *Dryas iulia*, quanto ao comprimento das asas. Quantas borboletas devem ser estudadas para que o pesquisador possa identificar uma diferença, se houver, entre genótipos de pelo menos 2 mm no comprimento das asas, com poder de 80%? O pesquisador deseja realizar, ao final do trabalho, uma análise estatística na qual será usado um nível de significância de 0,05.

A fórmula que o pesquisador deve usar é a (f5). Para substituir na fórmula os valores de s^2_A e s^2_B, o pesquisador consulta seus colegas de laboratório e recebe a informação que em uma amostra dessa espécie de borboletas estudada anteriormente, o desvio padrão para o comprimento da asa foi 1,7 mm (dados de K. Haag, Dep. Genética, UFRGS). Ele faz então a suposição de que a variabilidade no comprimento das asas é a mesma nos dois genótipos e usa esta estimativa no cálculo do tamanho amostral.

As informações disponíveis são:

$s^2_A = s^2_B = (1,7)^2 = 2,9$ $\qquad \alpha = 0,05$
$(\mu_A - \mu_B) = 2$ mm $\qquad$ poder $= 1 - \beta = 0,80$ e então $\beta = 0,20$.

Como n ainda não está determinado, o pesquisador não pode calcular gl para obter os valores tabelados de t. A solução é escolher um valor de n_0 para iniciar os cálculos e depois realizar iterações até que o valor de n estabilize, conforme exemplificado a seguir.

Começando com $n_0 = 30$: $gl^1 = 30 + 30 - 2 = 58$; $t_\alpha = t_{0,05\text{bilateral};58} = 2,000$ e $u_\beta = t_{0,20\text{unilateral};58} = 0,848$. Então,

$$n_1 = \frac{s^2_A + s^2_B}{(\mu_A - \mu_B)^2} \times (t_\alpha + u_\beta)^2 = \frac{2,9 + 2,9}{(2)^2} \times (2,000 + 0,848)^2 = 1,45 \times 8,11 = 11,8 \cong 12$$

Observe que apenas os valores de t_α e u_β variam nas diferentes iterações, de modo que é conveniente reservar o valor 1,45, correspondente ao termo $(s^2_A + s^2_B)/(\mu_A - \mu_B)^2$, para uso nos próximos cálculos.

---

[1] Lembre-se de que o número de graus de liberdade em um teste t para amostras independentes é $n_A + n_B - 2$.

Quando $n_1 = 12$: $gl = 22$; $t_\alpha = t_{0,05;22} = 2,074$ e $u_\beta = t_{0,20;22} = 0,858$.
Então, $n_2 = 1,45 \times (2,074+0,858)^2 = 12,5 \cong 13$.

Repetindo os cálculos, verifica-se que o valor calculado estabiliza em $n = 13$ para cada amostra. Pode-se, então, dizer que o número de indivíduos necessário para identificar uma diferença de pelo menos 2 mm no comprimento das asas, com um nível de 0,05 de significância e poder de 80%, é de no mínimo 13 borboletas por genótipo.

Exemplo 6. Certo oftalmologista costuma realizar dois tipos de cirurgias para correção de descolamento de retina e tem observado que a técnica A cura aproximadamente 40% dos pacientes, enquanto a técnica B determina cura em cerca de 80% das vezes. Esse médico deseja planejar uma investigação que compare as duas técnicas. Quais devem ser os tamanhos amostrais para que o pesquisador possa demonstrar que esta diferença é estatisticamente significativa, para $\alpha = 0,05$, com um poder igual a 0,90?

A fórmula a ser aplicada para o cálculo de n é a (f 7). As informações disponíveis são:

$P_A = 0,4$ (proporção supostamente verdadeira de cura com a técnica A)
$P_B = 0,8$ (proporção supostamente verdadeira de cura com a técnica B)
$P_0 = (P_A+P_B)/2 = (0,4+0,8)/2 = 0,6$
$\alpha = 0,05$, então $z_{0,05} = 1,96$
poder = 0,90, $\beta = 0,10$ e então $w_{0,10\ unilat} = 1,28$ (valor de $|z|$ que limita uma área de 10% em uma das caudas da curva normal)

Aplicando a fórmula (f 7), tem-se:

$$n = \frac{\left[z_\alpha\sqrt{2P_0Q_0} + w_\beta\sqrt{P_AQ_A + P_BQ_B}\right]^2}{(P_A - P_B)^2}$$

$$n = \frac{\left[1,96\sqrt{2 \times 0,6 \times 0,4} + 1,28\sqrt{(0,4 \times 0,6) + (0,8 \times 0,2)}\right]^2}{(0,4 - 0,8)^2} = \frac{(1,356 + 0,810)^2}{(-0,4)^2} = 29,3.$$

São necessários, portanto, no mínimo 30 pacientes para cada técnica cirúrgica, totalizando 60 pacientes.

Este exemplo pode ser usado também para mostrar como se calculam tamanhos amostrais diferentes em planejamentos envolvendo duas amostras. Suponha que para cada paciente submetido à técnica A, três são submetidos ao procedimento B. Como se pode ajustar os tamanhos amostrais de modo que a amostra referente à cirurgia B seja o triplo da outra?

O ajustamento é feito com base na Tabela 16.1, onde a quantidade c indica quantas vezes uma das amostras será maior do que a outra. Nas condições estabelecidas acima, $c = 3$. Nessa tabela vê-se que quando $c = 3$, o tamanho amostral calculado da forma já mostrada deve ser multiplicado pelo fator de ajuste 2/3 para se determinar n_A, o tamanho da amostra menor (ou seja, $n_A = n \times 2/3$). O tamanho da amostra menor é então multiplicado por c para se determinar n_B, o tamanho da amostra maior (isto é, $n_B = n_A \times c$).

No projeto do oftalmologista, serão necessários $n_A = 30 \times 2/3 = 20$ casos submetidos à cirurgia A e $n_B = 20 \times 3 = 60$ casos de cirurgia B, totalizando 80 indivíduos.

TABELA 16.1 Fator de ajuste para o tamanho amostral em um delineamento com duas amostras, no qual uma das amostras é "c" vezes maior do que a outra

c	Fator de ajuste a ser usado no cálculo do tamanho da amostra menor*
2	3/4
3	2/3
4	5/8
5	3/5
6	7/12
7	4/7
8	9/16
9	5/9
10	11/20

*O n da amostra maior é c vezes o calculado para a amostra menor.
Fonte: Kirkwood,1988; p. 199.

Como se vê, para as mesmas condições de teste, o número total de indivíduos a serem estudados em uma investigação com tamanhos amostrais diferentes é maior do que o necessário em um ensaio envolvendo amostras de tamanhos iguais. No exemplo apresentado, o n total passou de 60 (plano com duas amostras com o mesmo tamanho) para 80 pacientes (uma das amostras três vezes maior do que a outra).

17

Análise da variância

Existem muitas situações nas quais um pesquisador deseja comparar mais do que dois grupos experimentais com relação a uma variável quantitativa. Suponha que quatro grupos estão sendo comparados em um mesmo experimento. A hipótese nula a ser testada é

$$H_0: \mu_A = \mu_B = \mu_C = \mu_D$$

À primeira vista, pode parecer correto realizar vários testes t entre os grupos, comparando-os dois a dois. Neste caso, haveria seis testes t de comparação entre médias: $\bar{x}_A$ vs $\bar{x}_B$, $\bar{x}_A$ vs $\bar{x}_C$, $\bar{x}_A$ vs $\bar{x}_D$, e assim por diante.

Tal procedimento, no entanto, é estatisticamente inadequado. O teste t foi delineado para, em um mesmo experimento, comparar-se uma média A com apenas uma outra, B, com probabilidade α de se concluir, incorretamente, por uma diferença que não existe. Se forem feitas mais de uma comparação envolvendo a média A, a probabilidade de um erro deste tipo passa a ser maior do que α. Assim, se H_0 é verdadeira e o nível α de significância é fixado em 0,05, a probabilidade de se concluir por uma diferença significativa entre as duas médias mais extremas não é mais 0,05, mas quatro vezes maior. E.S. Pearson (1942), pressupondo variâncias populacionais iguais e amostras grandes, mostrou que a probabilidade de se cometer um erro de conclusão do tipo I (concluir por uma diferença que não existe) aumenta com o número de médias que estão sendo comparadas, na forma apresentada na Tabela 17.1. Para $\alpha = 5\%$, a probabilidade é realmente 0,05 se a comparação for entre duas médias, porém passa a 0,14 se for feita entre três médias e chega a 0,26 se for entre quatro médias.

O procedimento correto para se evitar esse aumento no nível global de significância do experimento consiste em utilizar a técnica da Análise da Variância. Este método compara todas as médias em um único teste e visa a identificar a existência de ao menos uma diferença entre grupos, se alguma existir. Caso o resultado seja estatisticamente significativo, aplica-se posteriormente uma das várias técnicas existentes de comparações múltiplas entre as médias. Estes procedimentos permitem identificar quais as populações diferentes entre si, mantendo controlado o nível de significância do teste.

TABELA 17.1 Probabilidade de se cometer ao menos um erro do tipo I, usando testes *t* para comparar duas a duas todas as médias de um experimento com *k* grupos

Número de médias (*k*)	Nível de significância usado no teste		
	0,05	0,01	0,001
2	0,05	0,01	0,001
3	0,14	0,03	0,003
4	0,26	0,06	0,006
5	0,40	0,10	0,010
6	0,54	0,14	0,015
10	0,90	0,36	0,044

Fonte: Zar, 1999; p.178.

ANÁLISE DA VARIÂNCIA (ANOVA)

A análise da variância (ou ANOVA, de "ANalysis Of VAriance") é uma poderosa técnica estatística desenvolvida por R.A. Fisher. Ela consiste em um procedimento que decompõe, em vários componentes identificáveis, a variação total entre os valores obtidos no experimento. Cada componente atribui a variação a uma causa ou fonte de variação diferente; o número de causas de variação ou "fatores" depende do delineamento da investigação.

Um dos modelos mais simples de ANOVA é o que analisa os dados de um *delineamento completamente casualizado* ou *ANOVA a um critério de classificação* (*One way* ANOVA). Neste modelo, a variação global é subdividida em duas frações. A primeira é a variação entre as médias dos vários grupos, quando comparadas com a média geral de todos os indivíduos do experimento e representa o efeito dos diferentes tratamentos. A outra é a variação observada entre as unidades experimentais de um mesmo grupo ou tratamento, com relação à média desse grupo: tratam-se das diferenças individuais, ou aleatórias, nas respostas.

Resumidamente,

Variação total = Variação entre tratamentos + Variação dentro dos tratamentos.

A variação entre grupos experimentais ou tratamentos é estimada pela *variância entre tratamentos* ou simplesmente *Variância Entre*. A variação dentro do mesmo tratamento é estimada pela média das variâncias de cada grupo: é por isso chamada *variância média dentro dos grupos* ou *Variância Dentro*. Como ela representa também a fração da variabilidade que não é explicada pelo efeito dos tratamentos, é também chamada *Variância Residual* ou, ainda, *Variância do Erro Experimental*.

O teste de comparação entre os efeitos dos tratamentos baseia-se na pressuposição de que os *k* tratamentos A,B,... podem originar médias diferentes, mas a variação entre os indivíduos (σ^2) é igual em todas as populações que estão sendo comparadas. Em outras palavras, deseja-se testar a hipótese de igualdade entre médias

$$H_0 : \mu_A = \mu_B = ... = \mu_k$$

supondo homocedasticidade, isto é, supondo que $\sigma^2_A = \sigma^2_B = ... = \sigma^2_k = \sigma^2$.

Deduz-se daí que se houver efeito diferencial entre tratamentos, a variação entre eles deve ser maior que a variação dentro do mesmo tratamento. Ou seja, a

Variância Entre deve ser maior do que a Dentro. Isso equivale a dizer que se houver diferença entre grupos, o resultado da divisão da Variância Entre pela Variância Dentro deve ser maior do que 1. Esse cálculo é chamado de *razão F de variâncias,* em homenagem a Fisher, e seu resultado é comparado com um valor tabelado para então se rejeitar ou não H_0.[1]

ANOVA COM UM CRITÉRIO DE CLASSIFICAÇÃO

Os cálculos para obtenção das variâncias Entre e Dentro são mais trabalhosos do que os necessários para um teste *t.* Felizmente, foram desenvolvidas fórmulas alternativas que facilitam bastante o cálculo. As fórmulas apresentadas a seguir são válidas tanto para delineamentos em que as amostras têm tamanhos iguais quanto nos casos nos quais os tamanhos variam.

Exemplo 1. Deseja-se comparar três drogas analgésicas para reduzir a dor pós-operatória em pacientes submetidos à mesma intervenção cirúrgica. As drogas foram distribuídas entre os pacientes por um processo aleatório. Os índices de dor pós-operatória obtidos nesse experimento (dados fictícios) estão apresentados na Tabela 17.2, juntamente com os elementos de cálculo necessários para se realizar a análise da variância.

Na Tabela 17.3 (Tabela-resumo da ANOVA) estão os resultados finais da análise, organizados de forma a facilitar cálculos e conclusão. Nesta tabela estão: as causas de variação consideradas no modelo, as somas de quadrados (SQ) e os

TABELA 17.2 Índice de dor pós-operatória (variando de 0 = nenhuma a 10 = máxima) em pacientes que receberam uma de três drogas analgésicas (A)

	A1 (i=1)	A2 (i=2)	A3 (i=3)	Total
Grau de dor (x):	1 3	5 7 8	2 0 3	
n_i	2	3	3	8
$\Sigma x = T_i$	4	20	5	29
Σx^2	10	138	13	161
$\bar{x}$	2	6,7	1,7	
s	1,41	1,52	1,53	

---

[1] Em uma população de médias de amostras de tamanho *n*, a variância das médias é $\sigma^2(\bar{x}) = \sigma^2/n$. A variância de *x* ($\sigma^2$) pode ser obtida multiplicando $\sigma^2(\bar{x})$ por *n*, logo podem-se usar médias para estimar σ^2. Com *k* médias, pode-se calcular uma estimativa para $\sigma^2(\bar{x})$ usando a *Variância Entre* = $VE = \Sigma(\bar{x} - \bar{\bar{x}})^2/(k-1)$, onde $\bar{\bar{x}}$ é a média das médias. Estima-se então σ^2 multiplicando *VE* por *n*. Outra estimativa de σ^2 pode ser obtida da variação entre os indivíduos de cada amostra. Quando as populações têm médias diferentes, mas têm a mesma variância, a estimativa de σ^2 baseada em $\sigma^2(\bar{x})$ tende a superestimar σ^2, porque as diferenças entre as médias amostrais incluem não só a variação aleatória, mas também a variação determinada pelo efeito dos diferentes tratamentos. Por esta razão, se na comparação da *Variância Entre* com a *Variância Dentro* resultar um valor significativamente diferente de 1, pode-se concluir que os tratamentos diferem entre si.

TABELA 17.3 Análise da variância realizada com os dados da Tabela 17.2

Causas de variação	SQ	GL	QM	F_{calc}	$F_{5\%;2;5}$
Entre tratamentos	44,55	2	22,28	9,82	5,79
Dentro (resíduo)	11,33	5	2,27		
Total	55,88	7			

graus de liberdade (*GL*) de cada estimativa da variância. *Quadrado médio* (*QM* = *SQ/GL*) é a denominação tradicionalmente usada neste método para as várias estimativas da variância.

As fórmulas que deram origem a estes resultados estão a seguir, na ordem pela qual os cálculos são mais facilmente efetuados. O ideal é ir colocando os resultados na tabela-resumo à medida que forem sendo obtidos.

1. Termo de correção *C* (constante a ser usada em várias fórmulas):
   $C = (\Sigma x)^2 / \Sigma n_i = (29)^2 / 8 = 105,12$
2. *SQ Total* $= \Sigma x^2 - C = 161 - 105,12 = 55,88$
3. *SQ Entre* $= \Sigma \left(\dfrac{T_i^2}{n_i} \right) - C = \dfrac{4^2}{2} + \dfrac{20^2}{3} + \dfrac{5^2}{3} - 105,12 = 149,67 - 105,12 = 44,55.$
4. *SQ Dentro* ou *SQ Residual* = *SQ Total* − *SQ Entre* = 55,88 − 44,55 = 11,33
5. *GL Total* = (Σn_i) − 1 = 8 − 1 = 7
6. *GL Entre* = k − 1 = 3−1 = 2 (k é o número de tratamentos ou grupos)
7. *GL Dentro* ou *GL Residual* = (Σn_i) − k ou *GL Total* − *GL Entre* = 7−2 = 5
8. *QM Entre* = *SQ Entre* /*GL* Entre = 44,55/2 = 22,28
9. *QM Dentro* ou *QM Residual* = *SQ Dentro* /*GL Dentro* = 11,33/5 = 2,27

Se H_0 é verdadeira, isto é, se não há diferença entre as populações, então a *Variância Entre* deve ser igual à *Variância Dentro* e a razão *F* entre elas é 1. No entanto, mesmo sendo H_0 verdadeira, podem-se esperar diferenças aleatórias entre as variâncias *Entre* e *Dentro* porque os experimentos são realizados com amostras. Assim, existe a possibilidade de que F_{calc} flutue, ao acaso, ao redor de 1, sem que isso indique um efeito diferencial nos tratamentos.

Para testar a significância do valor de *F* obtido no experimento, isto é, verificar se o valor de F_{calc} difere de 1 ao acaso ou por efeito dos tratamentos, compara-se este valor com um *F* tabelado. Este último estipula o limite para uma diferença aleatória entre as variâncias *Entre* e *Dentro*. Se F_{calc} for menor que o *F* tabelado, conclui-se que não há diferença entre tratamentos (populações), já que a variação observada entre populações é da mesma ordem daquela observada dentro das populações. Se F_{calc} for maior do que $F_{\alpha;gl_N;gl_D}$, então há diferença entre populações.

Este teste é sempre *unilateral* e F_{calc} tem a seguinte fórmula:

$$F_{calc} = QM\ Entre\ /\ QM\ Dentro.$$

O valor crítico $F_{\alpha;gl_N;gl_D}$ tem o seguinte número de graus de liberdade:

gl_N = gl do numerador = *GL Entre* = k − 1
gl_D = gl do denominador = *GL Dentro* = (Σn_i) − k,

onde k = número de tratamentos do experimento e n_i = o tamanho amostral em cada tratamento. Essas quantidades podem ser obtidas diretamente da tabela-resumo da ANOVA (Tabela 17.3).

A seqüência de passos da ANOVA, exemplificada com os dados do Exemplo 1, é:

(1) $H_0: \mu_1 = \mu_2 = \mu_3$
H_1: Existe alguma diferença entre essas médias.
(2) $\alpha = 0{,}05$.
(3) GL numerador (Entre) = k - 1 = 3 - 1 = 2
GL denominador (Dentro ou Residual) = $(\Sigma n_i) - k = 8 - 3 = 5$
Então, $F_{0,05;2;5} = 5{,}79$.
(4) F_{calc} = QM Entre/QM Dentro = 22,28 / 2,27 = 9,82.
(5) Como $F_{calc} = 9{,}82 > F_{0,05;2;5} = 5{,}79$, rejeita-se H_0.

Conclui-se, então, que existe diferença entre drogas, ou seja, pacientes submetidos à cirurgia que recebem analgésicos diferentes apresentam em média níveis de dor diferentes.

O leitor atento deve ter notado que embora na H_0 esteja sendo feita uma afirmativa sobre igualdade entre médias, o teste dessa hipótese é feito usando uma razão entre variâncias. Isto é perfeitamente possível (ver Nota de rodapé 1) e é também fácil de entender intuitivamente: se houver efeito de tratamentos, ele deve se expressar por uma variação entre as médias; a variância entre os grupos expressa tal diferença.

É importante notar que na ANOVA, α é a probabilidade de se cometer ao menos um erro do tipo I durante o curso de *todas* as comparações, não é a probabilidade de erro I em uma única comparação. Isto é, α é a taxa de erro do experimento como um todo *(experimentwise error rate)* e não a taxa de erro de cada comparação *(comparisonwise error rate)*.

CONDIÇÕES PARA O USO DA ANOVA

Para que os resultados da ANOVA sejam válidos, é necessário que as variâncias amostrais (s^2_i) sejam semelhantes nas diferentes amostras. Além disso, x deve ter distribuição normal.

Felizmente, a ANOVA é um procedimento estatístico robusto e fornece resultados confiáveis mesmo com considerável heterocedasticidade, *desde que* os tamanhos amostrais sejam iguais ou aproximadamente iguais. Também é razoavelmente robusto ainda que a variável em estudo tenha uma distribuição bastante desviada da normal, especialmente se os n_i são grandes. Se, no entanto, os dados afastam-se excessivamente das pressuposições já indicadas, a solução é usar uma transformação nos dados ou um teste não-paramétrico; neste caso, o teste não-paramétrico indicado é o de Kruskal-Wallis.

COMPARAÇÕES MÚLTIPLAS ENTRE MÉDIAS

Um valor de F significativo na ANOVA não indica quais são os tratamentos significativamente diferentes entre si quando comparados dois a dois; ele apenas mostra que existe ao menos uma diferença entre os grupos estudados. A identificação de diferenças particulares entre médias, tomando-as duas a duas, deve ser feita usando um dos vários testes de *Comparações Múltiplas entre Médias* existentes na literatura. Esses testes são semelhantes ao t, com a diferença de que controlam o nível de significância ao levar em conta o número de comparações feitas no experimento. Além disso, nesta técnica estatística, a variância dentro dos grupos é estimada usando o *QM Resíduo*, que é baseado em todas as amostras, enquanto em um teste t a variância dentro dos grupos é estimada com base em duas amostras apenas.

Vários procedimentos têm sido propostos (ver, por exemplo, em Zar, 1999: 208) para prosseguir na análise dos dados, controlando a taxa de erro de cada comparação. Serão descritos, a seguir, três dos mais usados (Tukey, SNK e Bonferroni), os quais analisam todas as comparações possíveis, e serão indicadas as circunstâncias de utilização de outros dois. Tais procedimentos podem ser usados *na condição* de que o resultado do teste F seja estatisticamente significativo.

Teste de Tukey

O procedimento de Tukey é um complemento à ANOVA e visa a identificar quais as médias que, tomadas duas a duas, diferem significativamente entre si. O método de Tukey protege os testes de um aumento no nível de significância devido ao grande número de comparações efetuadas, conforme discutido no início deste capítulo. Note que se forem usados k grupos experimentais, é possível realizar $k(k-1)/2$ comparações de médias duas a duas.

Para realizar o teste de Tukey nos moldes propostos por Zar (1999: 210) deve-se seguir os passos indicados a seguir, exemplificados com os dados do Exemplo 1 na Tabela 17.4.

(1) Inicialmente, ordenam-se as médias da maior à menor, anotando o tratamento e o tamanho amostral correspondentes.
Tratamento: A2   A1   A3
$\bar{x}$:   6,7   2,0   1,7
n: 3   2   3

(2) Calculam-se então as diferenças entre a média maior e as demais, começando pelo par com a diferença maior (6,7 – 1,7) e prosseguindo com as demais (6,7 – 2,0) em ordem; faz-se o mesmo com a segunda média em tamanho (2,0 – 1,7) e assim por diante (Tabela 17.4, coluna 2).

(3) Estima-se o erro padrão (*EP*) de cada diferença entre médias, do seguinte modo:

$$EP = \sqrt{\frac{QM\ Res\'iduo}{2}\left(\frac{1}{n_A}+\frac{1}{n_B}\right)}.$$

TABELA 17.4 Teste de Tukey para os dados da Tabela 17.2

Comparação	$(\bar{x}_A - \bar{x}_B)$	$n_A;n_B$	*EP*(Tukey)	q_{calc}	$q_{0,05;3;5}$	Conclusão
A2 vs A3	6,7-1,7 = 5,0	3;3	0,870	5,747	4,602	Médias diferem
A2 vs A1	6,7-2,0 = 4,7	3;2	0,973	4,830	4,602	Médias diferem
A1 vs A3	2,0-1,7 = 0,3	2;3	0,973	0,308	4,602	Médias não diferem

onde *QM Resíduo* = *QM Dentro;* A e B indicam duas amostras quaisquer.

No caso da primeira comparação, por exemplo,

$$EP = \sqrt{\frac{2,27}{2}\left(\frac{1}{3}+\frac{1}{3}\right)} = 0,870.$$

(4) Para cada diferença entre médias, calcula-se a estatística de teste q:

$$q_{calc} = \frac{\bar{x}_A - \bar{x}_B}{EP}.$$

(5) O valor crítico de $q_{\alpha;k;GL\,Resíduo}$ é obtido da Tabela A.7, para um nível α de significância, k tratamentos e *GL* do resíduo. No método de Tukey, o valor crítico é o mesmo para todas as comparações entre médias.

(6) Se o valor calculado q_{calc} for maior do que $q_{\alpha;k;GL\,Resíduo}$, rejeita-se a hipótese nula H_0: $\mu_A = \mu_B$.

(7) Se uma diferença entre duas médias não é significativa, não há razão para existir diferença entre as médias compreendidas entre essas duas, por isso, as diferenças englobadas por uma diferença não-significativa não devem ser testadas. Por exemplo, se (6,7–1,7=5,0) fosse uma diferença não-significativa, não se deveria testar (6,7–2,0) nem (2,0–1,7).

O intervalo de confiança para a média de um tratamento μ_i, é dado por:

$$\bar{x}_i \pm t_{\alpha;GL\,resíduo}\sqrt{\frac{QM\,Resíduo}{n_i}}.$$

Assim, a estimativa do índice médio de dor para quem recebe o analgésico 2 é

$$IC_{95\%}:\ 6,7 \pm t_{0,05;5}\sqrt{\frac{2,27}{3}} = 6,7 \pm 2,571(0,870)$$

$$4,46 \leq \hat{\mu}_{A2} \leq 8,94.$$

Teste de Student-Newman-Keuls (SNK)

O teste SNK é realizado da mesma forma que o de Tukey, com exceção de que o valor crítico depende não do número de tratamentos envolvido no experimento (k), mas do número de médias incluídas (k') na amplitude de médias que está sendo testada. Assim, no exemplo visto, os valores críticos são:

A2 vs A3: 4,602 (k' = 3, pois a amplitude 6,7 – 1,7 engloba as médias 6,7; 2,0 e 1,7);
A2 vs A1: 3,635 (k' = 2, pois a amplitude engloba 6,7 e 2,0);
A1 vs A3: 3,635 (k' = 2, pois a amplitude engloba 2,0 e 1,7).

A justificativa para esta modificação reside no fato de que a diferença $(\bar{x}_{A2} - \bar{x}_{A3})$, avaliada no teste como se fosse uma diferença entre duas médias, na realidade envolve três, já que o valor 2,0 está incluído na amplitude testada (6,7–1,7), enquanto que $(\bar{x}_{A2} - \bar{x}_{A1})$ é realmente uma diferença entre duas médias. Portanto, não é justo que seja testada com o mesmo critério usado para testar a diferença anterior.

Zar (1999; p. 214) recomenda que o teste de Tukey, que é mais conservador, seja preferido ao SNK, mas não põe muita ênfase nessa recomendação, pois reconhece que outros autores acusam o teste de Tukey de ser conservador demais.

Correção de Bonferroni

O procedimento de Bonferroni consiste em corrigir o valor de α, calculando-se

$$\alpha_{Bonf} = \frac{\alpha}{m},$$

onde α é o nível de significância global do experimento e m é o número de comparações a serem realizadas. É necessário que a escolha das comparações – se não forem todas – seja feita *a priori* e não após a inspeção dos resultados (Wallenstein e colaboradores, 1980).

A correção de Bonferroni é usada em muitos testes estatísticos. No caso das comparações múltiplas realizadas após a ANOVA, o procedimento consiste em calcular uma diferença entre médias usando a fórmula abaixo:

$$t_{Bonf} = \frac{\bar{x}_A - \bar{x}_B}{\sqrt{QM\ Resíduo\left(\frac{1}{n_A} + \frac{1}{n_B}\right)}}.$$

Note que o denominador desta fórmula é diferente do usado nos testes de Tukey e SNK[2].

Este valor é comparado com o valor de t crítico, para o alfa corrigido de Bonferroni (α_{Bonf}) e $GL = GL\ Resíduo$ da tabela da ANOVA. Se t_{Bonf} for maior do que $t_{\alpha Bonf; GL\ Resíduo}$, rejeita-se H_0: $\mu_A = \mu_B$.

No caso do Exemplo 1, se o número de comparações desejado for todas as três possíveis e o α geral for 0,05, então

$$\alpha_{Bonf} = 0{,}05/3 = 0{,}0167.$$

Na tabela da distribuição t de Student, o nível α mais próximo de 0,0167 é 0,02 e então o valor crítico a ser usado nas comparações múltiplas é $t_{0,02;5} = 3{,}365$.

Na Tabela 17.5 estão os resultados dos cálculos e as conclusões para as comparações entre médias encontradas no Exemplo 1, usando a correção de Bonfer-

TABELA 17.5 Comparações entre as médias encontradas no Exemplo 1 usando a correção de Bonferroni

Comparação	$(\bar{x}_A - \bar{x}_B)$	$n_A; n_B$	EP(Bonf)	t_{Bonf}	$t_{0,02;5}$	Conclusão
A2 vs A3	6,7–1,7 = 5,0	3;3	1,230	4,065	3,365	Médias diferem
A2 vs A1	6,7–2,0 = 4,7	3;2	1,375	3,418	3,365	Médias diferem
A1 vs A3	2,0–1,7 = 0,3	2;3	1,375	0,218	3,365	Médias não diferem

[2] É também diferente do denominador do teste t usual, pois enquanto nesta estatística o erro padrão é calculado usando s^2_0 (que é uma estimativa da variância baseada apenas nas variâncias das amostras A e B), na fórmula do t_{Bonf} o QM do resíduo é uma estimativa baseada em todas as amostras usadas no experimento.

roni. Neste exemplo, não houve diferença entre os resultados obtidos com Tukey, SNK e Bonferroni.

Muitas vezes o valor crítico de Bonferroni não pode ser encontrado nas tabelas convencionais de t, mas se o GL do resíduo não for muito pequeno, pode-se obter um valor aproximado usando a curva normal (*e.g.* Edwards, 1985; p. 130), do seguinte modo:

$$t_{\alpha Bonf} = z + \frac{z^3 + z}{4 \times (GL\ Resíduo - 2)}$$

onde z é o valor crítico, para α_{Bonf}, obtido da tabela da distribuição normal.

A correção de Bonferroni não requer que as várias comparações sejam independentes, o que é uma vantagem. A desvantagem é que produz um teste mais conservador do que o Tukey, mas isso pode ser corrigido usando o procedimento seqüencial de Holm para a correção de Bonferroni (Rice, 1989; Wright, 1992).

Teste de Dunnett

Este teste é utilizado para comparar uma média, geralmente a do grupo-controle, com as demais. Aplica-se ao caso em que o pesquisador não está interessado em realizar todas as comparações possíveis, mas apenas as $(k - 1)$ de cada tratamento com o controle, aproveitando a vantagem de maior poder da análise de variância. Os procedimentos e a tabela necessários para realizar o teste de Dunnett podem ser encontrados em Zar (1999; p. 217).

Teste de Scheffé

Apesar de ser um teste menos poderoso que o de Tukey ou o SNK, pois é ainda mais conservador do que o primeiro, o teste de Scheffé é especialmente útil no caso dos contrastes múltiplos, quando se quer comparar um grupo de tratamentos com outro, por exemplo, A2+A3 contra A1. Zar (1999; p. 219) descreve o modo como se realiza este teste.

APRESENTAÇÃO DOS RESULTADOS

Existem duas formas para apresentar os resultados de uma comparação múltipla entre médias. A primeira consiste em ordenar os valores das médias, anotar a que tratamentos se referem e sublinhar as médias que não diferem significativamente entre si. Na segunda, colocam-se letras ao lado das médias: letras iguais indicam médias que não diferem significativamente entre si.

As duas formas estão ilustradas na Tabela 17.6, que apresenta os resultados obtidos na aplicação do teste de Tukey aos dados do Exemplo 1. A conclusão final da análise é a seguinte: com o analgésico 2, o nível médio de dor é superior ao das demais drogas; já as drogas A1 e A3 não diferem significativamente entre si, obtendo-se com elas um melhor controle da dor pós-operatória.

TABELA 17.6 Duas formas de apresentar os resultados de uma comparação múltipla de médias: dados do Exemplo 1

FORMA I				FORMA II		
				Analgésico	n	Média[2]
Droga	A2	A1	A3	A1	2	2,0 [a]
(n)	(3)	(2)	(3)	A2	3	6,7 [b]
Média[1]	6,7	<u>2,0 1,7</u>		A3	3	1,7 [a]

[1] Médias sublinhadas não diferem significativamente entre si pelo teste de Tukey (α=5%)

[2] Médias indicadas pela mesma letra não diferem significativamente entre si pelo teste de Tukey (α=5%)

ANOVA COM DOIS CRITÉRIOS DE CLASSIFICAÇÃO: DELINEAMENTO EM BLOCOS CASUALIZADOS

No capítulo sobre comparação de dados de duas amostras pareadas, viu-se que o pareamento é desejável em muitos experimentos, uma vez que tende a diminuir as diferenças individuais. Com isso, facilita a identificação de diferenças pequenas, porém reais, entre os tratamentos. O mesmo princípio do pareamento pode ser estendido para mais de dois tratamentos, organizando-se *blocos* de três ou mais valores relacionados entre si. O bloco representa, então, um conjunto de unidades experimentais homogêneas entre si. O par é um bloco particular, contendo apenas dois elementos.

Exemplo 2. Prosseguindo com o estudo do efeito de três drogas analgésicas sobre a dor que acomete pacientes após determinada cirurgia, suponha que os indivíduos estudados tenham sido reunidos em quatro blocos segundo a idade. Quer-se, com isso, controlar a variação natural existente entre as pessoas, para que ela não mascare uma possível diferença entre as drogas. A variação geral observada após a administração das drogas teria, agora, as seguintes explicações possíveis: o efeito de cada droga, a variação entre grupos de idade e a variação natural entre os indivíduos.

Resumindo,

Variação total = Variação entre tratamentos + Variação entre blocos + Variação residual
(drogas)   (idade)   (entre indivíduos)

Um modelo experimental deste tipo é denominado *Delineamento em Blocos Casualizados* e a análise chama-se *ANOVA a dois critérios de classificação (Two way ANOVA)*. É importante ressaltar que o critério de aleatorização, que faz parte de todo planejamento experimental bem feito, também deve ser observado aqui: embora os pacientes tenham sido reunidos em grupos homogêneos quanto à idade, os tratamentos foram atribuídos ao acaso entre as pessoas pertencentes ao mesmo bloco e todos os tratamentos foram estudados em cada bloco.

Uma conseqüência do delineamento em blocos é que se pode agora estimar a variação devida à idade, que pode ser subtraída da variação residual. Assim, o valor numérico do *QM Resíduo* diminuirá, restando apenas uma variação aleatória

TABELA 17.7 Comparação entre três analgésicos (A) na redução de dor pós-operatória, controlando por classe de idade dos pacientes (dados fictícios)

Analgésico:	A 1 (i=1)	A 2 (i=2)	A 3 (i=3)	Total (B_j)
Classe de idade:				
(j=1) I	0	5	1	6
(j=2) II	1	5	0	6
(j=3) III	2	7	3	12
(j=4) IV	3	8	3	14
Total ($T_i = \Sigma x$)	6	25	7	38
Σx^2	14	163	19	196
$\overline{x}$	1,5	6,25	1,75	

k = 3 tratamentos (drogas) n = 4 blocos (faixas etárias)

entre as pessoas, a qual não pode ser atribuída nem à droga nem à idade, que já foram levadas em consideração.

A Tabela 17.7 apresenta os resultados obtidos em 12 pacientes, reunidos em $n=4$ faixas etárias, que receberam um de $k=3$ diferentes analgésicos (A1 – A3).

As fórmulas abaixo indicam o modo de obter os elementos necessários para realizar a ANOVA a dois critérios de classificação, cujo resultado está indicado na Tabela 17.7.

1. $C = (\Sigma x)^2 / kn = (38)^2 / (3 \times 4) = 120,33$
2. $SQ\ Total = \Sigma x^2 - C = 196 - 120,33 = 75,67$
3. $SQ\ Trat = \dfrac{\Sigma (T_i^2)}{n} - C = \dfrac{6^2 + 25^2 + 7^2}{4} - 120,33 = 177,5 - 120,33 = 57,17$
4. $SQ\ Blocos = \dfrac{\Sigma (B_j^2)}{k} - C = \dfrac{6^2 + 6^2 + 12^2 + 14^2}{3} - 120,33 = 137,33 - 120,33 = 17,00$
5. $SQ\ Resíduo = SQ\ Total - SQ\ Trat - SQ\ Blocos = 75,67 - 57,17 - 17,00 = 1,50$
6. $GL\ Total = (kn) - 1 = (3 \times 4) - 1 = 11$
7. $GL\ Trat = k - 1 = 3 - 1 = 2$
8. $GL\ Blocos = n - 1 = 4 - 1 = 3$
9. $GL\ Resíduo = GL\ Total - GL\ Trat - GL\ Blocos = 11 - 2 - 3 = 6$.

A comparação entre tratamentos (drogas) é feita por meio de

$$F_{calc} = \dfrac{QM\ entre\ Trat}{QM\ Resíduo} = \dfrac{28,59}{0,25} = 114,36$$

TABELA 17.8 Análise da variância para comparar três analgésicos (tratamentos), em um delineamento em blocos casualizados (os blocos são as faixas etárias)

Fonte de variação	SQ	GL	QM	F_{calc}	$F_{0,05}$	Conclusão
Entre tratamentos (drogas)	57,17	2	28,59	114,36	5,14	Drogas diferem
Entre blocos (faixas etárias)	17,00	3	5,67	22,68	4,76	Blocos diferem
Resíduo	1,50	6	0,25			
Total	75,67	11				

Os graus de liberdade para este teste são: *GL* numerador = *GL Entre* e *GL* denominador = *GL Resíduo,* que podem ser obtidos diretamente da tabela da ANOVA.

No Exemplo 2, os graus de liberdade são 2 e 6, respectivamente, e $F_{calc} = 114{,}36$ é maior que $F_{0{,}05;2;6} = 5{,}14$, indicando que existe diferença significativa entre as drogas. A determinação da significância das diferenças entre tratamentos, tomados dois a dois, pode ser feita pelos testes de Tukey, SNK ou Bonferroni.

A variação entre blocos também pode ser testada. Em muitos casos, ela não é de particular interesse, pois está sendo considerada uma característica que reconhecidamente determina variação entre os indivíduos e que se deseja controlar. Se, no entanto, for interessante testar a variação entre blocos, é empregado também um teste F, calculado do seguinte modo:

$$F_{calc} = \frac{QM\ Blocos}{QM\ Resíduo} = \frac{5{,}67}{0{,}25} = 22{,}68$$

com *GL* numerador = *GL Blocos* (no exemplo, 3) e *GL* denominador = *GL Resíduo* (= 6).

Na Tabela 17.8, vê-se que F_{calc} para blocos é 22,68, maior do que $F_{0{,}05;3;6} = 4{,}76$. Conclui-se que, independentemente do analgésico utilizado, existe diferença significativa entre classes de idade quanto ao nível de dor pós-operatória.

Se o teste *F* para blocos for significativo, estará mostrando que houve uma melhora na precisão do experimento pelo uso do delineamento em blocos em vez do delineamento completamente casualizado.

Em geral, o ganho em eficiência no experimento é mais interessante para o pesquisador do que o próprio resultado do teste *F* para os blocos. Se o teste para blocos não for significativo, pode indicar que o pesquisador não teve sucesso em reduzir a variação residual ou que, na verdade, as unidades experimentais já eram homogêneas desde o início, não havendo necessidade, portanto, de reuni-las em blocos.

No exemplo considerado, um *F* para blocos não-significativo estaria indicando que inexiste evidência de que a idade do paciente seja um fator que determina diferenças na intensidade da dor pós-operatória. Note, porém, que um resultado não-significativo no teste para blocos (como, aliás, em qualquer teste estatístico) pode ser devido a um tamanho amostral pequeno em demasia para mostrar estatisticamente o efeito.

18

Testes não-paramétricos

As técnicas estatísticas clássicas usadas para estimar parâmetros e testar hipóteses possuem exigências claras: especificam, por exemplo, que os valores da variável estudada devem ter distribuição normal ou aproximadamente normal. Na prática, porém, muitas variáveis não apresentam este tipo de distribuição; às vezes, é difícil até mesmo determinar que tipo de distribuição apresentam, pois as amostras nem sempre são suficientemente grandes para tal tipo de avaliação.

Outra pressuposição freqüente nos testes clássicos é a da homogeneidade de variâncias entre as populações que estão sendo comparadas. No entanto, muitas vezes as variâncias são heterogêneas e, mesmo transformando os dados, não se consegue homocedasticidade.

Os testes sugeridos para analisar dados que não satisfazem as exigências das técnicas clássicas denominam-se *testes de distribuição livre,* por não dependerem do conhecimento da distribuição da variável na população, ou *testes não-paramétricos*. Esses testes são usados para comparar distribuições de dados quanto à locação, quanto à variabilidade ou ainda para avaliar a correlação entre variáveis.

Já há um grande número de técnicas não-paramétricas descritas (ver, por exemplo, Siegel, 1956; Daniel, 1978; Zar, 1999; Sprent e Smeeton, 2001); uma das mais conhecidas é o qui-quadrado, que foi descrito no Capítulo 15. Outras técnicas comuns que serão aqui apresentadas são: o teste U de Wilcoxon-Mann-Whitney, que corresponde ao teste t para amostras independentes, o teste T de Wilcoxon, correspondente ao t para amostras emparelhadas, o teste de McNemar para proporções em amostras emparelhadas, o coeficiente de correlação de Spearman para postos e o teste Exato de Fisher, que substitui o qui-quadrado em tabelas 2×2 quando a amostra é pequena. Também será descrita a técnica de Kruskal-Wallis, que é uma ANOVA não-paramétrica para um critério de classificação.

VANTAGENS E DESVANTAGENS DOS TESTES NÃO-PARAMÉTRICOS

Os testes não-paramétricos apresentam as seguintes vantagens em relação às técnicas clássicas:

(1) São as mais apropriadas quando não se conhece a distribuição dos dados na população. São também úteis quando essa distribuição é assimétrica e não se deseja realizar uma transformação dos dados, quando existe heterogeneidade nas variâncias ou ainda quando, na comparação entre tratamentos, a distribuição é gaussiana em alguns grupos e assimétrica em outros. São, por isso, testes de aplicação mais ampla do que os paramétricos.
(2) São os indicados quando a variável é medida em escala ordinal. Também existem técnicas não-paramétricas para variáveis cujas categorias não são ordenáveis.
(3) Quando as exigências das técnicas clássicas não podem ser satisfeitas, os métodos não-paramétricos são mais eficientes do que os testes paramétricos (nas situações em que tais exigências são satisfeitas, os paramétricos são mais eficientes).

As desvantagens dos testes não-paramétricos são:

(1) Quando utilizados em dados que satisfazem as exigências dos testes clássicos, os métodos não-paramétricos apresentam uma eficiência menor. Isto equivale a dizer que para se detectar uma diferença real entre duas populações por um teste não-paramétrico, o tamanho amostral deve ser um pouco maior do que seria necessário com um teste clássico. Por exemplo, em amostras de tamanho moderado, o teste de Wilcoxon-Mann-Whitney (WMW) tem um poder de aproximadamente 95% quando comparado com o teste t de Student. Assim, se o tamanho da amostra necessário para identificar uma diferença usando o teste de WMW é de 100 indivíduos, usando-se o teste t são necessários 95 indivíduos.
(2) Alguns autores afirmam que os testes não-paramétricos extraem menos informação do experimento porque são técnicas empregadas em dados mensurados em escalas não-quantitativas (ou dados quantitativos reduzidos para uma escala qualitativa ordenável). Realmente, em muitos testes não-paramétricos o valor real medido é substituído pelo posto ocupado na ordenação dos valores obtidos; neste caso, há perda de informação relativa à variabilidade da característica (uma diferença numericamente grande pode representar apenas uma mudança para o posto seguinte).
(3) Uma análise não-paramétrica pode vir a constituir uma operação tediosa, embora simples, se a quantidade de dados for grande. Tal problema não existe caso se disponha de um programa para computador que realize análises não-paramétricas.

TESTE U DE WILCOXON-MANN-WHITNEY (WMW)

O *teste de Wilcoxon-Mann-Whitney* foi desenvolvido primeiramente por F. Wilcoxon, em 1945, para comparar as tendências centrais de duas amostras independentes de tamanhos iguais. Em 1947, H.B. Mann e D.R. Whitney generalizaram a técnica para amostras de tamanhos diferentes. O teste U é um substituto do teste t para amostras independentes e pode ser empregado nas seguintes condições:

(1) As duas amostras são aleatórias e as observações, independentes, tanto entre quanto dentro das amostras.

(2) A variável de interesse tem uma distribuição subjacente contínua (isto é, a característica é contínua mesmo que os dados não o sejam, por exemplo, conceitos de A até E para mensurar grau de conhecimento em determinado assunto).

O teste U baseia-se no seguinte raciocínio: se na amostra A os valores são, em geral, menores do que na amostra B, quando se ordenam do menor ao maior os valores das duas amostras juntas, os postos ocupados pelos indivíduos da amostra A serão, em geral, menores do que os ocupados pelos da amostra B. Conseqüentemente, o posto médio em A será também menor do que o posto médio em B. Uma diferença estatisticamente significativa entre os dois postos médios estará indicando que a população A tem um valor de tendência central menor do que a população B.

Exemplo 1. Mattos (1994) estudou a morfologia das regiões organizadoras do nucléolo (RON) em células da cérvice uterina de mulheres com neoplasias cervicais e de mulheres sem esta característica (controles). De cada uma delas, foram examinadas 100 células e computou-se um escore (percentagem observada) para cada padrão morfológico. No padrão 1A, as RONs apresentam-se como manchas sólidas, redondas e de tamanhos diferentes. Na Tabela 18.1 está apresentada parte dos resultados referentes ao escore 1A em 9 controles e em 8 pacientes com carcinoma invasor.

Como não se conhece a distribuição do escore 1A na população, e o número de indivíduos estudados é pequeno para analisar adequadamente esta distribuição, a solução é comparar as duas amostras por meio de um teste não-paramétrico. A técnica adequada, neste caso, é o teste de Wilcoxon-Mann-Whitney, pois trata-se da comparação entre duas amostras independentes quanto a uma variável quantitativa.

Procedimentos para o emprego do teste U de WMW

Os procedimentos para o emprego do teste U são diferentes em experimentos com amostras pequenas (nas quais nenhuma das duas tem mais de 20 indivíduos) e experimentos nos quais ao menos uma tem tamanho superior a 20.

TABELA 18.1 Escore 1A (percentagem de células tipo 1A) em 9 controles e 8 pacientes com carcinoma invasor

Controles			Com carcinoma		
Pac.nº.	Escore 1A	Posto	Pac.nº.	Escore 1A	Posto
1	7	6	10	0	1,5
2	8	7,5	11	0	1,5
3	12	9	12	1	3
4	13	10	13	2	4
5	20	13	14	6	5
6	23	14	15	8	7,5
7	25	15	16	14	11
8	34	16	17	19	12
9	36	17			
$n_2 = 9$		$R_2 = 107,5$	$n_1 = 8$		$R_1 = 45,5$
$md = 20$			$md = 4$		

Fonte: Mattos, 1994; dados modificados.

Procedimento para amostras pequenas (nenhum n>20)

(1) Inicialmente, identifica-se a amostra menor como amostra 1 e a maior, como 2.
(2) Determinam-se os tamanhos amostrais n_1 e n_2.
(3) A seguir, iniciando pelo valor menor, coloca-se em ordem os valores das duas amostras *juntas* e anota-se ao lado de cada valor o posto (ou número de ordem) correspondente (coluna 3 nas Tabelas 18.1). Quando houver empates, o posto para cada valor empatado é a média dos postos que seriam ocupados por eles. No Exemplo 1, as pacientes 10 e 11 têm o mesmo escore (0) e deveriam ocupar os postos 1 e 2; o posto que é atribuído a ambas é 1,5.
(4) Obtêm-se R_1 e R_2, que são a soma dos postos nas amostras 1 e 2, respectivamente. Se a ordenação está correta, (R_1+R_2) deve ser igual a $N(N+1)/2$, sendo $N = n_1 + n_2$.
(5) Calculam-se U e U', do seguinte modo:

$$U = n_1 n_2 + \frac{n_1(n_1+1)}{2} - R_1$$

$$U' = n_1 n_2 + \frac{n_2(n_2+1)}{2} - R_2 \text{ ou } U' = n_1 n_2 - U.$$

(6) Denomina-se o *menor* destes dois valores de U_{calc}.
(7) Teste de hipóteses:
   (7.1) H_0: as duas populações não diferem quanto à locação;
   H_1: as duas populações diferem quanto à locação.
   (7.2) $U_{\alpha;n_1;n_2}$ é o valor crítico tabelado. Para $\alpha=0,05$, $n_1=8$ e $n_2=9$, $U_{0,05;8;9} = 15$ (Tabela A8).
   (7.3) Diferente dos testes vistos até aqui, rejeita-se H_0 se U_{calc} for *menor* ou igual ao valor crítico.
   No Exemplo 1, $n_1 = 8$, $n_2 = 9$, $R_1 = 107,5$ e $R_2 = 45,5$.
   Como $(107,5+45,5) = 153 = (17 \times 18/2)$, a ordenação está correta.
   Então,

$$U = 8(9) + \frac{8 \times 9}{2} - 45,5 = 62,5 \text{ e } U' = 8(9) - 62,5 = 9,5.$$

$$U_{calc} = 9,5 < U_{0,05;8;9} = 15.$$

   (7.4) Conclusão: como o valor calculado é menor do que o crítico, rejeita-se H_0 e conclui-se que a população de pacientes com carcinoma invasor difere da população-controle quanto ao escore 1A.

Uma medida adequada de locação (ou tendência central), nesses casos, é a mediana (*md*). Na amostra-controle, a mediana é 20, enquanto na amostra de pacientes *md* = 4. Tais valores indicam que o escore relativo ao padrão 1A é em geral menor em biópsias de mulheres com carcinoma do tipo invasor do que em biópsias de mulheres-controle, isto é, células tipo 1A são mais raras em mulheres com esse tipo de carcinoma.

Procedimento para amostras grandes

Quando houver mais de 20 observações na amostra maior ($n_2 > 20$), a estatística U passa a ter distribuição normal, com média $\mu_U = n_1 n_2 / 2$.

O teste então é feito do seguinte modo:

(1) Calcula-se

$$z_{calc} = \frac{U - \mu_U}{\sigma_U} = \frac{U - \dfrac{n_1 n_2}{2}}{\sqrt{n_1 n_2 (N+1)/12}}, \text{ onde } N = n_1 + n_2$$

Tanto U como U' podem ser utilizados na fórmula de z_{calc}.

(2) Compara-se o valor calculado com z_α, rejeitando-se H_0 se $|z_{calc}|$ for igual ou maior do que z_α, como se faz normalmente com um teste z.

(3) Quando $n_2 > 20$ e ocorrerem empates, deve-se substituir o denominador de z_{calc} por

$$\sigma_U = \sqrt{\left(\frac{n_1 n_2}{N^2 - N}\right)\left(\frac{N^3 - N - CE}{12}\right)}, \text{ onde}$$

$CE = \sum(t^3 - t)$ e t = número de observações empatadas em cada posto[1]. Assim, se, por exemplo, houver dois empates aos quais foi atribuído o posto 1,5 e outros três empates com o posto 8, $CE = (2^3-2)+(3^3-3) = 6+24 = 30$.

Exemplo 2. A Tabela 18.2 apresenta uma situação onde se calcula U com observações empatadas. Trata-se de conceitos obtidos por alunos em duas turmas de certa disciplina.

Para esses dados, o valor calculado de U é

$$U = 16(21) + \frac{16 \times 17}{2} - 303{,}5 = 168{,}5 \text{ e o valor de teste é}$$

TABELA 18.2 Comparação entre conceitos obtidos na mesma disciplina, com o mesmo professor, por alunos de duas turmas diferentes (dados fictícios)

Turma I				Turma II			
Conceito	Nº de alunos (f)	Posto	f × posto	Conceito	Nº de alunos (f)	Posto	f × posto
A	2	35,5	71	A	2	35,5	71
A−	1	33	33	B+	2	31,5	63
B	2	28	56	B	3	28	84
B−	3	23	69	B−	2	23	46
C+	1	17,5	17,5	C+	5	17,5	87,5
C	5	10	50	C	4	10	40
C−	2	3,5	7	C−	2	3,5	7
				D	1	1	1
n_1 = 16		R_1 =	303,5	n_2 = 21		R_2 =	399,5
Postos empatados (sublinhados): 1 2 3 4 5 6 7 8 9 10 11 12 13 14 15 16 17 18 19 20 21 22 23 24 25 26 27 28 29 30 31 32 33 34 35 36 37 $CE = (4^3 - 4) + (9^3 - 9) + (6^3 - 6) + (5^3 - 5) + (5^3 - 5) + (2^3 - 2) + (4^3 - 4) =$ $= 60 + 720 + 210 + 120 + 120 + 6 + 60 = 1296$							

---

[1] Temos, aqui, a mesma letra (*t*) representando coisas distintas: a estatística do teste de Student e o número de empates, nos testes não-paramétricos. Optou-se por não introduzir um novo símbolo porque este já está consagrado na literatura para ambas as finalidades.

$$z_{calc} = \frac{168,5 - (16 \times 21/2)}{\sqrt{\frac{16 \times 21}{37^2 - 37} \times \frac{37^3 - 37 - 1296}{12}}} = \frac{0,5}{32,20} = 0,016.$$

Como $|z_{calc}| = 0,016 < z_{0,05} = 1,96$, conclui-se que não há diferença entre turmas quanto ao desempenho. Note que a mediana na turma I está entre B– e C+, enquanto na II é C+.

TESTE *T* DE WILCOXON

O *teste T de Wilcoxon* substitui o *t* de Student para amostras pareadas quando os dados não satisfazem as exigências deste último. Foi também desenvolvida por F. Wilcoxon em 1945 e baseia-se nos postos das diferenças intrapares, dando maior importância às diferenças maiores (o que não é feito pelo "teste do sinal", outro teste não-paramétrico para amostras pareadas). A idéia que norteia o teste é a de que se o tratamento A produz valores maiores do que o tratamento B, as diferenças (A – B) de sinal positivo serão em maiores número e grau do que as diferenças de sinal negativo. Se ambos os tratamentos têm o mesmo efeito, as diferenças positivas e negativas devem se anular.

Este teste pressupõe que:

(1) Os dados são não-independentes dentro do par (isto é, pareados), mas são independentes entre os pares.
(2) A variável foi medida no mínimo em uma escala de intervalo[2]. No entanto, este teste é também usado para dados medidos em uma escala ordinal (Zar, 1999; p. 165).
(3) As diferenças intrapares constituem uma variável contínua, de distribuição simétrica ao redor da mediana (o teste do sinal não faz esta exigência, mas é menos poderoso).

Exemplo 3. O Prof. Marco A. Dornelles (Fac. Farmácia, UFRGS) mediu a colinesterase sérica em agricultores gaúchos que aplicaram inseticida em plantas de interesse comercial. Foram feitas duas coletas de sangue em cada pessoa: uma antes da aplicação da droga e outra 24 horas após. Parte dos resultados obtidos em indivíduos do sexo masculino está apresentada na Tabela 18.3. O que pode ser afirmado quanto ao efeito da exposição ao inseticida sobre o nível de colinesterase no sangue de adultos do sexo masculino?

A hipótese nula que se deseja testar é:

H_0: o nível de colinesterase é o mesmo antes e após a aplicação do inseticida.

Como os dados referem-se a dois momentos no mesmo indivíduo, trata-se de um conjunto de dados pareados e a hipótese é testada pelo teste de Wilcoxon.

---

[2] Escala de intervalo é uma escala de medida quantitativa na qual o zero é um valor arbitrário, como nas escalas Celsius e Fahrenheit de temperatura.

TABELA 18.3 Colinesterase total (μmol/mL de plasma) em 17 agricultores do sexo masculino: dosagens antes e após uma sessão de aplicação de inseticida em plantas

Indiv.	Antes (A)	Depois (D)	d = A − D	Posto	
1	8,30	6,84	1,46	17	
2	6,70	5,98	0,72	14	
3	7,80	7,10	0,70	13	
4	9,30	8,38	0,92	15	Σ |postos| = 153 = 17×18/2
5	6,50	6,07	0,43	10	
6	10,50	10,22	0,28	5	n = 17
7	6,90	5,87	1,03	16	
8	7,50	7,28	0,22	4	Soma dos postos com sinal
9	6,60	6,15	0,45	12	positivo: $T(+)$ = +139
10	6,70	6,26	0,44	11	
11	7,50	7,46	0,04	1,5	Soma dos postos com sinal
12	7,40	7,69	−0,29	−6	negativo: $T(-)$ = −14
13	8,10	7,95	0,15	3	
14	8,80	9,15	−0,35	−8	
15	7,60	7,56	0,04	1,5	
16	9,40	9,07	0,33	7	
17	7,20	6,78	0,42	9	
	md_A = 7,50	md_D = 7,28			

Fonte: Marco A. Dornelles (comunicação pessoal).

Procedimentos para o emprego do teste *T* de Wilcoxon

Procedimento para amostras com *n* até 100

Os procedimentos para amostras com até 100 indivíduos serão ilustrados com o Exemplo 3 (Tabela 18.3).

(1) Calcula-se inicialmente a diferença (d) em cada par de dados, conservando o sinal da diferença.
(2) Desprezam-se as diferenças iguais a zero e denomina-se n o número de diferenças restantes (como se supõe que a variável "diferença" seja contínua, o número de zeros deve ser desprezível)[3]. No Exemplo 3, não há diferenças iguais a zero, logo, $n = 17$.
(3) Ordenam-se as diferenças por tamanho, *da menor à maior*, ignorando-se o sinal. No caso de empates, usa-se a média dos postos empatados. Se a ordenação estiver correta, a soma do valor absoluto dos postos deve ser igual a $n(n+1)/2$. No exemplo, essa soma foi 153 (=17×18/2).
(4) Transfere-se o sinal da diferença ao posto correspondente.
(5) Somam-se os postos com sinal positivo e denomina-se $T(+)$ à soma. Faz-se a mesma coisa com os postos indicados com o sinal negativo e a soma recebe o nome de $T(-)$. T_{calc} será a menor, em valor absoluto, destas somas. No Exemplo 3, os postos positivos somam $T+ = 139$ e os negativos, $T(-) = -14$ (Tabela 18.3). Como $|T(-)| < |T(+)|$, então $T_{calc} = |-14| = 14$.

---

[3] Para incluir na análise as diferenças iguais a zero, é necessário empregar a tabela de valores críticos fornecida em Rahe (1974). Ver detalhes do procedimento em Zar (1999; p.168).

O efeito de empates é geralmente pequeno, por isso não é feita correção para empates nesse procedimento (Gibbons, 1971; p. 113).

(6) Teste de hipóteses:
(6.1) H_0: os níveis de colinesterase sérica não diferem nos dois momentos (antes e após a aplicação de inseticida);
H_1: os níveis de colinesterase sérica diferem nos dois momentos.
(6.2) $T_{\alpha;n}$ é o valor crítico para o teste, obtido da Tabela A.9. Neste exemplo, $T_{0,05;17} = 34$.
(6.3) Como no teste de WMW, rejeita-se H_0 se T_{calc} for *menor ou igual* ao T crítico.

Como $T_{calc} = 14 < T_{0,05;17} = 34$, rejeita-se H_0. Conclui-se que houve uma diminuição significativa nos níveis de colinesterase sérica após a exposição ao inseticida (mediana antes da aplicação = 7,50 µmol/mL; md após a aplicação = 7,28 µmol/mL). O nível crítico amostral relativo ao teste em questão pode ser obtido, por aproximação, pela tabela de valores críticos para o teste de Wilcoxon e é $0,005 > P > 0,001$.

Procedimento para amostras grandes

Quando o número de diferenças n for superior a 25, a distribuição da estatística T aproxima-se de uma distribuição normal e o teste de significância pode ser feito usando-se essa distribuição. No entanto, a Tabela A.9, disponível neste texto, possui os valores críticos exatos para amostras com até 100 diferenças, portanto, somente será necessário calcular z quando o tamanho amostral for superior a este número. A fórmula usada para testar a significância da estatística T de Wilcoxon por meio da distribuição normal é a seguinte:

$$z_{calc} = \frac{\left| T - \frac{n(n+1)}{4} \right|}{\sqrt{\frac{n(n+1)(2n+1) - \frac{CE}{2}}{24}}}.$$

CE é a correção a ser usada se houver empates; não havendo empates, $CE = 0$. Esta correção é $CE = \sum (t^3 - t)$, onde t é o número de empates por posto.

A regra de rejeição de H_0, no caso, é a clássica para um teste que usa a distribuição normal: se $|z_{calc}|$ for igual ou maior do que z_α, rejeita-se Ho.

Exemplo 4. A médica Maria Liége B. de Oliveira (1994) mediu a pressão arterial sistólica de 96 recém-nascidos em dois momentos: quando tinham entre 12 e 24 horas de vida (A) e quando tinham entre 24 e 48 horas de vida (B). Desejava-se testar a hipótese de que a pressão sistólica apresenta valores diferentes nesses dois momentos de vida do recém-nascido, usando $\alpha = 0,001$.

Os dados foram analisados por um programa de computador, que forneceu os seguintes resultados:

Diferenças iguais a zero: 6
Soma das diferenças positivas $T+ = 73$ Mediana no momento A: 67,0
Soma das diferenças negativas $T- = -17$ Mediana no momento B: 70,5
$z = 5,23$ (P = 0,000)

Para se realizar o teste usando diretamente a tabela de valores críticos de Wilcoxon, determina-se primeiro que $T_{calc} = 17$, pois $|-17| < |+73|$. Retirando as diferenças iguais a zero, resulta $n = 96 - 6 = 90$, então o valor crítico para $\alpha = 0{,}001$ é $T_{0,001;90} = 1240$. Ora, $T_{calc} = 17 < T_{0,001;90} = 1240$. Conclui-se que os níveis de pressão arterial sistólica diferem nos dois momentos, sendo mais elevados após 24 horas a contar do nascimento (neste período a mediana obtida foi maior).

Conforme foi visto, para um tamanho amostral superior a 25 pode-se usar a distribuição normal para testar a significância de T. O valor de z_{calc} fornecido pelo programa de computador que realizou os cálculos foi 5,23, que é muito maior do que 3,29, o valor crítico de z para o nível de significância 0,001 (Tabela A.1 ou última linha da Tabela A.2). Portanto, rejeita-se a hipótese de igualdade para os valores dos dois momentos. O valor-P associado a $z = 5{,}23$ confirma a decisão, aparecendo no relatório do programa como $P = 0{,}000$ (isto é, $P < 0{,}001$, já que $P = 0$ indicaria a probabilidade de um evento impossível).

COEFICIENTE DE CORRELAÇÃO PARA POSTOS DE SPEARMAN

O coeficiente de correlação Spearman é a mais antiga estatística baseada em postos. Foi desenvolvida em 1904 e exige que as variáveis tenham sido medidas pelo menos em escala ordinal, para que os valores possam ser ordenados. Este coeficiente, indicado por r_S quando calculado em uma amostra, pode também ser empregado quando variáveis quantitativas não satisfazem as exigências para o teste do coeficiente produto-momento de Pearson (r), como distribuição bivariada normal e homocedasticidade.

O coeficiente de Spearman varia entre -1 (correlação perfeita negativa) e $+1$ (correlação perfeita positiva), passando pelo valor 0 (ausência de correlação), da mesma forma que o coeficiente r de Pearson. A sua interpretação é semelhante à deste último, lembrando, porém, que r_S indica correlação entre postos e não entre os valores efetivamente medidos.

Para calcular r_S, cada indivíduo da amostra deve ter um valor para x e um para y, as variáveis que se supõe estarem correlacionadas. Ordenam-se, então, os valores de x e os de y, em separado. Se as características estiverem correlacionadas positivamente, postos baixos em uma delas serão, em geral, acompanhados de postos também baixos na outra, e postos altos em x corresponderão a postos altos em y. Nas correlações negativas, os postos altos em uma variável estarão ao lado de postos baixos na outra e vice-versa. Se, por outro lado, não houver correlação entre x e y, os postos altos atribuídos a valores de x podem corresponder a postos baixos, médios ou altos de y, indiferentemente. Portanto, a comparação entre os postos de x e y, observados em cada indivíduo, indica o tipo de correlação existente. O cálculo de r_S baseia-se nas diferenças entre os postos de x e y.

Exemplo 5. Melo (1993) estudou várias características da lagoa do Diogo, localizada na Estação Ecológica Jataí, em São Paulo. A Tabela 18.4 apresenta as dosagens de nitrato realizadas na água e a profundidade da lagoa, em diferentes épocas. Deseja-se saber se há correlação entre a medida de nitrato e o nível de água da lagoa no momento da coleta.

O cálculo do coeficiente de Spearman (em vez do r de Pearson) justifica-se aqui, por dois motivos. Em primeiro lugar, a mensuração do nitrato é problemáti-

TABELA 18.4 Variação temporal do nitrato (µg/L) e da profundidade (m) na lagoa do Diogo: cálculo do coeficiente de correlação de Spearman (em itálico, postos empatados)

Mês/ano	Nitrato (x)	Profund. (y)	Posto de x	Posto de y	d	d²
03/1988	30,6	4,2	8	11	3	9
05/1988	17,2	3,2	5	9	4	16
06/1988	36,2	2,2	10	6	-4	16
10/1988	<	1,9	*2*	2	0	0
11/1988	<	2,0	*2*	*4*	2	4
12/1988	13,7	2,0	4	*4*	0	0
01/1989	98,1	5,1	12	13	1	1
02/1989	111,4	4,3	13	12	-1	1
05/1989	19,4	2,3	6	7	1	1
06/1989	23,2	2,4	7	8	1	1
08/1989	37,2	2,0	11	*4*	-7	49
12/1989	<	1,7	*2*	1	-1	1
01/1990	34,5	3,4	9	10	1	1
Σ					0	100

<: Abaixo do limite de detecção, que é 10 µg/L.

ca: o instrumento utilizado somente detecta valores acima de de 10 µg/L e, portanto, qualquer valor abaixo desse limite é indeterminado. Assim, para se calcular o r de Pearson, as determinações relativas aos meses de outubro e novembro de 1988 e dezembro de 1989 teriam de ser retiradas da amostra. No cálculo do coeficiente de Spearman, que se baseia em postos, não é necessário descartar esses dados. Em segundo lugar, as distribuições das duas variáveis parecem ser assimétricas; o uso de uma técnica não-paramétrica dispensa preocupações com este problema.

Procedimentos para obtenção do coeficiente de Spearman

(1) Inicia-se ordenando do menor ao maior os valores de x (no Exemplo 5, x = medida de nitrato). Se houver empates, atribui-se a média aos postos empatados. (Note que há três casos em que o nível de nitrato está abaixo do limite de detecção. Esses dados receberiam os postos 1, 2 e 3; como estão empatados, o posto atribuído a todos é 2).
(2) Repete-se a ordenação (menor ao maior) para os valores de y (profundidade).
(3) Calculam-se as diferenças (d) entre os postos determinados para cada variável, em cada linha da tabela. Conservar o sinal da diferença; a soma das diferenças deve ser zero.
(4) As diferenças são elevadas ao quadrado (d^2) e somadas.
(5) Calcula-se r_S da seguinte forma:

$$r_S = 1 - \frac{6 \Sigma d^2}{n^3 - n}, \text{ onde } n = \text{número de pares de valores.}$$

No Exemplo 5,

$$r_S = 1 - \frac{6\,(100)}{13^3 - 13} = 1 - \frac{600}{2184} = 1 - 0{,}275 = 0{,}725.$$

(6) Um número muito elevado de empates pode afetar o valor de r_S. Deve-se usar, então, a seguinte fórmula com correção para empates:

$$r_S = \frac{A_x + A_y - \Sigma d^2}{2\sqrt{A_x A_y}},$$

onde tanto para x (A_x) como para y (A_y),

$$A = \frac{(n^3 - n) - \Sigma(t^3 - t)}{12}$$

e t é o número de empates em cada posto.

No Exemplo 5, ocorreram três empates no posto 2 nos dados de nitrato, e também três empates com posto 4 nos dados de profundidade. Então,

Para o nitrato (x): $\Sigma(t^3 - t) = (3^3 - 3) = 24$ e $A_x = \dfrac{(13^3 - 13) - 24}{12} = 180$.

Para a profundidade (y) : $\Sigma(t^3 - t) = (3^3 - 3) = 24$ e $A_y = \dfrac{(13^3 - 13) - 24}{12} = 180$.

Assim, $r_S = \dfrac{180 + 180 - 100}{2\sqrt{180 \times 180}} = \dfrac{260}{360} = 0{,}722$.

O coeficiente de Spearman parece indicar uma correlação positiva entre os níveis de nitrato e a profundidade da água na lagoa do Diogo. Resta, agora, realizar um teste de hipóteses para verificar se esse valor pode ser um achado casual ou é evidência de que a correlação realmente existe.

Teste de significância de r_S

A hipótese nula do teste para r_S estabelece que a correlação de Spearman é zero na população. Para confirmá-la ou rejeitá-la, usa-se uma tabela exata para r_S (Tabela A.12), na qual estão indicados os valores significativos de $r_{S(\alpha;n)}$ para vários níveis de significância (α) e diferentes tamanhos mostrais (n). Se o valor obtido for igual ou superior ao tabelado, a correlação é estatisticamente significativa para o nível α selecionado.

No Exemplo 5, r_S calculado foi 0,725. O valor tabelado de r_S para um teste bilateral, $\alpha = 0{,}01$ e $n = 13$ é $r_{S\,(0,01;\,13)} = 0{,}703$. Portanto, o coeficiente de correlação obtido entre o nível de nitrato e a profundidade da lagoa é estatisticamente significativo, para $\alpha = 0{,}01$.

Para valores de n superiores a 30, pode-se ou usar diretamente a Tabela A.12 de valores exatos (se $n \leq 100$) ou realizar um teste t, do mesmo modo que se testa a significância do coeficiente r de Pearson:

$$t_{calc} = \frac{r_S}{\sqrt{\dfrac{1 - r_S^2}{n - 2}}}$$

Neste caso, o valor de t_{calc} obtido é comparado com o t de Student crítico, com ($n - 2$) graus de liberdade (Tabela A.2) e a regra de decisão é a tradicional para o teste: se $|t_{calc}|$ for igual ou maior do que o t crítico, a correlação é estatisticamente significativa.

Exemplo 6. Foi medida a pressão arterial sistólica (PAS) e a diastólica (PAD) em 58 mulheres caucasóides, de 17 a 39 anos de idade, 24 horas após terem dado à luz uma criança (dados de Oliveira, 1994). Deseja-se verificar qual a correlação entre as duas medidas de pressão arterial, em tais condições. Como a PAD não apresentou distribuição gaussiana e a nuvem de pontos no gráfico de dispersão não tinha forma elíptica, foi decidido avaliar a correlação pelo coeficiente de Spearman. O valor obtido foi $r_S = 0,602$.

Pela Tabela A.12 de valores exatos para r_S, observa-se que em amostras de $n = 58$, $r_S = 0,602$ é maior do que o valor crítico para $\alpha = 0,001$ ($r_{S\,(0,001;\,58)} = 0,424$). Portanto, a correlação obtida é estatisticamente significativa (P < 0,001).

Caso se opte por usar a distribuição t de Student, o teste é feito do seguinte modo:

$$t_{calc} = \frac{0,602}{\sqrt{(1-0,602^2)/(58-2)}} = 5,642 > t_{0,001;56} = 3,460.$$

Conclui-se, então, que existe correlação positiva entre os valores de pressão arterial sistólica e diastólica em mulheres caucasóides, 24 horas após o parto.

TESTE DE McNEMAR

Quando a variável em estudo é dicotômica (do tipo sucesso/fracasso), a comparação entre duas amostras pode ser feita pelo teste z para proporções ou pelo teste qui-quadrado para tabelas 2×2, mas tais testes são válidos somente na condição de que as amostras sejam independentes. Se os dados das duas amostras forem dependentes entre si, não é lícito utilizar tais testes. Há dependência entre amostras quando o sujeito é o controle de si mesmo ou quando foi realizado um pareamento indivíduo a indivíduo entre os membros das duas amostras. A opção correta para analisar os dados, no caso, é o *teste de McNemar* para duas amostras pareadas.

Exemplo 7. Suponha que se deseja comparar a eficácia de duas loções no alívio de irritações cutâneas causadas por certo agente. Essas duas loções poderiam ser testadas em 70 pessoas portadoras do problema em ambos os braços, administrando-se cada loção a um dos braços. Para evitar um possível efeito de lateralidade, envolvendo lado do corpo e tipo de loção, o correto seria designar por sorteio a loção a ser colocada em cada braço. Este procedimento caracteriza o que se denomina "emparelhamento".

TABELA 18.5 Organização dos resultados obtidos com a aplicação das loções I e II em 70 pacientes com irritações cutâneas nos braços (uma loção em cada braço, ao acaso)

A: Forma correta				B: Forma incorreta			
Alívio com a loção I	Alívio com a loção II		Total	Loção	Alívio		Total
	Sim	Não			Sim	Não	
Sim	18 (F)	9 (G)	27	I	27	43	70
Não	24 (H)	19 (I)	43	II	42	28	70
Total	42	28	70		69	71	140

No teste de McNemar, os resultados devem ser avaliados no par (no Exemplo 7, o par é constituído pelos dois braços de cada pessoa) e os dados devem ser organizados quanto à concordância ou discordância dentro do par, como indicado na Tabela 18.5A. Para isso, conta-se, inicialmente, o número de pessoas que obtiveram alívio nos dois braços (foram 18 concordâncias deste tipo) e coloca-se esse valor na casela denominada F. Nove indivíduos tiveram alívio com a loção I, mas não com a loção II; este número de discordâncias é colocado em G. Vinte e quatro pessoas tiveram alívio somente com a loção II (H) e em 19 casos, nenhuma surtiu efeito (casela I).

Note que a montagem da tabela é diferente da usada em um teste χ^2 para uma tabela 2×2. A forma incorreta de organizar os dados está indicada no lado direito da Tabela 18.5. Fica logo claro que esse modo de analisar os dados está errado, pois o tamanho amostral, que era 70, aumentou indevidamente para 140 (porque se está incorretamente considerando cada braço como um indivíduo).

Em 18+19 pacientes, as respostas obtidas nos dois braços foram concordantes, observando-se alívio com ambas as loções ou não se obtendo alívio com nenhuma (Tabela 18.5A). Os dados das caselas F e I não fornecem informação que permitam decidir qual das loções é a melhor. Sendo assim, as caselas informativas são apenas aquelas onde houve discordância (G e H), compreendendo um total de 33 pessoas. No teste de McNemar não são considerados os indivíduos que têm a mesma resposta para ambos os tratamentos[4].

O teste da hipótese nula (H_0) de que as duas loções têm o mesmo efeito é realizado raciocinando-se do seguinte modo:

Se H_0 é verdadeira, ao se considerar apenas os casos informativos espera-se que o número de pessoas discordantes do tipo "sim para I /não para II" seja o mesmo que o de pessoas do tipo "não para I /sim para II". Isto é, espera-se que os indivíduos discordantes ocorram com igual freqüência nas caselas G e H. No Exemplo 7, este número é a metade de 33 pacientes (16,5).

O teste de McNemar é um teste χ^2 de ajustamento, que compara as freqüências observadas (9 e 24) com as esperadas supondo igualdade de efeito para ambas as loções (16,5 e 16,5). Como só existem duas categorias a serem estudadas, o teste tem um grau de liberdade ($gl=2-1=1$) e, portanto, é necessário aplicar a correção de Yates. Note que pelas exigências de um teste qui-quadrado de ajustamento deste tipo, o total $G+H$ deve ser maior do que 25 e $n/2$ deve exceder 5 (Capítulo 15).

A Tabela 18.6 apresenta os cálculos efetuados para realizar o teste de McNemar nos dados do Exemplo 7. O valor calculado para o χ^2 é 5,94, sendo maior do que o valor crítico ($\chi^2_{1;0,05} = 3,84$) para um grau de liberdade e nível de significância de 5%. Rejeita-se, portanto, H_0 e conclui-se que as loções são diferentes quanto à eficácia. A loção II é melhor do que a I porque, considerando as 33 situações em que somente um dos tratamentos foi eficaz, em 24 (73%) o alívio foi conseguido pelo uso da loção II e somente em 9 (27%) foi alcançado com a loção I.

A fórmula a seguir é uma alternativa para o cálculo do qui-quadrado do teste de McNemar.

---

[4] Suissa e Shuster (1991) publicaram uma tabela especial para levar em conta o número total de pares estudados.

TABELA 18.6 Cálculos referentes ao teste de McNemar para os dados da Tabela 18.5

Categoria	O	E	$\|O - E\| - 0{,}5$	$(\|O - E\| - 0{,}5)^2/E$
G	9	16,5	7	2,970
H	24	16,5	7	2,970
Σ	33	33,0		5,940

$$\chi^2_{\text{McNemar}} = \frac{(|G-H|-1)^2}{G+H} = \frac{(|9-24|-1)^2}{9+24} = 5{,}94 \ (0{,}02 > P > 0{,}01).$$

TESTE EXATO DE FISHER

O *Teste Exato de Fisher* (T.E. Fisher) é a alternativa para tabelas 2×2 quando não se pode usar o teste χ^2 (porque algum valor esperado E é menor do que 5 ou o número total de indivíduos estudados é menor do que 25).

Esta técnica foi proposta na década de 1930, quase simultaneamente por R.A. Fisher, J.O. Irwin e F. Yates, em publicações separadas, mas é mais conhecida pelo nome do primeiro. É chamado de teste "exato" porque calcula a probabilidade exata de se obter, ao acaso, os resultados observados nas casela ou resultados ainda mais extremos, para os mesmos totais das margens. Para aplicar o T.E.Fisher, os dados devem ter sido obtidos em duas amostras independentes.

Exemplo 8. Um exemplo fictício de situação em que se deveria usar este teste é o do pesquisador que classifica duas espécies de macacos do Novo Mundo quanto à capacidade de realizar determinada tarefa. Os resultados poderiam ser os apresentados na Tabela 18.7.

As hipóteses que o pesquisador deseja testar são:

H_0: a proporção de animais que realiza a tarefa é a mesma nas duas espécies ($P_I = P_{II}$)
H_A: a proporção de animais que realiza a tarefa é diferente nas duas espécies ($P_I \neq P_{II}$).

Para realizar o teste de hipóteses, calcula-se a probabilidade de ocorrer a distribuição de dados que foi observada ou uma distribuição ainda mais extrema se H_0 for verdadeira. Ou seja, calcula-se o nível crítico amostral ou valor-P, que é a cauda da curva de distribuição do teste. Se a probabilidade calculada for inferior ao valor de α previamente estipulado, estará indicando que a distribuição de dados observada não deve ser casual, rejeitando-se, portanto, a hipótese nula.

TABELA 18.7 Número de animais das espécies I e II que realizam certa tarefa (dados fictícios)

	Realizam a tarefa		Total	Proporção de animais que realizam a tarefa
	Sim	Não		
Espécie I	1 (A)	8 (B)	9 (TL_1)	0,11
Espécie II	7 (C)	3 (D)	10 (TL_2)	0,70
Total	8 (TC_1)	11 (TC_2)	19 (N)	

Procedimentos para a obtenção da probabilidade exata (valor-P)

(1) Calcula-se inicialmente $Pr(1)$, a probabilidade de que as freqüências observadas ocorram ao acaso se H_0 for verdadeira:

$$Pr(1) = \frac{TL_1! \, TL_2! \, TC_1! \, TC_2! \, / \, N!}{A! \, B! \, C! \, D!}$$

Os números obtidos nos fatoriais podem ser muito grandes, dificultando o cálculo. Uma forma mais fácil de lidar com números grandes é usar uma transformação logarítmica (natural ou decimal, indiferentemente). Toma-se, a seguir, o antilogaritmo do resultado (isto é, exponencia-se o valor obtido) para chegar ao valor de $Pr(1)$.

Aplicando a transformação logarítmica à expressão anterior[5], tem-se:

$\log Pr(1) = (\log TL_1! + \log TL_2! + \log TC_1! + \log TC_2! - \log N!) - (\log A! + \log B! + \log C! + \log D!)$

Então, $Pr(1) =$ antilog $[\log Pr(1)]$.

OBSERVAÇÃO: $5! = 5 \times 4 \times 3 \times 2 \times 1 = 120$
$0! = 1$, por definição.

No exemplo da Tabela 18.7, usando logaritmos à base 10, tem-se:

$\log Pr(1) = (\log 9! + \log 10! + \log 8! + \log 11! - \log 19!) - (\log 1! + \log 8! + \log 7! + \log 3!)$
$\log Pr(1) = (7,24111) - (9,08610) = -1,84499$
$Pr(1) =$ antilog $(-1,845) = 10^{-1,845} = 0,0143$.

A probabilidade exata de se obter ao acaso, as freqüências observadas, portanto, é 0,014. Tal valor é indicativo de que a proporção de animais que conseguem realizar a tarefa não é a mesma nas duas espécies. Esta, porém, não é a probabilidade final, pois a hipótese nula também seria rejeitada se os resultados fossem ainda mais extremos do que estes[6], razão pela qual para testar H_0 é necessário calcular também a probabilidade desses resultados.

TABELA 18.8 Resultados mais extremos que poderiam ser observados entre 9 animais da espécie I e 10 da espécie II, sendo 8 indivíduos capazes de realizar a tarefa e 11 incapazes de realizá-la

	Realizam a tarefa		
	Sim	Não	Total
Espécie I	0	9	9
Espécie II	8	2	10
Total	8	11	19

---

[5] Lembre que $\log(A \times B) = \log A + \log B$ e $\log (A/B) = \log A - \log B$.
[6] Um resultado mais extremo seria: 0 dentre 9 indivíduos da Espécie I realizam a tarefa.

(2) Prossegue-se, então, calculando-se as probabilidades relativas a resultados mais extremos, que serão somadas à $Pr(1)$ para se obter a área caudal da distribuição de teste (na verdade, a área das duas caudas somadas, pois o teste é bilateral).

Tendo-se designado por $Pr(1)$ a probabilidade calculada na tabela observada de dados, chamam-se de $Pr(2)$, $Pr(3)$, etc. aos valores calculados para situações mais extremas.

Para encontrar uma distribuição de freqüências mais extrema do que a observada, localiza-se o menor valor dentre A, B, C e D (Tabela 18.7). Subtrai-se 1 dessa freqüência e ajustam-se as outras três, de modo que os totais marginais (TL_1, TL_2, TC_1 e TC_2) sejam os mesmos. Calcula-se $Pr(2)$ da mesma forma utilizada para $Pr(1)$.

Repete-se o procedimento iterativamente até que em uma das caselas o valor chegue a zero.

No Exemplo 7, a casela de menor freqüência é $A = 1$. Subtraindo-se 1 desse valor e ajustando as demais casela em relação aos totais marginais, temos as freqüências apresentadas na Tabela 18.8. Para esta tabela, a probabilidade $Pr(2)$ é:

$\log Pr(2) = (\log 9! + \log 10! + \log 8! + \log 11! - \log 19!) - (\log 0! + \log 9! + \log 8! + \log 2!)$
$\log Pr(2) = (7,24111 - 10,46631) = -3,22520$
$Pr(2) = $ antilog $(-3,22520) = 0,0006$.

Como não há uma distribuição de dados mais extrema do que esta, pois A chegou a zero, pode-se passar à etapa seguinte.

(3) Calcula-se agora a probabilidade bicaudal final de se obterem, ao acaso, os resultados observados ou resultados ainda mais extremos, caso H_0 seja verdadeira:
Pr (bicaudal final) $= 2 \Sigma (Pr) = 2 (0,0143 + 0,0006) = 0,0298 = $ valor-P.
(4) Este valor é agora comparado com o de α escolhido previamente (lembre-se de que α representa um teto de probabilidade, abaixo do qual se rejeita H_0

TABELA 18.9 Freqüências possíveis nas casela A, B, C e D, quando os totais marginais são os indicados na Tabela 18.8, e respectivos valores de Pr. Em negrito, as freqüências observadas e aquelas ainda mais extremas do que as observadas

Freqüências nas casela				
A	B	C	D	Pr*
0	**9**	**8**	**2**	**0,0006**
1	**8**	**7**	**3**	**0,0143** ← Tabela observada
2	7	6	4	0,1000
3	6	5	5	0,2801
4	5	4	6	0,3501
5	4	3	7	0,2000
6	3	2	8	0,0500
7	**2**	**1**	**9**	**0,0048**
8	**1**	**0**	**10**	**0,0001**
				1,0000

* Probabilidade de se observarem as freqüências A, B, C e D se H_0 for verdadeira.

por serem os resultados muito improváveis ao acaso): a probabilidade final obtida ($P=0,03$) foi menor do que 0,05, nível de significância que é comumente usado. Rejeita-se, portanto, H_0 e conclui-se que a proporção de indivíduos que consegue realizar a tarefa estipulada difere nas duas espécies. A espécie II possui mais animais capazes de realizá-la (7/10 contra 1/9 na espécie I).

Multiplicar por 2 a soma das probabilidades das várias tabelas para se obter a probabilidade bicaudal é, na verdade, uma simplificação conservadora. O correto seria organizar as tabelas do outro extremo da curva, calcular as probabilidades exatas e somá-las às obtidas na primeira parte do teste. A Tabela 18.9 mostra os valores de Pr para todos os resultados possíveis quando os totais marginais são 9, 10; 8 e 11. A probabilidade bilateral exata para o teste desejado é 0,0143+0,006 (na Espécie I, um ou menos indivíduos realizam a tarefa) mais 0,0048+0,001 (um ou menos indivíduos na Espécie II realizam a tarefa), isto é, o valor exato de P é 0,0198.

Os cálculos necessários para o T.E.Fisher são bastante tediosos. Zar (1999: App 143) apresenta uma tabela com valores críticos com os quais são comparadas as freqüências observadas pelo pesquisador. Existem também programas de computador que realizam rapidamente a tarefa de calcular o valor-P.

ANÁLISE DE VARIÂNCIA NÃO-PARAMÉTRICA: TESTE DE KRUSKAL-WALLIS

Quando são violadas de forma importante as pressuposições de normalidade e homocedasticidade, não se pode confiar no resultado de uma análise de variância tradicional, pois a probabilidade de se cometer um erro do Tipo I afasta-se marcadamente de α. A alternativa não-paramétrica para a ANOVA a um critério de classificação é o *teste de Kruskal-Wallis*. Este teste é uma generalização do teste de Wilcoxon-Mann-Whitney (WMW) e serve, portanto, para se compararem duas ou mais populações quanto à tendência central dos dados. O teste não-paramétrico para a ANOVA a dois critérios de classificação é o teste de Friedman (ver em Siegel, 1956; Daniel, 1978; Zar, 1999 ou Sprent e Smeeton, 2001).

Como no teste de WMW, inicia-se o teste de Kruskal-Wallis ordenando os valores observados de todas as k amostras *juntas*. A seguir, somam-se os postos atribuídos a cada valor. Postos empatados recebem o valor do posto médio.

A estatística do teste é:

$$H = \frac{12}{N(N+1)} \sum \frac{R_i^2}{n_i} - 3(N+1)$$

onde n_i = tamanho de cada amostra, $N = \sum n_i$ = número total de indivíduos e R_i = soma dos postos em cada amostra.

Um modo prático de conferir se não houve erro no procedimento de ordenação é verificar se $\sum R_i = N(N+1)/2$.

A Tabela A.10 fornece os valores críticos exatos para H ($H_{\alpha\,n_1;\,n_2;...}$) quando se trata de experimentos onde o número de grupos (k) é pequeno ($k \leq 5$) e os tamanhos amostrais são reduzidos. Por exemplo, para três amostras com 8 indivíduos cada e $\alpha = 0,05$, $H_{0,05;8;8;8} = 5,805$. Quando as amostras são maiores ou há mais do que 5 grupos, a estatística de teste H tem uma distribuição que se aproxima da qui-quadrado. Nesse caso, H_{calc} é comparada com um $\chi^2_{\alpha;gl}$ com $(k-1)$ graus de liberdade.

Se houver empates nos postos, deve-se corrigir o valor de H obtido nos cálculos. O fator de correção é:

$$FC = 1 - \frac{CE}{N^3 - N} \text{ onde } CE = \Sigma(t^3 - t).$$

Dividindo H por FC obtém-se o valor corrigido de H, que deve ser usado para testar a hipótese de igualdade entre populações:

$$H_{corrig} = \frac{H}{FC}$$

Se o valor calculado de H (ou H_{corrig}) for maior do que o tabelado, seja ele $H_{\alpha\, n_1;\, n_2;...}$ Tabela A.10) ou $\chi^2_{\alpha;gl}$ (Tabela A.6), rejeita-se a hipótese nula.

O Exemplo 9 ilustra a aplicação deste teste.

Exemplo 9. Certo entomologista deseja comparar três espécies de trepadeiras do gênero *Passiflora* (maracujá), encontradas no Rio Grande do Sul, quanto à deposição de ovos pela borboleta *Heliconius erato phyllis*. Para isso, examinou cinco plantas da espécie *Passiflora edulis*, cinco de *P. caerulea* e seis de *P. tenuifila*, contando, em cada uma, o total de ovos depositados em um período de tempo determinado, igual para todas. Suponha que os resultados obtidos sejam os que estão apresentados na Tabela 18.10. A hipótese nula do pesquisador é a de que não há diferença entre as três espécies de maracujá quanto à oviposição. Qual deve ser a conclusão do estudo?

O teste de Kruskal-Wallis é indicado, neste caso, porque não se conhece a distribuição da variável "número de ovos depositados" e os tamanhos amostrais são insuficientes para se avaliar adequadamente esta distribuição.

O valor não-corrigido de H, calculado para estes dados, é:

$$H = \frac{12}{16(16+1)} \left(\frac{46^2}{5} + \frac{15^2}{5} + \frac{75^2}{6} \right) - (3 \times 17) = 11,016.$$

TABELA 18.10 Número de ovos depositados por fêmeas da borboleta *Heliconius erato phyllis* em três espécies de *Passiflora* (maracujá) do Rio Grande do Sul*

	P. edulis		P. caerulea		P. tenuifila	
	Nº ovos	Posto	Nº ovos	Posto	Nº ovos	Posto
	12	6	3	1	15	9
	13	7	4	2	15	9
	15	9	5	3	21	12
	17	11	8	4	32	14
	23	13	11	5	47	15
					60	16
Soma dos postos	R_i	46		15		75
Nº de plantas	n_i	5		5		6
Posto médio	$\bar{R}_i$	9,2		3		12,5
	Três empates no posto 9, então $CE = (3^3 - 3) = 24$					

*Dados fictícios (baseado em Menna-Barreto e Araújo, 1985).

Como foram observados três empates no valor "15 ovos", é necessário realizar a correção para empates. Como se vê na Tabela 18.10, $CE = 24$ e então,

$$FC = 1 - \frac{24}{16^3 - 16} = 1 - 0{,}006 = 0{,}994.$$

Assim,

$$H_{corrig} = 11{,}016 / 0{,}994 = 11{,}082.$$

Como $k = 3$, usa-se a Tabela A.10 para realizar o teste de hipóteses. Observa-se que para amostras de tamanho 6, 5 e 5, $H_{corrig} = 11{,}082$ é maior do que H crítico para $\alpha = 0{,}001$ ($H_{0{,}001;6;5;5} = 10{,}271$). Rejeita-se, portanto, a hipótese nula e conclui-se que a quantidade de ovos depositados por esta borboleta varia entre espécies de *Passiflora* ($P < 0{,}001$).

Comparações múltiplas não-paramétricas entre grupos

Como acontece no teste F de uma ANOVA paramétrica, um valor significativo de H não indica entre que grupos, especificamente, ocorrem as diferenças. Para identificar diferenças significativas entre os grupos tomados dois a dois, uma possibilidade é usar um procedimento não-paramétrico de comparações múltiplas semelhante ao teste de Tukey, denominado *teste de Dunn*. O método é aplicado sobre os *postos médios* obtidos nas amostras ($\overline{R}_i = R_i/n_i$), conforme explicado a seguir.

Inicialmente ordenam-se do maior ao menor os postos médios obtidos nas amostras. Calculam-se a seguir as diferenças entre estes valores dois a dois, começando pela diferença maior. Procede-se, depois, como foi feito para o teste de Tukey, usando, para o teste, a estatística

$$Q_{calc} = \frac{\overline{R}_A - \overline{R}_B}{EP},$$

TABELA 18.11 Número de ovos depositados por fêmeas da borboleta *H. erato phyllis* em três espécies de *Passiflora* do Rio Grande do Sul: comparação múltipla entre postos médios

Comparação	$\overline{R}_A - \overline{R}_B$	n_A; n_B	EP	Q_{calc}	$Q_{0{,}05;3}$	Decisão
tenuif. vs caerulea	12,5 – 3 = 9,5	6; 5	2,88	3,30 >	2,39	Rejeitar H_0
tenuif. vs edulis	12,5 – 9,2 = 3,3	6; 5	2,88	1,15 <	2,39	Não rej. H_0
edulis vs caerulea	9,2 – 3 = 6,2	5; 5	3,00	2,07 <	2,39	Não rej. H_0

CE = 24   N = 16

$$EP_{6;5} = \sqrt{\left(\frac{16 \times 17}{12} - \frac{24}{12 \times 15}\right)\left(\frac{1}{6} + \frac{1}{5}\right)} = \sqrt{22{,}533 \times 0{,}367} = 2{,}876.$$

$$EP_{5;5} = \sqrt{\left(\frac{16 \times 17}{12} - \frac{24}{12 \times 15}\right)\left(\frac{1}{5} + \frac{1}{5}\right)} = \sqrt{22{,}533 \times 0{,}400} = 3{,}002.$$

	P. tenuifila	P. edulis	P. coerulea
n_i:	6	5	5
$\overline{R}_i$:	12,5	9,2	3

onde $\bar{R}_A$ e $\bar{R}_B$ são os postos médios de duas amostras diferentes. O erro padrão é dado por

$$EP = \sqrt{\frac{N(N+1)}{12}\left(\frac{1}{n_A}+\frac{1}{n_B}\right)},$$

onde n_A e n_B são os tamanhos das duas amostras que estão sendo comparadas e N é o total de indivíduos estudados, incluindo todas as amostras do experimento.

Se houver empates, é feita uma correção no EP do seguinte modo:

$$EP = \sqrt{\left(\frac{N(N+1)}{12}-\frac{CE}{12(N-1)}\right)\left(\frac{1}{n_A}+\frac{1}{n_B}\right)}.$$

onde $CE = \Sigma(t^3 - t)$, como antes.

Cada valor de Q_{calc} é comparado com um valor crítico $Q_{\alpha;k}$, obtido da Tabela A.11. Se o valor calculado for igual ou maior que o tabelado, rejeita-se a hipótese de igualdade entre os grupos que estão sendo comparados.

Para ver outros testes de comparações múltiplas, consulte, por exemplo, Zar (1999; p.225).

Na Tabela 18.11, são apresentados os testes realizados para identificar diferenças entre as espécies de maracujá estudadas no Exemplo 9, comparando-as duas a duas. Apenas o valor calculado na comparação *tenuif.* vs *coerulea* (Q_{calc} = 3,30) foi maior que o tabelado ($Q_{0,05;3}$ = 2,39). Portanto, *P. tenuifila* difere de *P. coerulea* quanto ao número de ovos depositados e não há diferença estatisticamente significativa entre *P. edulis* e as outras duas espécies de maracujá.

Uma conclusão final, então, pode ser a seguinte: a quantidade de ovos depositados por fêmeas da borboleta *Heliconius erato phyllis* é maior em maracujás da espécie *Passiflora tenuifila* e menor em plantas de *P. coerulea*. Quanto a *P. edulis*, os resultados são inconclusivos, possivelmente devido aos tamanhos amostrais usados na presente investigação.

Exercícios*

Capítulo 1

1. Os dados abaixo referem-se à taxa de creatinina na urina de 24 horas (mg/100 mL), em uma amostra de 36 homens normais.

Indiv. nº	Creat.	Indiv. nº	Creat.	Indiv. nº	Creat.	Indiv. nº	Creat.
01	1,51	10	1,08	19	1,54	28	1,66
02	1,61	11	1,66	20	1,38	29	1,75
03	1,69	12	1,52	21	1,47	30	1,59
04	1,49	13	1,40	22	1,73	31	1,40
05	1,67	14	1,83	23	1,60	32	1,44
06	2,18	15	1,22	24	1,43	33	1,52
07	1,46	16	1,46	25	1,58	34	1,37
08	1,89	17	1,43	26	1,66	35	1,86
09	1,76	18	1,49	27	1,26	36	2,02

1.1. Organize uma tabela de freqüências, adotando classes iguais, de modo que a primeira seja 1,00 ⊢ 1,15.

1.2. Determine as freqüências absoluta, relativa e acumulada relativa (com três decimais) de cada classe.

1.3. Determine a percentagem de observações:
   a) no intervalo 1,75 ⊢ 1,90
   b) menores do que 1,45
   c) no intervalo 1,30 ⊢ 1,60
   d) iguais ou maiores que 1,90

1.4. Supondo que esta amostra representa a população de homens normais, qual a probabilidade de que um indivíduo dessa população apresente uma taxa de creatinina:
   a) igual ou maior do que 2,05?
   b) entre 1,45 e 1,60 exclusive?
   c) menor do que 1,30?

2. Desenhe um histograma para os dados do exercício 1, usando a freqüência relativa.

* Respostas ao final da lista.

Capítulos 2 e 3

3. Certo biólogo está medindo o dano ambiental em uma reserva ecológica. Em seis locais dessa reserva, determinou um escore de dano (em graus), obtendo os dados a seguir.
3.1. Calcule a média, a mediana, a variância e o desvio padrão e coloque unidades nessas estatísticas.
3.2. Repita os cálculos incluindo o local L7, no qual foi observado um escore de dano igual a 4 (sugestão: use as fórmulas alternativas para o cálculo da variância).

Local:	L1	L2	L3	L4	L5	L6
Dano (graus):	2	5	1	0	3	4

4. Os dados a seguir referem-se à idade (em anos) de um grupo de 20 crianças. Obtenha a média, o intervalo modal e o desvio padrão.

Idade	f
1 ⊢ 3	7
3 ⊢ 5	5
5 ⊢ 7	4
7 ⊢ 9	3
9 ⊢ 11	1

5. Calcule a média, a mediana, a amplitude, a variância e o desvio padrão para a seguinte amostra de dados de hematócrito:

x: 45 43 45 46 52 50 47 44 51

6. Observe as duas séries a seguir, de dados de glicemia (nível de glicose no sangue, em mg/100 mL), comparando médias, amplitudes e desvios padrão (DP). Indique qual das duas medidas de variação é a mais eficiente para medir a dispersão dos dados ao redor da média. Indique em que série essa dispersão é maior.

Amostra 1			Amostra 2		
x	f		x	f	
84	1		84	2	
92	1	Média = 100	92	0	Média = 100
96	2	DP = 8,39	96	2	
100	3		100	1	
104	2		104	4	
108	1		108	1	
116	1		116	1	

7. Na série 2 do Exercício 6, a média da idade dessas pessoas foi 25 anos e o desvio padrão, 19 anos. Que característica, nessa série, apresenta maior variabilidade: a idade ou a glicemia?

Capítulo 4

8. Em 113 ninhos da tartaruga *Dermochelys coriacea*, o número médio (± desvio padrão) de filhotes nascidos vivos foi 53 (±26) e o tempo médio de incubação, 70 (±8) dias (Morisso e Krause, 2001). Use as propriedades da curva normal para avaliar se a distribuição dessas variáveis pode ter gaussiana. (Sugestão: calcule os extremos esperados para cada variável, supondo uma distribuição gaussiana.)

9. Determine a área da curva normal correspondente aos valores de z indicados:
9.1. z entre 0 e 2
9.2. z maior do que 1,5
9.3. z menor do que −1,0
9.4. z entre −1,5 e 0,98
9.5. z entre −2,3 e −1,2

10. Que valores de z que limitam as áreas indicadas a seguir?

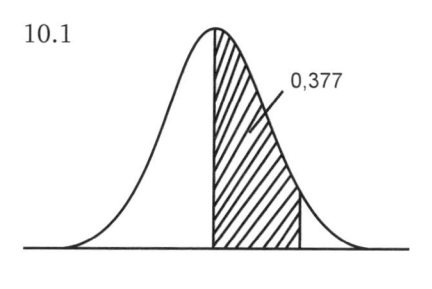

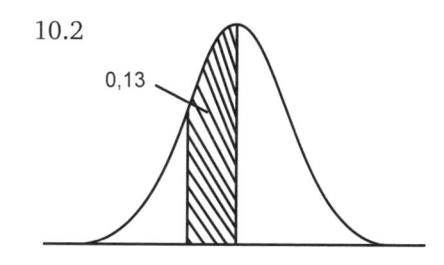

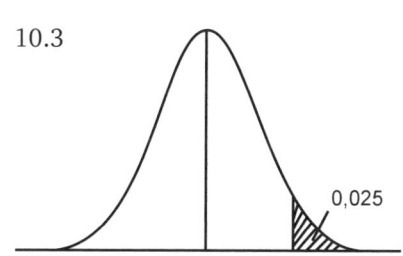

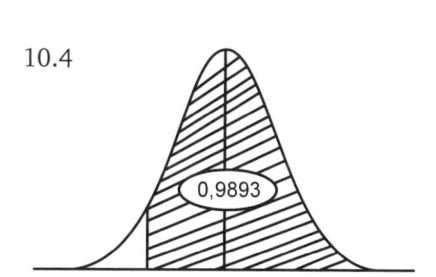

10.1 0,377

10.2 0,13

10.3 0,025

10.4 0,9893

11. Em determinada população, a taxa de hemoglobina no sangue tem distribuição normal, com média igual a 16 g/100 mL e desvio padrão de 1,2 g/100 mL.
11.1. Que proporção de indivíduos tem taxa menor do que 17,8?
11.2. Que proporção de indivíduos tem taxa maior do que 18,4?
11.3. Qual sua opinião sobre um nível de hemoglobina igual a 14g/100 mL quando comparado com a média?
11.4. Quantas pessoas têm valor entre 14,8 e 16,6 em uma amostra de 2.500 indivíduos, pressupondo que, na amostra, a distribuição dos dados é a mesma da população?

12. Em certa população, a estatura dos homens tem distribuição normal, com média igual 172 cm e desvio padrão igual 10 cm.
12.1. Que percentagem de homens tem estatura inferior a 160 cm?

12.2. Qual a probabilidade de que um homem dessa população tenha estatura entre 175 e 185 cm?

12.3. Quais são as estaturas esperadas para os 8% mais altos da população?

13. Preocupado com o desempenho em matemática dos alunos da 8ª série, certa escola deseja proporcionar aulas extras para aqueles que têm mais dificuldade nessa matéria. Os professores têm condições de atender 10% do total de alunos da 8ª série. Sabendo que as notas nessa série têm distribuição normal, com média igual a 7,0 e desvio padrão igual a 1,0, determine a nota abaixo da qual o aluno receberá aulas extras.

14. Em determinado concurso, havia 600 candidatos para 120 vagas. Realizada a prova, o número médio de acertos foi 70, com desvio padrão de 5. Qual o número mínimo de acertos para que um candidato se classifique, sabendo que esta variável apresentou distribuição normal?

Capítulos 5, 6 e 7

15. Suponha que o nível de colesterol total no sangue de pessoas sadias tem média igual a 200 mg/dL e desvio padrão igual a 50 mg/dL. Calcule os valores-limite da região de não-significância ($\alpha = 0,05$) para as médias de amostras de $n = 16$. Como se deve interpretar uma média igual a 230 mg/dL, obtida em uma amostra de 16 pessoas?

16. O comprimento da concha de certa espécie de molusco tem média igual a 31,2 mm e desvio padrão igual a 3,0 mm. Em um grupo de 14 indivíduos dessa espécie, obtidos no sul da América do Sul, foi obtida uma média igual a 27,8 mm (Ducatti e Pitoni, 1995). Verifique se esse valor desvia-se significativamente da média para a espécie ($\alpha = 5\%$).

17. Desenhe uma curva de distribuição normal para valores de x, com média igual a 100 e desvio padrão igual a 20. Esquematize sobre ela as curvas de distribuição amostral de médias obtidas em amostras de n=16 e n = 4, tiradas desta população. A que conclusão você chega?

18. Cem pacientes foram estudados quanto à taxa de fenilalanina no soro. A média obtida foi 1,3 mg/100 mL e supôs-se de que tais indivíduos seriam uma amostra casual da população de indivíduos normais, onde a média é 1,4 e o desvio padrão, 0,32 mg/100 mL. Considerando-se um nível de significância de 0,01, os dados estão de acordo com a suposição feita?

19. Suponha que nas tartarugas da espécie *Chrysemys d´Orbignyi*, a glicemia tenha média igual a 86 mg/100 mL e desvio padrão-igual a 8 mg/100 mL. Um biólogo operou 8 tartarugas dessa espécie, retirando-lhes a hipófise. Após determinado tempo, mediu a glicemia nos animais operados e obteve média igual a 37 e desvio padrão igual a 12 mg/100 mL (Foglia e colaboradores, 1955, modificado). Que pode ele afirmar sobre o efeito da remoção da hipófise na glicemia desses animais ($\alpha = 0,01$)?

20. Em certa espécie de plantas ornamentais, o comprimento médio das sementes é de 6 mm. Em uma amostra de sete sementes de uma nova variedade, os valores obtidos foram os indicados a seguir. Compare as duas variedades entre si quanto ao comprimento das sementes ($\alpha = 0{,}05$).
    x (mm): 6; 7,5; 7; 6,5; 8; 9; 8,5

21. Para fins de aproveitamento do solo, a vegetação lenhosa pode ser eliminada por corte ou por corte seguido de queima dos galhos. Quando a limpeza de um terreno é feita apenas por corte da vegetação, o nível de chumbo no solo, quatro anos após o processo, é de 9,31 partes por milhão (ppm). De uma área que sofreu corte seguido de queimada, foram coletadas, 4 anos após, 44 amostras de solo e determinado o conteúdo de chumbo. A média obtida foi 8,44 ppm e o desvio padrão foi 3,23 ppm (Girardi-Deiro, 1999). Analise estas informações e conclua sobre o efeito da queimada na quantidade desse metal no solo, usando $\alpha = 0{,}05$.

22. Em homens adultos saudáveis, o nível de hemoglobina, ao nível do mar, tem média 16 g/100 mL. Os dados a seguir foram obtidos em uma amostra aleatória de 10 mulheres saudáveis, que vivem em uma praia gaúcha. Teste ($\alpha = 0{,}05$) a hipótese de que o nível de hemoglobina é o mesmo em homens e mulheres saudáveis.
    x (g/100 mL):   12   14   16   13   15   11   17   12   14   16

23. Dutra e colaboradores (1986) dosaram a concentração de fenilalanina (µmol/L) em 8 genitores de crianças com fenilcetonúria e obtiveram média igual a 158,5 e desvio padrão igual a 18,8. Suponha que a média em indivíduos normais é 79,4. O que podem concluir os pesquisadores ($\alpha = 0{,}01$)?

24. O volume da tireóide foi medida em 46 crianças com idade entre 6 e 14 anos, da cidade de Passo Fundo, RS. A média nessa amostra foi 4,6 mL e o desvio padrão, 1,4 mL (Lisbôa e colaboradores, 1996). Estime a média populacional para essa variável, usando intervalos de 90% e 95% de confiança. Discuta os resultados quanto à precisão das estimativas.

25. O conteúdo médio de material sólido em suspensão na água do rio R costuma ser de 205 mg/L. Uma coleta recente, em 9 pontos desse curso d'água, forneceu os dados a seguir. Verifique se houve alteração na quantidade de material sólido em suspensão, para um nível de significância de 0,05.
    x (mg/L):   210; 242; 226; 268; 251; 206; 218; 215; 207 ($\bar{x}$: 227; s: 21,9)

26. O teor de cobre (ppm) foi medido em 43 plantas que cresceram em uma área que sofreu um processo de corte seguido de queima do material lenhoso. A média foi 15,2 ppm e o desvio padrão foi 4,04 (Girardi-Deiro, 1999). Qual o verdadeiro teor de cobre na vegetação que cresce em áreas que sofreram esse tipo de manejo?

27. Foi estudada a quantidade ($\times 10^3/mm^3$) de plaquetas no sangue de 24 pacientes com trombose venosa (Robinson, 1974). A média obtida no sangue venoso foi 282 e o desvio padrão 70.

27.1. Construa o intervalo de 95% de confiança para a média da população de pacientes com esse problema.

27.2. A adesividade plaquetária foi também medida nessa amostra. A média foi 14% e os valores variaram entre 0 e 53%. Você diria que a distribuição desses dados é gaussiana?

28. O intervalo de 95% de confiança que estima a média de uma população é 35,39-44,61. Esse intervalo foi calculado em uma amostra de 61 indivíduos, com a média igual a 40. Qual o valor do desvio padrão nesta amostra?

Capítulos 8 e 9

29. O nível sangüíneo de glicose foi medido em 53 pacientes diabéticos com proteinúria (excreção alta de proteína na urina) e 64 diabéticos sem tal característica. A média ± DP no primeiro grupo foi 214 ± 74 e no segundo, 168 ± 63 (Gross e colaboradores, 1993). Compare estes dois grupos de diabéticos quanto à glicemia e conclua sobre os resultados obtidos, usando o nível 0,01 de significância.

30. Freitas e Lessa (1984) compararam duas amostras de um roedor silvestre conhecido como "tuco-tuco" (*Ctenomys torquatus*) quanto a várias medidas do crânio. As amostras diferiam quanto ao número de cromossomos: a amostra A (obtida em Laranjal, Rio Grande do Sul) tinha 44 cromossomos e a B (do Taim, Rio Grande do Sul) tinha 46. Pode-se afirmar que existe relação entre o número cromossômico e as medidas indicadas a seguir ($\alpha = 0,05$)?

	Média ± DP	
Variável	Laranjal (*n*=24 animais)	Taim (*n*=8)
Comprimento	46,1 ± 1,5	45,3 ± 1,6
Largura da mandíbula	35,3 ± 1,4	34,1 ± 1,7

31. Os dados a seguir referem-se ao grau de conforto (valores mais altos, mais conforto) no uso de dois tipos de pipetas de laboratório. O primeiro tipo foi experimentado por 5 pessoas e o segundo por outras 5, totalizando 10 usuários. Com que tipo de pipeta os usuários sentem-se mais confortáveis ($\alpha = 0,01$)?
Tipo A: 5   1   3   4   2
Tipo B: 5   8   9   7   6

32. Tesche e colaboradores (1984) informam o comprimento e o diâmetro de ovos de jacaré-do-papo-amarelo (*Caiman latirostris*) obtidos em dois locais: no Zoológico de Sapucaia do Sul, RS, e no Jardim Zoológico do Rio de Janeiro, RJ. Compare os dois conjuntos de dados por um teste estatístico, usando $\alpha = 0,01$.

	Média ± DP			
	Sapucaia (*n*=8)	Rio de Janeiro (*n*=12)	gl	gl'
Comprimento (mm)	65,4 ± 1,72	66,2 ± 2,03	18	17
Diâmetro (mm)	45,7± 0,98	38,3 ± 0,69	18	12

33. Modificações nos níveis de meta-hemoglobina (MHb) e sulfo-hemoglobina (SHb) no sangue podem ocorrer por ação de substâncias tóxicas produzidas por indústrias. Naoum e colaboradores (1984, dados modificados) mediram a MHb e a SHb em uma amostra de moradores da Vila Parisi, um bairro cercado pela maioria das indústrias de Cubatão (SP), e em 33 controles, habitantes de uma cidade praticamente sem poluição industrial. Analise os dados apresentados a seguir e conclua. Use $\alpha = 0{,}05$ em todos os testes.

Variável	Média ± DP		gl	gl'
	Vila Parisi (n=18)	Controle (n=33)		
Meta-hemoglobina	8,19 ± 3,17	6,63 ± 2,08	49	25
Sulfo-hemoglobina	3,05 ± 2,32	1,64 ± 1,04	49	21

34. Tendo interesse em estudar os efeitos de determinada dieta alimentar sobre o aumento do peso corporal em cobaias adultas, um investigador tomou uma amostra de 9 cobaias. Determinou seus pesos antes e três meses após a administração da nova dieta. Com os dados a seguir, analise o efeito da nova dieta, para $\alpha = 0{,}05$.

| Antes: | 54 | 61 | 50 | 74 | 79 | 58 | 55 | 49 | 63 |
| Depois: | 57 | 66 | 53 | 73 | 82 | 58 | 56 | 53 | 63 |

35. Um médico mediu a pressão arterial de 10 hipertensos antes e depois de tomarem, durante uma semana, um novo medicamento destinado a reduzir a pressão arterial. Com os dados seguintes, em cmHg, verifique se a nova droga tem o efeito desejado (realize um teste unilateral com $\alpha = 0{,}05$).

| Antes: | 21 | 18 | 20 | 19 | 23 | 17 | 20 | 21 | 16 | 18 |
| Depois: | 16 | 19 | 15 | 16 | 15 | 13 | 16 | 20 | 19 | 14 |

36. Desejando determinar o efeito do medicamento M sobre o colesterol plasmático, certo investigador realizou um experimento com 25 pacientes. Cada paciente recebeu um placebo e a droga em estudo em dois diferentes momentos, tendo seus níveis de colesterol medidos após cada administração. A diferença média entre medidas, calculada na forma "placebo menos M", foi 1,8 mg/100 mL. O desvio padrão das diferenças foi 2,24. Qual o efeito desse medicamento para $\alpha = 0{,}01$?

Capítulos 10 e 11

37. Cinco pessoas, que se submeteram a uma mesma cirurgia de joelho, usaram dois instrumentos de avaliação para indicar o nível de dor 12 horas após a operação. A seguir estão os escores de dor de cada pessoa, em cada instrumento.

37.1. Desenhe o diagrama de dispersão dos pontos, considerando como x os resultados obtidos no primeiro instrumento de avaliação e como y, os do segundo.

37.2. Calcule o coeficiente de correlação entre os escores determinados nos dois instrumentos.

37.3. Verifique se o coeficiente de correlação é estatisticamente significativo, para $\alpha = 0,05$.

Pessoa:	A	B	C	D	E
Dor (Instrumento 1):	8	6	4	3	4
Dor (Instrumento 2):	9	7	4	4	6

38. Rocha e Pena (1987) dosaram os níveis de alfa-fetoproteína em 30 amostras de líquido amniótico humano e observaram uma correlação de –0,66 com a idade gestacional e de –0,45 com a quantidade de fibronectina neste líquido. Teste a significância dos coeficientes obtidos e conclua sobre a correlação entre as variáveis, para um nível de significância de 0,01.

39. Visando estudar o ciclo reprodutivo de lagartos pequenos da espécie *Liolaemus occipitalis*, que ocorrem no litoral do Rio Grande do Sul, Verrastro e Krause (1999) mediram o volume testicular (VT) de exemplares do sexo masculino coletados entre abril de 1986 e março de 1988, e calcularam o coeficiente de correlação entre VT e a temperatura na data da coleta. O valor obtido foi $r = -0,75$ ($P<0,01$). Interprete o resultado.

40. Represente graficamente as seguintes equações, arbitrando valores para x (lembre-se de que bastam dois pontos para desenhar uma reta).

40.1. $Y = 0,5 + 3X$ 40.3. $Y = 4 - X$
40.2. $Y = -1 - 2X$ 40.4. $Y = -2 + 3X$

41. Foram estudadas 9 crianças com o objetivo de verificar se existe regressão da capacidade pulmonar sobre a idade. Os dados estão apresentados a seguir. Desenhe o gráfico de dispersão dos pontos experimentais. Estime a reta de regressão de y sobre x e ajuste-a sobre os pontos. Teste a significância da regressão e interprete o resultado obtido ($\alpha = 0,05$).

Idade (anos):	4	5	6	7	8	9	10	11	12
Cap.vital (L):	0,7	0,9	1,2	1,3	1,3	1,5	1,7	1,9	2,1

42. Doses crescentes de calcário foram adicionadas a um solo ácido e depois determinou-se a percentagem de anomalias encontradas em células germinativas de trigo plantado nesse solo. Obtenha uma reta de regressão da percentagem de anomalias sobre a quantidade de calcário no solo, teste a significância do coeficiente de regressão para $\alpha = 0,01$ e conclua.

Quantidade de calcário:	0	1	2	3	4	5
% de anomalias celulares:	30	27	22	23	18	16

43. Com o objetivo de descrever as equações que caracterizam o tipo de crescimento em uma espécie de caranguejos do litoral norte paulista, Mantelatto e Fransozo (1994) estudaram a relação entre a largura do abdômen (mm) e

a da carapaça (mm) nesta espécie. Na análise, foi usada transformação logarítmica (base e) nas duas variáveis. Os resultados a seguir referem-se apenas a dados de 21 fêmeas jovens. O coeficiente de correlação entre as duas variáveis foi 0,88 ($P<0,001$) e a equação de regressão foi: ln(largura do abdômen) = –2,59 + 1,25 ln(largura da carapaça). No teste de significância da regressão, o erro padrão foi 0,15.

43.1. Interprete o coeficiente de correlação.
43.2. Teste o coeficiente de regressão e interprete a equação de regressão.
43.3. Diz-se que existe isometria quando diferentes partes do corpo crescem de forma proporcional. Nesse caso, o coeficiente de regressão entre as variáveis deve ser 1. Verifique se os dados contradizem a existência de isometria entre as variáveis estudadas em fêmeas jovens dessa população, para $\alpha=0,05$ (sugestão: use $B = 1$).

Capítulo 12

44. Desenhe um gráfico de colunas para os dados a seguir. Descreva em que aspectos esse gráfico distingue-se de um histograma.

Classificação de 121 recém-nascidos ictéricos, do sexo masculino, conforme o índice de desenvolvimento intra-uterino (Heidrich, 1992)

PIG	AIG	GIG	Total
2 (1,6%)	97 (80,2%)	22 (18,2%)	121

PIG, AIG e GIG: pequeno, adequado e grande para a idade gestacional, respectivamente.

Capítulos 13 e 14

45. Vários estudos mostram que, na espécie humana, aproximadamente 40% dos abortos espontâneos devem-se a alterações cromossômicas (Borges-Osório e Robinson, 2001). Duas mulheres comentam entre si que tiveram um aborto espontâneo. Qual a probabilidade de que os dois sejam devidos a alterações cromossômicas?

46. A probabilidade de nascer uma criança com a síndrome de Down, se a mãe tem mais de que 44 anos, é de 1/30 (Thompson e Thompson, 1988). Qual a probabilidade de que uma mulher grávida, de 45 anos, venha a ter uma filha normal?

47. O suprimento de energia elétrica de um hospital provém das fontes A e B, cujas probabilidades de falhar são, respectivamente, de 0,03 e 0,1. Qual a probabilidade de:
47.1. Nenhuma falhar?
47.2. Uma das duas falhar?
47.3. As duas falharem?

48. A fenilcetonúria é determinada por um gene recessivo autossômico. Um casal sadio tem um filho com essa doença.
48.1. Qual a probabilidade de que os próximos dois filhos que pretendem ter sejam normais?

48.2. Nasceu o segundo filho e ele é normal. Nesse caso, a probabilidade de terceiro ser normal passa a ser 1/2? Por quê?

49. Na região metropolitana de Porto Alegre, 32% das pessoas têm o tipo sangüíneo A_1 e 8%, A_2 (Dornelles, 1998). Um estudante necessita de uma transfusão de sangue de qualquer tipo A. Três de seus amigos se oferecem, mas não conhecem seu próprio grupo sangüíneo.

49.1. Qual a probabilidade de que os três tenham o tipo sangüíneo A?

49.2. Um dos três colegas teve hepatite, não podendo portanto doar sangue. Considerando os dois restantes, qual a probabilidade de que ao menos um tenha o tipo sangüíneo A?

50. Em determinada população, foi aplicada uma vacina que costuma produzir imunização realmente efetiva em 9 casos entre 10. Qual a probabilidade de que em um grupo de sete pessoas:

50.1. Todas se imunizem?
50.2. Nenhuma se imunize?
50.3. Uma não se imunize?
50.4. Pelo menos 6 se imunizem?
50.5. No máximo 4 se imunizem?

51.1. Desenhe um gráfico de bastões para representar a variável p = % pessoas com defeitos visuais em uma amostra de $n = 12$. A probabilidade de defeitos desse tipo na população (P) é 0,5.

51.2. Repita o procedimento para uma população onde $P = 0,3$.

51.3. Repita o procedimento para uma população onde $P = 0,1$.

52. A espécie *Drosophila willistoni* é encontrada em frutos de *Butia eriospatha* (butiá), na Rua Osvaldo G.Cruz, em Porto Alegre. Nessa população de moscas-das-frutas, 60% dos indivíduos apresentam a inversão cromossômica E no cromossomo IIL (Valente e colaboradores, 1993). Uma bióloga vai a essa rua e coleta indivíduos dessa espécie de insetos. Calcule a probabilidade de que, em uma amostra de 20 indivíduos coletados, 15 ou mais sejam portadores da inversão cromossômica E no cromossomo IIL. Use inicialmente a distribuição binomial, depois a normal com e sem correção para continuidade e compare os resultados obtidos pelos três procedimentos.

53. Durante o período de março/1990 a janeiro/1991, foram avaliados todos os pacientes admitidos na unidade de lactentes de alto risco de um hospital pediátrico de Porto Alegre (Pinto e colaboradores, 1996). Dos 106 que apresentavam uma doença com componente genético, 14 (13,2%) eram casos de doenças devidas a genes autossômicos recessivos. Supondo que essa amostra possa ser considerada representativa, estime com 0,95 de confiança a percentagem verdadeira de casos de doenças devidas a genes deste tipo, na população de recém-nascidos internados por distúrbios genéticos em unidades de alto risco.

54. Estime a percentagem de fumantes entre pessoas que têm trombose venosa, com 95% de confiança, sabendo que 8 eram fumantes em uma amostra de

25 pacientes (Robinson, 1974). Explique a razão de se obter um intervalo com tão pouca precisão e proponha um procedimento para aumentá-la.

55. Certo grupo de ambientalistas decidiu realizar um campanha de conscientização sobre a seleção de lixo reaproveitável em uma comunidade na qual 30% dos domicílios selecionam o lixo. Se, ao final da campanha, 32 de 80 domicílios amostrados aleatoriamente estiverem selecionando o lixo, você conclui que houve mudança de comportamento na comunidade ($\alpha = 0,05$)?

56. A prevalência de esofagite (inflamação da mucosa do esôfago), no sexo masculino, é de 34% em pessoas que vivem em uma região considerada de baixo risco para câncer de esôfago (China – Jiaoxian) e de 83% no Irã, país considerado de alto risco. Em um estudo envolvendo 60 homens gaúchos, 26 tiveram diagnóstico positivo para esofagite (Muñoz e colaboradores, 1987), Compare a proporção de casos positivos nos gaúchos com a da China e depois com a do Irã e elabore uma conclusão ($\alpha = 0,05$).

57. Michelon e Moriguchi (1996) estudaram uma amostra de pessoas com 80 anos ou mais, da cidade de Veranópolis, RS. Foram encontrados níveis de colesterol total iguais ou superiores a 240 mg/dL em três dos 35 homens examinados (8,6%) e em 15 (23,1%) das 65 mulheres estudadas. É correto afirmar, com base nessas informações, que a freqüência de pessoas com níveis elevados (≥ 240) de colesterol total é maior em mulheres do que em homens idosos dessa população ($\alpha = 0,05$)?

58. A freqüência de plantas com mosaicismo cromossômico foi estudada em duas cultivares de trigo desenvolvidas no Rio Grande do Sul (Bodanese-Zanettini e colaboradores, 1993). Em 35 plantas da cultivar CNT-10, foram observadas 20 plantas com mosaico (57,1%), e em 32 plantas IAS-52, 5 eram plantas-mosaicos (15,6%). Compare as cultivares de trigo entre si quanto a essa característica genética ($\alpha = 0,05$).

Capítulo 15

59. Três pesquisadores avaliaram o número de ovos depositados pela borboleta "maria-boba" (*Heliconius erato phyllis*) em plantas de maracujá (*Passiflora misera*) durante o ano de 1981 e concluíram que houve uma variação mensal na ovoposição (Romanowsky e colaboradores, 1985). Comprove essa conclusão com os dados a seguir, usando o método estatístico apropriado.

Mês:	Mar	Abr	Mai	Jun	Jul	Ago	Set	Out	Nov	(Total)
Nº ovos dep.:	17	4	28	39	3	1	0	1	32	(125)

60. Em determinada empresa, foram registrados os seguintes números de acidentes de trabalho no mês de agosto de 1998: 42 em segundas-feiras, 23 em terças-feiras, 25 em quartas-feiras, 19 em quintas-feiras, 23 em sextas-feiras, 48 em sábados (manhã e tarde). Verifique se os acidentes de trabalho ocorrem com a mesma freqüência nos seis dias úteis da semana ($\alpha = 0,01$).

61. Em um experimento genético clássico realizado no início do século XX, H. Nilsson-Ehle cruzou plantas de trigo que produziam sementes vermelho-escuras e plantas com sementes brancas e obteve descendentes que produziam sementes de cores diferentes, nas seguintes proporções: 1/16 eram plantas que produziam grãos vermelho escuro, 4/16 produziam sementes vermelhas, 6/16 vermelho médio, 4/16 vermelho claro e 1/16 eram plantas com sementes brancas. Em um cruzamento de igual natureza, certo agrônomo obteve 6, 12, 29, 17 e 0 indivíduos de cada tipo, respectivamente, e propôs a hipótese de que estaria havendo, nas condições de seu experimento, uma seleção contra o trigo de grãos brancos. Os dados apoiam a hipótese formulada ($\alpha = 0{,}05$)?

62. Na população caucasóide, 70% das pessoas sentem o gosto amargo da PTC (feniltiocarbamida), enquanto 30% são insensíveis a essa substância. Suponha que em uma amostra de 240 caucasóides com problemas de tireóide, foram encontrados 144 sensíveis. Existe uma relação entre problemas na tireóide e sensibilidade ao PTC ($\alpha = 0{,}05$)?

63. Os dados seguintes referem-se à cor da pelagem em uma amostra de roedores de determinada espécie. Verifique se tal característica está associada com o sexo ($\alpha=0{,}05$).

    Machos: preto: 22 marrom: 13 manchado: 15
    Fêmeas: preta: 16 marrom: 17 manchada: 17

64. Com o objetivo de avaliar fatores de risco para o câncer intra-epitelial da cérvice uterina, Soares (1998) estudou 43 casos com essa doença e 63 mulheres controles da população de Porto Alegre. As tabelas a seguir apresentam dados relativos à idade de início das relações sexuais e à presença do alelo DQB1*03, do sistema HLA, nessas mulheres. Teste separadamente a associação entre cada uma destas variáveis e o desenvolvimento da neoplasia em estudo ($\alpha = 0{,}05$).

	Idade de início da vida sexual					Alelo		
	<16	17-20	>20	Total		DQB1*03	Outro	Total
Casos	19	22	2	43	Casos	33	10	43
Controles	16	33	14	63	Controles	24	39	63

65. Doll e Bradford-Hill (1952) realizaram um extenso estudo sobre a etiologia do câncer de pulmão em doentes ingleses. Uma das partes do estudo referiu-se à associação entre esse carcinoma e o número de cigarros fumados por dia. Cada paciente com câncer havia sido pareado com outra pessoa do mesmo sexo e idade, que estava hospitalizada por outro problema que não câncer de tórax, vias aéreas superiores, lábios ou outro órgão que pudesse estar relacionado ao hábito de fumar. A tabela a seguir apresenta os dados obtidos em homens. Conclua sobre a associação mencionada, para $\alpha = 0{,}001$.

	<5 cigar.	5-14	15-24	25-49	50 ou +	Total
Câncer de pulmão	55	489	475	293	38	1350
Outra doença	129	570	431	154	12	1296
	184	1059	906	447	50	2646

66. O "pé-duro" é uma variedade de gado bovino, derivada dos animais trazidos pelos portugueses, que se adaptou às condições difíceis do Nordeste brasileiro. Hoje esse grupo está quase extinto, devido ao abate indiscriminado e à substituição e/ou ao cruzamento com outras variedades, especialmente o gado zebuíno. Britto e Mello (1999) estudaram a morfologia do cromossomo Y em uma amostra de touros "pé-duro", mantidos para preservação no Piauí. Cromossomos Y submetacêntricos (centrômero próximo à extremidade) são próprios de gado europeu (*Bos taurus ibericus*) e Y acrocêntricos (centrômero na extremidade) são típicos de zebus (*B.t. indicus*). Nas tabelas a seguir, os dados referem-se ao número de indivíduos em cada categoria. Use-os para:

66.1. Comparar a distribuição de cromossomos acrocêntricos em touros "pé-duro" jovens com a de touros mais velhos ($\alpha = 0,05$).

66.2. Verificar se a freqüência dos dois tipos de cromossomo Y está relacionado com o grau de mistura racial aparente ($\alpha = 0,05$).

Idade do touro (anos)	Cromossomo		Contaminação racial aparente	Cromossomo	
	Acro-cêntrico	Submeta-cêntrico		Acro-cêntrico	Submeta-cêntrico
1 a 2	21	17	Nenhuma	13	8
3 ou +	30	7	Baixa	24	12
			Alta	14	4

67. Com o objetivo de detectar uma possível diferença genética entre pessoas que apresentam formas distintas de esquistossomose, foi estudada uma amostra de 117 pacientes obtida em Catolândia, Bahia, onde essa doença é endêmica (Weimer e colaboradores, 1991). Os dados a seguir referem-se aos fenótipos de haptoglobina (Hp) encontrados nessas pessoas. Compare as duas formas da enfermidade quanto à freqüência dos tipo Hp.

Forma de esquistossomose	Fenótipo Hp			Total
	1-1	2-1	2-2	
Hepatoesplênica	17	31	8	56
Intestinal	14	37	10	61

CAPÍTULO 16

68. Uma amostra não-aleatória de indivíduos altos foi retirada de uma população.

68.1. Como você imagina que será a estatura média desses indivíduos, quando comparada com a da população?

68.2. Como será a variância quando comparada com a da população? Por quê?

69. Vitola e colaboradores (1985) estudaram 36 pacientes portadores de arritmia cardíaca do tipo taquicardia supraventricular paroxística (TAP), com diagnóstico feito quando tinham idade igual ou inferior a 15 anos. Das 15 crianças nas quais o diagnóstico foi feito no primeiro ano de vida, 13 (87%) estavam melhor ou curadas ao final de 2 anos de seguimento, o mesmo ocorrendo com 11 (52%) dos 21 em que a TAP foi diagnosticada após terem um ano de idade. A diferença entre percentagens, no entanto, não é estatisticamente significativa ($z = 1,84$, $P = 0,066$). Qual deveria ser o tamanho amostral mínimo para demonstrar, com poder de 0,90, que tal diferença é significativa para $\alpha = 0,05$?

70. O mercúrio, na sua forma elementar, é absorvido com dificuldade pelo intestino, mas o metil-mercúrio, acumulado em organismos aquáticos como os peixes, é facilmente absorvido pelo trato intestinal humano. Um grupo de pesquisadores brasileiros deseja monitorar a contaminação por esse metal em populações ribeirinhas amazônicas. Em um estudo feito em pessoas que vivem às margens do Rio Negro, Barbosa e colaboradores (2001) dosaram o metil-mercúrio (% sobre o Hg total) em fios de cabelo de 17 homens, obtendo média igual a 73 e desvio padrão igual a 15. Use as informações deste trabalho para calcular o tamanho amostral mínimo necessário para estimar a média verdadeira para o metil-mercúrio nessas populações, com 0,95 de confiança e erro de estimação de 3 unidades.

Capítulo 17

71. O dano ecológico devido ao despejo de substâncias produzidas por certa fábrica foi medido em quatro pontos de um curso d'água: antes da saída do efluente da fábrica (ponto A), na saída do efluente (B) e em dois outros pontos situados após o local B (C e D). Com os dados (fictícios) apresentados a seguir, teste a hipótese de que há diferentes índices de dano ecológico nos locais examinados ($\alpha = 0,05$).

Índices de dano ecológico			
Ponto A	Ponto B	Ponto C	Ponto D
1	5	3	3
2	4	0	3
	5	2	2
			2

72. Dutra e colaboradores (1986) estudaram os níveis séricos de fenilalanina em heterozigotos para dois tipos de hiperfenilalaninemia: fenilcetonúria clássica (heterozigoto do tipo I) e deficiência de síntese de di-hidrobiopterina (heterozigoto do tipo V). A idéia era tentar discriminar bioquimicamente esses dois tipos de heterozigotos. As duas amostras foram com-

paradas também com um grupo-controle e os dados estão apresentados a seguir. Verifique se foi possível atingir o objetivo do trabalho (use o teste de Tukey, se necessário).

	n	$\bar{x}$	s	Causa de variação	GL	QM
Het I	8	158,5	18,8	Entre grupos		29298,62
Het V	6	148,3	28,8	Resíduo		319,36
Controles	41	79,4	15,8	Total	54	

73. Quatro mananciais d'água foram comparadas quanto à concentração (mg/L) de sílica (Melo, 1993). As médias obtidas e a tabela-resumo da ANOVA estão a seguir. Realize o teste de Tukey (alfa = 0,05) para verificar que mananciais diferem entre si.

	Rio Mogi-Guaçu	Córrego Cafundó	Lagoa Diogo	Lagoa Infernão
n	8	8	8	8
$\bar{x}$	7,38	7,45	7,50	5,0

ANOVA:	Causas de variação	SQ	GL	QM	F_{calc}
	Manancial	35,834	3	11,945	7,830
	Resíduo	42,715	28	1,526	

74. Os próximos dados referem-se à redução no peso corporal de animais de laboratório submetidos a diferentes dietas. Os animais foram previamente divididos em cinco grupos, por faixa de peso no início do experimento. Compare as dietas entre si e verifique também se a redução no peso varia entre as faixas de peso. Use 0,05 como nível de significância no teste.

Faixa de peso	Dieta 1	Dieta 2	Dieta 3	Total (B)
I	15	10	12	37
II	17	8	16	41
III	20	12	16	48
IV	24	16	15	55
V	19	18	22	59
Σx	95	64	81	240
Σx^2	1851	888	1365	4104

75. Deseja-se comparar quatro procedimentos usados para estimar o tempo de gestação em mulheres grávidas: data da última menstruação (UM), exame vaginal (EV), ultra-som (US) e nível sangüíneo de diamina oxidase (DO). Todos os quatro procedimentos foram usados na mesma pessoa e o número de mulheres estudadas foi sete (Kirkwood, 1988; p.53; modificado). Verifique se existe diferença entre procedimentos quanto ao tempo estimado de gestação ($\alpha = 0,05$).

	Tempo de gestação estimado (em dias)			
Gestante	UM	EV	US	DO
1	275	273	273	244
2	292	283	285	329
3	281	274	270	252
4	284	275	272	258
5	285	294	278	275
6	283	279	276	279
7	290	265	291	295
Média	284,3	277,6	277,9	276,0

Causa de variação	SQ	GL	QM
Entre procedimentos	281,86		93,95
Entre gestantes	2765,36		460,89
Resíduo	3376,64		187,59
Total	6423,86	27	

76. O nível de hemoglobina (Hb) foi estudado em 18 pacientes com anemia produzida por diferentes causas genéticas (Kirkwood, 1988; p.49, modificado). Verifique se os grupos diferem entre si, usando o nível 0,05 de significância. Elabore uma tabela para publicação dos resultados.

	Anemia devida à			
	Hb S	Hb S / beta-talassemia	Hb SC	Total
	7,2	8,1	10,7	
	8,1	10,0	11,6	
	8,4	10,6	12,0	
	8,7	10,9	12,3	
	9,1	11,9	13,3	
	10,3	12,1	13,9	
n	6	6	6	18
Σx	51,8	63,6	73,8	189,2
Σx^2	452,60	684,80	914,44	2051,84

77. Certo investigador deseja comparar três grupos de crianças quanto ao diâmetro (mm) da reação cutânea à lepromina (teste de Mitsuda). As crianças do primeiro grupo não foram vacinadas com BCG. As do segundo receberam BCG via oral ao nascer e as do terceiro grupo foram vacinadas com BCG intradérmica (modificado de Osborn, 1979; p. 9). Avalie o efeito da administração da BCG na reação ao teste de Mitsuda (use SNK, se necessário).

	Sem BCG	BCG oral	BCG intradérm.	Total
	5	5	8	
	1	8	5	
	3	9	7	
	4	7	4	
	2	6		
Σx	15	35	24	74
Σx^2	55	255	154	464
n	5	5	4	14
$\bar{x}$	3	7	6	

Capítulo 18

78. A substância H está presente em grandes quantidades nas hemácias de pessoas do grupo sangüíneo O. Macacos *Rhesus* secretam H na saliva, em quantidades variáveis. Palatnik e Silva (1986) estudaram a quantidade de H secretada na saliva de 16 machos e 11 fêmeas *Rhesus* e obtiveram os dados a seguir. Use um teste não-paramétrico para verificar se machos e fêmeas diferem quanto à quantidade de H secretada na saliva ($\alpha = 0{,}05$).

    Títulos da substância H na saliva:
    Machos: 256; 256; 32; 64; 512; 1024; 512; 1024; 256; 1024; 64; 1024; 128; 1024; 1024; 1024 ($n = 16$)
    Fêmeas: 32; 256; 1024; 64; 256; 256; 16; 256; 64; 16; 1024 ($n = 11$)

79. Vários procedimentos terapêuticos, diagnósticos ou profiláticos, realizados em hospitais, podem causar algum tipo de dano genético nos trabalhadores que os executam. Maluf e Erdtman (2000) avaliaram a freqüência de anomalias de fuso em linfócitos binucleados de 11 trabalhadores de um hospital de Porto Alegre, potencialmente expostos ao chumbo. Foi estudado também um grupo-controle de 11 trabalhadores do mesmo local, não-expostos, que foram pareados por sexo, idade e hábito de fumar com os indivíduos expostos. Com os dados seguintes, realize um teste não-paramétrico para comparar os dois grupos entre si e concluir sobre o efeito da exposição ao chumbo na freqüência de anomalias de fuso acromático ($\alpha = 0{,}05$).

    Freqüência de anomalias de fuso:

Par:	1	2	3	4	5	6	7	8	9	10	11
Exposto:	81	80	37	54	74	72	61	82	60	50	50
Controle:	69	41	74	43	73	65	33	35	40	50	35

80. Melo (1993) dosou as quantidades de nitrato (μg/L) e sílica (mg/L) em 13 amostras de água da Lagoa do Diogo, SP. Os dados obtidos estão indicados a seguir. Verifique se essas duas variáveis estão correlacionadas ($\alpha = 0{,}05$).

Amostra	1	2	3	4	5	6	7	8	9	10	11	12	13
Nitrato	31	17	36	<	<	14	98	111	19	23	37	<	34
Sílica:	7,7	6,5	6,4	7,7	6,8	6,8	6,2	6,9	7,4	9,5	8,0	6,9	7,1

    <: Abaixo do limite de detecção, que é 10 μg/L.

81. O nível de oxigênio foi medido na água de superfície da lagoa Jacaré e do canal da lagoa das Flores, da zona do Banhado do Taim, RS, nos dias 28 e 29/11/1978 (Schäfer e colaboradores, 1980). A análise dos dados foi feita usando várias técnicas estatísticas e os resultados estão apresentados a seguir.
81.1. Avalie os vários procedimentos de análise e escolha um deles para comparar as lagoas. Discuta as razões de sua escolha.
81.2. Conclua sobre a diferença entre lagoas quanto ao nível de oxigênio na água.

Lagoa	n	Média	DP	Variância	Mediana	Soma dos postos
Jacaré	20	6,145	0,507	0,257	6,05	685,5
Flores	24	4,042	0,928	0,861	4,00	304,5

Análises estatísticas:
Teste F de homogeneidade entre variâncias: $F = 3,350$ ($P < 0,01$)
Teste t para variâncias iguais: $t = 9,061$ ($gl = 42$)
Teste t para variâncias diferentes: $t = 9,528$ ($gl = 36,7$)
Teste de Wilcoxon-Mann-Whitney: $z = 5,56$
Teste de Kruskal-Wallis: $H_{corrig} = 30,88$ ($gl = 1$)

82. O folheto de propaganda do medicamento F apresenta os resultados a seguir, obtidos 24 horas após a medicação de 79 jogadores profissionais de futebol, que apresentavam problemas musculoesqueléticos diversos (principalmente entorse e contusão, mas também distensão muscular, tendinite, lombalgia e sinfisite púbica). Existe suporte estatístico para a afirmação de que esse medicamento diminui a dor 24 horas após sua administração ($\alpha = 0,01$)?

Avaliação antes do tratamento	Avaliação após 24 horas	
	Muita dor	Pouca dor
Muita dor	44	26
Pouca dor	5	4

83. A freqüência de problemas na retina foi avaliada em nove pacientes diabéticos sobreviventes e em seis pacientes que não sobreviveram após certo período de estudo (Stein, 1984). Entre os 9 sobreviventes, 4 apresentaram retinopatia de base e 5, retinopatia proliferativa ou cegueira. Nos 6 não-sobreviventes, 4 tiveram retinopatia de base e 2, retinopatia proliferativa. Teste a hipótese de que a retinopatia de base é igualmente freqüente nos dois grupos de pacientes ($\alpha = 0,05$).

84. O projeto Genética de Populações Humanas Brasileiras, do Departamento de Genética da UFRGS, tem dados sobre freqüências de grupos sangüíneos em 22 tribos amazônicas, as quais podem ser reunidas em quatro grupos lingüísticos.
84.1. Verifique ($\alpha = 0,05$) se os grupos lingüísticos diferem quanto à freqüência do alelo L^M do sistema MN (note que a soma dos postos para cada língua está indicada ao lado).

Língua	Freqüências gênicas do alelo L^M						n	R
Arawak:	0,782;	0,833;	0,852;				3	38
Caribe:	0,701;	0,720;	0,694;	0,710;	0,914;		5	40
Ge:	0,733;	0,922;					2	30
Tupi:	0,469;	0,998;	0,315;	0,644;	0,868;	0,815;	12	145
	0,915;	0,868;	0,759;	0,911;	0,721;	0,920;		

84.2. Suponha que, nesse estudo, tivessem sido obtidos os valores de R indicados abaixo, em oito tribos de cada grupo lingüístico. Repita o teste e realize comparações múltiplas, se necessário, para elaborar sua conclusão ($\alpha=0,05$).

$R_1 = 120$ $R_2 = 50$ $R_3 = 30$ $R_4 = 328$
$n_1 = 8$ $n_2 = 8$ $n_3 = 8$ $n_4 = 8$

85. O nível de nitrato (μg/L) foi medido em dois cursos d'água e duas lagoas (Melo, 1993). Compare os locais amostrados quanto a esta variável.

Rio Mogi-Guaçu	Córrego Cafundó	Lagoa Diogo	Lagoa Infernão
333	<	31	25
637	40	17	13
444	36	36	30
538	<	<	<
867	20	<	<
536	17	14	<

<: Abaixo do limite de detecção, que é de 10 μg/L.

86. Calcule um coeficiente de correlação não-paramétrico, para os dados do Exercício 110 desta lista de exercícios.

87. Compare os resultados obtidos com dois tratamentos usados para controlar a hemorragia em 24 pacientes hemofílicos submetidos a uma cirurgia.

Complicações devidas a hemorragias	Tratamento		Total
	A	B	
Sim	0	7	7
Não	12	5	17
Total	12	12	24

Fonte: Kirkwood, 1988; p. 94, modificado.

EXERCÍCIOS DE REVISÃO

88. Os dados a seguir (Vianna-Morgante e colaboradores, 1999) referem-se à idade da menarca em 14 mulheres que entraram em menopausa precocemente (antes do 40 anos).
88.1. Calcule a média, a mediana e o desvio padrão para esses dados.
88.2. Estime a idade média da menarca em mulheres que apresentam menopausa precoce.

Idade da menarca: 13; 11; 12; 14; 11; 14; 12; 12; 13; 12; 13; 9; 12; 9 (em anos):

89. Suponha que, em certa população, o QI tem distribuição normal com média igual a 90 e desvio padrão igual a 10. Tomando uma amostra aleatória de 4 indivíduos dessa população, qual a probabilidade de que:
89.1. A média seja maior do que 90?
89.2. A média esteja entre 86 e 98?
89.3. A média seja maior do que 100?

90. Em uma amostra de 20 cavalos puro-sangue manga-larga, a média ± DP para o nível de albumina no soro foi 8,68 ± 0,84 g/100 mL (Medeiros e colaboradores, 1977). Calcule o intervalo de 95% de confiança que estima a média do nível de albumina sérica nessa raça de eqüinos.

91. Foram registrados os tempos de internação, apresentados a seguir, em 11 pacientes admitidos na unidade de tratamento intensivo do hospital H. Calcule as durações de internação média e mediana desses pacientes e o desvio padrão. Interprete o valor da mediana.

Paciente nº.:	1	2	3	4	5	6	7	8	9	10	11
Tempo (dias):	7	6	11	24	14	8	12	10	18	9	14

92. Na curva normal padronizada, identifique os valores de z que correspondem à:
92.1. 60% do total, igualmente distribuídos ao redor da média.
92.2. 27% do total, localizando-se na cauda esquerda da curva.
92.3. 70% do total, iniciando a partir do valor mais alto de z.

93. Calcule média, mediana e desvio padrão para os dados a seguir, referentes à quantidade de magnésio medido no rio Mogi-Guaçu, SP, em 1988 (Melo, 1993). Qual a melhor medida de tendência central neste caso? Explique.

x (mg/mL):   1,2   1,5   4,0   1,5   1,5   1,8

94. Quais as principais propriedades da distribuição amostral de médias quando as amostras são grandes?

95. Escreva a área da curva normal correspondente aos valores de z indicados a seguir:
95.1. z entre 0 e –1,8
95.2. z maior do que 1,3
95.3. z menor do que 1,2
95.4. z entre 1,2 e 1,3
95.5. z entre –0,8 e 1,5

96. Calcule média, mediana, moda, amplitude, variância e desvio padrão para os seguintes dados, referentes à glicemia de 10 pessoas:

x (mg/100 mL):   65   62   68   65   72   70   65   63   65   56

97. Os alunos de Ecologia Vegetal mediram a altura de grande número de árvores da espécie *Guapira opposita* ("maria-mole") no Morro Santana, Porto Alegre. A média obtida foi 11,4 m e o desvio padrão, 4,2 m (dados de M.L.Porto, Dep. Ecologia, UFRGS). Admitindo esses valores como parâmetros e supondo que a altura dessa árvore tem distribuição normal, estime:
97.1. A percentagem de árvores dessa espécie com altura superior a 10 m.
97.2. A altura correspondente ao percentil 20 dessa população.
97.3. A altura das árvores mais altas (10% do total) dessa população.

98. Gestantes de dois hospitais de Porto Alegre, que fizeram acompanhamento pré-natal, relataram o número de consultas realizadas neste período (Pinheiro, 1989). Foram estudadas 687 gestantes da Santa Casa de Misericórdia e 570 do Hospital de Clínicas. Calcule uma medida de tendência central para estes dados e compare os dois hospitais, sem realizar teste estatístico.

Nº de consultas	1	2	3	4	5	6	7	8 ou mais	Total
Santa Casa	34	66	109	106	98	92	69	113	687
Hosp. Clínicas	2	8	13	31	67	125	103	221	570

99. Considere uma população na qual a quantidade de albumina sérica tem distribuição normal, com média = 4,0 g% e desvio padrão = 0,6 g%. Qual a probabilidade de que:
99.1. Um indivíduo tenha uma taxa de albumina menor do que 3 g%?
99.2. Uma pessoa tenha taxa de albumina abaixo de 4,9 g%?

100. Certa bióloga mensurou a quantidade de potássio em 12 amostras da água de um rio e obteve os dados a seguir (Melo, 1993). Estime, com 95% de confiança, o conteúdo de potássio nesse curso d'água.

x (mg/L): 1,0 0,7 0,9 1,1 0,8 0,9 0,8 1,0 0,8 0,8 0,9 0,9

101. Admita que a pressão arterial sistólica média é 112 mgHg e o desvio padrão, 7 mmHg em jovens, com 19 a 22 anos de idade, que usam, em sua alimentação, sal em quantidades diárias altas (16 a 20 g) (Fuchs e colaboradores, 1987). Um pesquisador estudou 11 voluntários dessa faixa etária, oriundos de famílias com casos de hipertensão essencial, submetendo-os a uma dieta com 16 a 20 g/dia de cloreto de sódio. Após 6 dias de dieta, a pressão arterial média nos voluntários foi 118,3 mmHg. Teste a hipótese de que pessoas com história familiar de hipertensão, quando submetidas a dietas com muito sal, apresentam pressão arterial acima da comum para a idade ($\alpha = 0,05$). (Obs.: neste caso, justifica-se um teste unilateral).

102. Determine os limites da região de não-significância (se $\alpha = 0,05$) para uma distribuição amostral de médias de amostras de 16 indivíduos, obtidas de uma população com distribuição normal, na qual a média é igual a 50, e o desvio padrão, 8.

103. Em certa população, a capacidade vital (medida da capacidade pulmonar) tem média igual a 4,3 litros. Em uma amostra de 49 operários da indústria I,

a média foi igual a 4,1, e o desvio padrão, 0,58. Verifique se os operários diferem dessa população quanto à capacidade vital, para um nível de significância de 0,05.

104. A envergadura das asas em certa espécie de pássaros tem média 25 cm e desvio padrão igual a 5 cm. Um grupo de 12 dessas aves, coletadas em outra localidade, apresentou uma média de 28 cm. Pode-se dizer que existe variação geográfica quanto à envergadura das asas nesses pássaros? ($\alpha = 0{,}05$).

105. O dono de uma área reflorestada com eucaliptos decidiu cortar todas as árvores cujo diâmetro (medido à altura do peito) é inferior a 7 cm. Calcule a extensão do desbaste em percentagem de árvores derrubadas, supondo que, no momento da decisão, o diâmetro das árvores tem distribuição normal, com média igual a 8 cm e desvio padrão igual a 2,5 cm.

106. Em determinada região, o peso médio dos recém-nascidos é 3500 g. Considerando as condições socioeconômicas das pessoas que procuram o hospital H, um pediatra suspeita que o peso médio das crianças nascidas nesse hospital difere de 3500 g. Com os dados da amostra a seguir, coletada nesse hospital, verifique se a hipótese do pediatra está correta, para $\alpha = 0{,}05$.

x (g):   3430   2580   3490   3200   2740   3190   3080   3210   2910
$\Sigma x = 27830$ $\Sigma x^2 = 86783700$

107. Em uma população, o nível médio de protrombina no plasma é de 20 mg/100mL em indivíduos sadios. Estudando essa variável em 31 pessoas com deficiência em vitamina K, um médico obteve média igual a 18,4 e desvio padrão 4 mg/100 mL. O que se pode afirmar sobre a relação entre deficiência em vitamina K e níveis de protrombina no plasma ($\alpha = 0{,}05$)?

108. A tabela a seguir apresenta médias (± desvio padrão) para várias medidas obtidas em 100 idosos com 80 anos ou mais, da cidade de Veranópolis, RS (Michelon e Moriguchi, 1996). Verifique se existe diferença entre gêneros, supondo que tais variáveis têm distribuição normal e usando um nível de significância de 5%.

Variável	Homens ($n = 35$)	Mulheres ($n = 65$)	Valor-P do teste estatístico
Pressão arterial sistólica (mmHg)	148 ± 23	171 ± 23	(determinar)
Pressão arterial diastólica (mmHg)	80 ± 11	87 ± 14	0,012
Glicemia em jejum (mg/dL)	101 ± 33	103 ± 31	0,764
Índice de massa corporal	24,9 ± 3,5	26,5 ± 5,2	0,081

109. Tomazzi e colaboradores (1976) estudaram a freqüência respiratória em 10 alunos (sexo masculino) do curso de Educação Física da UFRGS, que dedicavam em média 15 horas semanais a determinada modalidade esportiva. Esses alunos foram posicionados em uma bicicleta ergométrica com carga moderada (600 kgm/min) durante 5 minutos. As freqüências respiratórias dessas pessoas, me-

didas antes e após o exercício, estão indicadas a seguir. Se um jovem é considerado "treinado" pelo critério usado no estudo, ele tem sua freqüência respiratória afetada por um exercício moderado conforme o descrito ($\alpha = 0{,}05$)?

Aluno :	1	2	3	4	5	6	7	8	9	10
Antes :	13	18	16	14	16	15	28	16	16	12
Depois:	20	23	15	27	21	24	40	20	18	16

110. Uma indústria costuma submeter os operários novos a um teste de aptidão logo após a sua admissão e três meses depois mede a sua produtividade. Meça a correlação entre aptidão e produtividade e teste a significância do coeficiente obtido, usando os dados (fictícios) apresentados a seguir. Conclua sobre a associação entre essas variáveis.

Operário:	A	B	C	D	E	F
Aptidão:	22	24	15	19	22	18
Produtividade:	45	37	25	40	33	30

111. A preferência na escolha do cônjuge no que se refere a várias características antropométricas foi estudada por Wulff (1976). Os coeficientes de correlação encontrados em algumas das medidas realizadas no marido e na mulher, em 161 casais, estão apresentadas a seguir. O que se pode concluir dessas informações ($\alpha = 0{,}05$)?

Peso: r=0,35; P<0,001   Comprimento do nariz: r=0,16; 0,05>P>0,02
Altura: r=0,37; P<0,001   Espessura dos lábios: r=0,12; P>0,10

112. Verrastro e Krause (1994) estudaram espécimens de *Liolaemus occipitalis*, pequeno lagarto da região costeira do Rio Grande do Sul. Suponha que tenham sido encontrados os valores a seguir, relativos ao comprimento rostro-anal (CRA, em mm) e ao peso (em g).

Indivíduo	1	2	3	4	5
CRA (mm)	47	51	54	59	62
Peso (g)	5,0	3,9	6,7	6,0	9,5

112.1. Desenhe o gráfico de dispersão dos pontos, estime a reta de regressão de y (peso) sobre x (comprimento rostro-anal) e ajuste a reta de regressão sobre os pontos observados.
112.2. Desenhe o gráfico dos resíduos.
112.3. Teste a significância do coeficiente de regressão ($\alpha = 0{,}05$) e conclua.
112.4. Em uma amostra maior de 115 fêmeas, as pesquisadoras obtiveram a equação: peso = –10,76 + 0,30 CRA, tendo relatado um valor P<0,001 para o teste de significância da regressão. Modifique (ou não) sua conclusão com base no resultado da nova amostra.
112.5. No mesmo conjunto de 115 fêmeas, as autoras observaram uma relação estatisticamente significativa entre a taxa de crescimento e o comprimento rostro-anal, do tipo: taxa de crescimento = 14,2 – 0,20 CRA. Interprete o resultado.

113. O comprimento do crânio foi estudado em duas amostras de roedores silvestres, uma de Tijuca e outra de Teresópolis, Rio de Janeiro (Pessoa e Reis, 1991). Verifique se essa medida morfológica está relacionada com o local de coleta dos roedores, para $\alpha = 0,01$.

   Tijuca: $n = 24$ média = 53,4 mm $s = 1,48$ mm
   Teresópolis: $n = 18$ média = 50,1 mm $s = 2,19$ mm

114. Certo professor submeteu 9 crianças a um novo método de aprendizagem de leitura, enquanto e outras 7 aprenderam pelo método tradicional. Conclua sobre a eficiência do novo método, para $\alpha = 0,05$, usando os dados a seguir, que correspondem às notas obtidas em um teste de leitura igual para os dois grupos.

   Método tradicional ($n=7$): 10 7 8 5 4 8 7
   Novo método ($n=9$):   9 8 9 9 7 4 8 8 4

115. A atividade de renina plasmática (ng/mL/h) foi medida em 22 diabéticos e 16 indivíduos-controle (Azevedo, 1992; p. 84). Compare as amostras entre si usando um teste paramétrico, para alfa = 0,05.

Amostra	n	$\bar{x}$	s	gl	gl'
Diabéticos	22	2,5	1,8	36	26
Controles	16	1,0	0,6		

116. Na espécie de borboleta *Heliconius erato*, a proporção de indivíduos que apresentam manchas de cor creme nas asas posteriores é de 0,83 (Romanowsky e colaboradores, 1985). Admitindo que 53% das borboletas capturadas são machos e que não há associação entre sexo e presença dessas manchas, qual a probabilidade de se capturar:
116.1. Uma fêmea com manchas?
116.2. Uma fêmea sem manchas e um macho com manchas, nesta ordem?
116.3. Duas fêmeas e um macho, todos com manchas, nesta ordem?

117. Suponha que de todos os estudantes que ingressam no primeiro grau, apenas 40% se graduam na 8ª série. Qual a probabilidade de que, dentre 6 estudantes da 1ª série:
117.1. Os seis terminem o 1º grau?
117.2. Apenas um termine o 1º grau?
117.3. Ao menos quatro terminem o 1º grau?

118. Um lote de aparelhos de rádio é considerado satisfatório, pela comissão de controle de qualidade, se não for encontrado nenhum defeito em uma amostra de 5 rádios selecionados ao acaso da produção. Determine a probabilidade de um lote de aparelhos ser considerado satisfatório:
118.1. Se 10% de todos os aparelhos do lote têm realmente algum defeito.
118.2. Se 5% de todos os aparelhos do lote têm realmente algum defeito.

119. Em certa população de colegiais, 20% têm problemas de visão. Para uma amostra de 10 crianças dessa população, determine a probabilidade de que:
119.1. Exatamente cinco tenham problemas visuais.
119.2. Pelo menos cinco tenham problemas visuais.
119.3. Menos do que duas tenham problemas visuais.

120. Pinheiro (1989) entrevistou gestantes de dois hospitais de Porto Alegre quanto ao hábito de fumar. Em 1137 gestantes da Santa Casa de Misericórdia, 522 (45,9%) eram fumantes, enquanto 177 (29,6%) fumavam dentre as 597 estudadas no Hospital de Clínicas. Compare os dois grupos de pessoas quanto ao hábito de fumar e conclua, para $\alpha = 0,01$.

121. A ação de um inseto-praga costuma afetar 35% da produção de milho de certa fazenda. O fazendeiro, então, plantou uma nova variedade de milho supostamente mais resistente. Na colheita ele obteve, em uma amostra de 100 pés selecionados ao acaso, 25% de perda por ação dessa praga. A nova variedade é realmente mais resistente ao inseto ($\alpha = 0,05$)?

122. Em certa localidade, a percentagem de motoristas envolvidos em zero, um e mais de um acidentes anuais é 65%, 30% e 5%, respectivamente. Uma companhia de seguros tomou uma amostra de 100 de seus segurados e encontrou 66, 23 e 11 indivíduos nessas categorias. Os dados são compatíveis com as proporções observada nessa localidade ($\alpha = 0,05$)?

123. Dornelles (1998) relata as freqüências de diferentes fenótipos para o sistema MN em indivíduos caucasóides originários das regiões nordeste, sudoeste e sudeste do Estado do Rio Grande do Sul. Compare as regiões entre si, usando o nível 0,05 de significância.

Fenótipo MN	Região		
	NE	SO	SE
M	99	62	19
MN	126	79	30
N	49	26	14
Total	274	167	63

124. Em uma amostra aleatória de 1598 escolares de Porto Alegre, foram encontradas 349 crianças (21,8%) com distúrbios de escrita (Borges-Osório, 1985). Com base nessa amostra, estime, com 99% de confiança, a proporção de escolares porto-alegrenses com esse problema.

125. Bau e colaboradores (2001) estudaram dois grupos de alcoolistas gaúchos do sexo masculino. No primeiro grupo, os problemas decorrentes do álcool começaram ao redor dos 33 anos, enquanto no segundo, começaram mais cedo (ao redor dos 23 anos). A tabela a seguir apresenta o número de pessoas com alucinações nos dois grupos. Compare os grupos entre si quanto à freqüência de alucinações ($\alpha = 0,01$).

	Com alucinações	Sem alucinações	N
Grupo 1 (problemas mais tarde)	10	38	48
Grupo 2 (problemas mais cedo)	67	26	93

126. Certo biólogo estudou o efeito de um gradiente de luminosidade na distribuição de determinada gramínea. Foram estabelecidas três zonas de intensidade luminosa, indicadas por I (menor luminosidade) a III (maior luminosidade). Em uma amostra de 33 plantas, 6 foram encontradas na zona I, 12 na zona II e 15 na zona III. A distribuição dessa gramínea depende do nível de luminosidade ($\alpha = 0,05$)?

127. Para estudar o efeito de uma droga potencialmente antiemética no controle de vômitos pós-operatórios, uma experiência foi realizada com 100 pessoas. Das 65 que receberam a droga, 22 tiveram vômitos, enquanto entre as 35 que receberam um placebo (substância inerte), 28 tiveram vômitos. Teste a eficácia dessa droga para $\alpha = 0,01$.

128. Certo fabricante de pasta de dentes quis testar a opinião dos consumidores de duas cidades sobre uma nova embalagem para seu produto. Na cidade A, foram entrevistadas 400 pessoas e 256 mostraram-se favoráveis à nova embalagem. Na localidade B, 110 foram favoráveis em 200 entrevistados. Compare as cidades entre si quanto à opinião sobre a embalagem nova ($\alpha = 0,05$).

129. Um teste de aproveitamento foi feito em gêmeos de sexos diferentes, ambos cursando a mesma série do primeiro grau. Usando os dados a seguir, teste a hipótese de que o desempenho médio é igual em meninos e meninas ($\alpha = 0,05$).

Par de gêmeos:	1	2	3	4	5	6	7	8
Menino:	60	85	70	52	57	60	83	70
Menina:	58	85	71	54	53	58	82	68

130. Verifique se as localidades a seguir diferem quanto à freqüência dos diferentes grupos sangüíneos do sistema ABO ($\alpha = 0,05$).

	A	B	AB	O	Total
Cidade I	43	9	1	47	100
Cidade II	29	17	9	45	100
Total	72	26	10	92	200

131. Uma moeda foi lançada ao ar 200 vezes e em 112 lançamentos o resultado foi "cara". Pode-se afirmar que esta moeda é honesta, para $\alpha = 0,05$?

132. Certo pesquisador determinou o grupo sangüíneo ABO de 140 pessoas, obtendo 71 indivíduos O, 65 A, 3 B e 1 AB, e afirma que esta é uma amostra representativa da população caucasóide do Rio Grande do Sul no que se refere a tal sistema. Qual sua opinião sobre a afirmativa sabendo que, segun-

do Dornelles (1998), a freqüência dos diferentes tipos ABO em caucasóides desse Estado é: indivíduos O: 45,1%; A: 41,3%; B: 10,3% e AB: 3,3%?

133. Em um estudo que envolveu 47 alcoolistas gaúchos do sexo masculino, foram encontrados transtornos de depressão maior em 18 pessoas (Bau e colaboradores, 2001). Estime a percentagem de indivíduos com esse tipo de transtorno na população de onde se originou a amostra.

134. A tabela a seguir mostra a classificação de 511 recém-nascidos, estudados em dois hospitais de Porto Alegre entre janeiro de 1986 e fevereiro de 1987, quanto ao grupo étnico e ao tamanho em relação à idade gestacional (Pedrollo, 1988). Entre parênteses está a percentagem de crianças dos vários tamanhos dentro do grupo étnico. Verifique se existe relação entre essas variáveis ($\alpha = 0,05$).

Grupo étnico	Tamanho para a idade gestacional			Total
	Grande	Apropriado	Pequeno	
Caucasóides	72 (23%)	233 (74%)	10 (3%)	315 (100%)
Negróides	23 (12%)	158 (80%)	15 (8%)	196 (100%)
Total	95	391	25	511

135. Muñoz e colaboradores (1987) compararam 30 homens que tomavam chimarrão diariamente ("casos") com 30 homens que não tomavam mate ou usavam a bebida no máximo uma vez por semana ("controles"). Os grupos eram semelhantes quanto à idade, ao uso de álcool e ao fumo. Treze dos 30 casos apresentaram esofagite, enquanto 6 dos 30 controles apresentaram esta característica. Por outro lado, foram feitos diagnósticos de gastrite em 6 dos 30 casos e em 4 indivíduos controles.

135.1. Compare os dois grupos entre si, quanto à freqüência de esofagite, usando um teste unilateral ($\alpha=0,05$), pois se esperaria que bebedores freqüentes de mate tenham maior risco de desenvolver a doença devido a uma possível lesão térmica.

135.2. Realize a mesma comparação no que se refere à gastrite (também teste unilateral).

135.3. Calcule o tamanho da amostra necessário para demonstrar, com poder de 80% e usando um teste unilateral com $\alpha=0,05$, que a diferença observada entre os grupos quanto ao número de casos de gastrite é real. (Observação: para um teste unilateral, use $z_{0,05} = 1,64$).

136. Em um estudo envolvendo tartarugas da espécie *Phrynops hylarii*, Foglia e colaboradores (1955) mediram a quantidade de glicogênio muscular (mg/100 g tecido) em indivíduos íntegros e naqueles cujo pâncreas foi retirado. A média ± *DP* nos animais íntegros foi 840±291 e nos pancreatoprivos foi 609±222. A diferença entre essas médias não foi estatisticamente significativa ($t = 1,93$; $P>0,10$). Qual deve ser o tamanho da amostra para mostrar estatisticamente essa diferença, se ela for real, com poder de 90% e nível de significância de 0,05?

137. A freqüência da inversão F do cromossomo IIL foi estudada em populações urbanas de *Drosophila willistoni*. Os exemplares foram coletados em zonas consideradas de alta, média e baixa urbanização, na cidade de Porto Alegre (Valente e colaboradores, 1993). Os dados foram comparados entre si e com um grupo-controle não-urbano por um teste qui-quadrado, obtendo-se o valor $\chi^2 = 70{,}39$. Analise as tabelas a seguir, referentes aos dados obtidos e aos resíduos calculados após o teste, e conclua sobre a relação entre urbanização e freqüência da inversão F em *D. willistoni* ($\alpha=0{,}01$).

| | Número de indivíduos portadores da inversão F | | | | |
| | Urbanização | | | | |
Inversão F	Alta	Intermediária	Baixa	Controles	Total
Sim	63	421	641	223	1349
Não	475	1201	1542	658	3875
Total	538	1622	2183	881	5224
% Inversão F	12%	26%	29%	25%	26%
$\chi^2 = 70{,}39$					

| | Resíduos | | | |
| | Urbanização | | | |
Inversão F	Alta	Intermediária	Baixa	Controles
Sim	−7,89	0,17	4,98	−0,37
Não	7,89	−0,17	−4,98	0,37

138. Foi medida a largura da carapaça (mm) em 200 caranguejos da espécie *Hepatus pudibundus*, do litoral do Estado de São Paulo (dados de F.L.M. Mantelatto, Dep. Biologia-USP, Ribeirão Preto). Suponha que um biólogo deseja usar estes dados para fazer as seguintes comparações (apenas estas), após analisá-los por meio de uma ANOVA: machos jovens × fêmeas jovens, machos adultos × fêmeas adultas, e fêmeas adultas × fêmeas com ovos. Ele pretende usar, nas comparações, o procedimento de Bonferroni. As médias para cada grupo e parte dos resultados estão a seguir. Qual a conclusão do biólogo ($\alpha=0{,}05$)?

	Macho jovem	Macho adulto	Fêmea jovem	Fêmea adulta	Fêmea c/ovos	ANOVA: Causas de variação	SQ	GL
média	25,6	52,4	27,9	48,4	50,9	Entre grupos	16 890	4
n	16	61	21	87	15	Resíduo	14 566	
						Total	31 456	

139. A transferência de ninhos da tartaruga marinha *Dermochelys coriacea* é feita quando os ovos estão sob algum tipo de risco (inundação, erosão da areia, predação, trânsito excessivo de pessoas, etc.). Com o objetivo de estudar o efeito do manejo dos ninhos sobre a descendência dessa tartaruga, Morisso e Krause (2001) compararam o número de nascidos vivos/ninho e o número de natimortos/ninho em três condições: (A) ninhos mantidos *in situ*, (B) ninhos transferidos para um cercado de incubação e (C) ninhos transferidos

para a praia. Tanto o número de nascidos vivos quanto o de natimortos têm distribuição não-gaussiana, por isso os autores utilizaram testes estatísticos não-paramétricos. Os resultados obtidos estão a seguir. Qual foi o teste utilizado e qual a conclusão ($\alpha=0,05$) para cada uma das variáveis?

Variável		In situ (n = 113)	Transf. p/cercado (n = 58)	Transf. p/praia (n = 13)	Valor calculado no teste
Nº nascidos vivos:	média	52,7	37,5	32,7	17,14
	DP	26,1	24,2	29,7	
Nº de natimortos:	média	3,0	3,7	1,9	0,54
	DP	6,0	6,2	2,1	

140. Aplique um teste não-paramétrico aos seguintes dados, para justificar (ou não) a afirmativa de que as populações indígenas de língua Caribe são maiores do que as de língua Tupi ($\alpha=0,05$).

Caribes		Tupis	
Tribo	Nº de indivíduos	Tribo	Nº de indivíduos
1	254	1	54
2	660	2	100
3	800	3	150
4	2000	4	344
5	2000	5	593
6	2000	6	710
7	2700	7	710
8	3000	8	2500
9	4000		

Fonte: Callegari-Jacques e Salzano, 1989.

Respostas dos exercícios

1. 2) f: 1; 2; 7; 11; 8; 5; 1; 1
   3) a) 13,9% b) 27,8% c) 50,0% d) 5,6%
   4) a) 0,028 b) 0,306 d) 0,084
2. –
3. 1) $n = 6$; $\Sigma x = 15$; $\Sigma x^2 = 55$; média = 2,5 graus; mediana = 2,5 graus; var = 3,50 (graus)^2; $DP = 1,87$ graus; 2) $n = 7$; $\Sigma x = 19$; $\Sigma x^2 = 71$; média = 2,7 graus; mediana = 3 graus; var = 3,24 (graus)^2; $DP = 1,80$ graus
4. média 4,6; moda: 1 ⊢ 3; $DP = 2,52$
5. Média = 47; $md = 46$; $a = 9$; var = 10,5; $s = 3,24$
6. Série 2: $DP = 9,63$. Amplitude: 32 nas duas. Desvio padrão. Série 2.
7. CV idade = 0,76; CV glicemia = 0,10. A idade varia mais.
8. Número de nascidos vivos: extremos $\cong \mu \pm 3\sigma = -25$ e 131. Tempo de incubação: extremos: 46 e 94. A distribuição para o número de nascidos vivos não é normal, pois –25 é um valor impossível no contexto; já o tempo de incubação pode ter uma distribuição normal.
9. 0,4772; 0,0668; 0,1587; 0,7697; 0,1044
10. 0 e 1,16; 0 e –0,33; 1,96 e ∞; –2,3 e ∞
11. 0,9332; 0,0228; não se desvia significativamente de 16; 1332.
12. 11,5%; 0,2853; 186,1 cm ou mais
13. $z = -1,28$; nota = 5,7
14. $z = 0,84$; 74,2
15. 175,5 – 224,5. Esta média amostral desvia-se significativamente de 200 mg/dL.
16. $z_{calc} = -4,24$. A média na população do sul da América do Sul é significativamente menor.
17. A curva de distribuição amostral de médias (DAM) é sempre mais estreita que a distribuição de x. A DAM para $n = 16$ é mais estreita que a DAM para $n = 4$, pois $EP(n = 16)$ é menor do que $EP(n = 4)$.
18. $z_{calc} = -3,125$. Não. O mais provável é que esta amostra provenha de uma população com média menor, pois o desvio entre 1,3 e 1,4 é estatisticamente significativo.
19. $z_{calc} = -17,32$. A retirada da hipófise está associada a uma redução na glicemia.
20. Média = 7,5; $DP = 1,08$; $t_{calc} = 3,675 > t_{0,05;6} = 2,447$. A nova variedade tem sementes maiores.
21. $t_{calc} = -1,787$. Não há diferença estatisticamente significativa entre as médias. O nível de chumbo no solo não foi afetado pela queimada.
22. Média = 14; $s = 2$; $t_{calc} = -3,164$; $t_{0,05;9} = 2,262$. As mulheres apresentam nível de hemoglobina mais baixo.

23. $t_{calc} = 11,900 > t_{0,01;7} = 3,499$. Em genitores de crianças com fenilcetonúria, a concentração de fenilalanina é mais alta do que na população em geral.
24. $EP = 0,2064$. $IC_{90\%}$: $4,25 - 4,95$; $IC_{95\%}$: $4,18 - 5,02$. O $IC_{90\%}$ é mais preciso, mas a confiança é menor.
25. $t_{calc} = 3,014 > t_{0,05;8} = 2,306$. O conteúdo de material sólido no rio R aumentou.
26. $EP = 0,616$. $IC_{95\%}$: $13,96 - 16,44$ ppm.
27. 1) $IC_{95\%}$: $252,4 - 311,6$; 2) Não, se fosse gaussiana, a média seria um valor situado mais ao centro da distribuição.
28. $44,61 - 40 = 2s/\sqrt{61}$, então $s = 18$
29. $F = 1,38$, não-significativo; $t_{calc} = 3,63$. Pacientes com proteinúria têm glicemia mais alta.
30. Comprimento: $F = 1,14$, não-significativo; $t_{calc} = 1,29$; mandíbula: $F = 1,47$, não-significativo; $t_{calc} = 1,99$. Não existe diferença significativa entre localidades quanto ao comprimento do corpo e largura da mandíbula, então parece não existir relação entre número cromossômico e estas medidas morfológicas.
31. $F = 1,00$, não-significativo; $t_{calc} = -4,00$; $t_{0,01;8} = 3,355$. Os usuários sentem-se mais confortáveis usando a pipeta do tipo B.
32. Comprimento: $F = 1,4$, não-significativo; $t_{calc} = -0,92$; diâmetro: $F = 2,0$, não-significativo; $t_{calc} = 19,9$. Não existe diferença entre locais quanto ao comprimento, mas o diâmetro dos ovos em Sapiranga é maior.
33. MHb: $F = 2,3$, significativo; $t'_{calc} = 1,88$, $gl = 25$; $0,05 < P < 0,10$. SHb: $F = 5,0$, significativo; $t'_{calc} = 2,45$; $gl = 21$; $0,02 < P < 0,05$. O nível de MHb não difere entre as cidades. O nível de SHb é maior em Cubatão.
34. $t_{calc} = 2,91 > t_{0,05;8} = 2,306$. A nova dieta determina um aumento no peso corporal das cobaias.
35. $t_{calc} = 2,97 > t_{0,05 \text{ unilateral};9} = 1,833$. O novo medicamento reduz a pressão arterial sistólica – PAS (aqui se justifica um teste unilateral, porque a pergunta era: "Há ou não uma *redução* na PAS?").
36. $t_{calc} = 4,02 > t_{0,01;24} = 2,797$. O medicamento M reduz o colesterol plasmático (aqui o teste é bilateral porque o pesquisador queria identificar um efeito, fosse ele de aumentar ou diminuir o colesterol).
37. $r = 0,94$; $t_{calc} = 4,77 > t_{0,05;3} = 3,182$. Existe correlação positiva muito forte entre os resultados dos dois instrumentos.
38. $t_{calc} = -4,65$; $t_{calc} = -2,67$; $t_{0,01;28} = 2,763$. Existe correlação negativa forte entre nível de alfa-fetoproteína e idade gestacional, mas não há correlação entre níveis de alfa-fetoproteína e de fibronectina, para o nível 0,01 de significância.
39. Existe correlação inversa forte entre VT e temperatura ($P < 0,01$).
40. –
41. $\Sigma x = 72$; $\Sigma x^2 = 636$; $\Sigma y = 12,6$; $\Sigma y^2 = 19,28$; $\Sigma xy = 110,6$; $\hat{y} - 0,096 + 0,163x$; $EP = 0,010$; $t_{calc} = 16,14$. Em crianças de 4 a 12 anos, a capacidade pulmonar depende da idade. Para cada ano a mais na idade, espera-se um aumento médio de 0,163 L na capacidade pulmonar.
42. $\Sigma x = 15$; $\Sigma x^2 = 55$; $\Sigma y = 136$; $\Sigma y^2 = 3222$; $\Sigma xy = 292$. $\hat{y} = 29,52 - 2,74x$; $EP = 0,324$; $t_{calc} = -8,456$. Para cada unidade adicional de calcário adicionado ao solo, espera-se uma redução de 2,74 na percentagem de anomalias das células germinativas.
43. 1) Existe correlação positiva forte entre ln (largura do abdômen) e ln (largura da carapaça).

2) $t = (b - 0)/EP = 1{,}25/0{,}15 = 8{,}33$ ($P<0{,}001$). Espera-se um aumento de 1,25 unidades de ln(larg abdômen) para um aumento de uma unidade de ln(larg carapaça).

3) $t = (b - 1)/EP = (1{,}25 - 1)/0{,}15 = 1{,}67 < t_{0,05;19} = 2{,}093$. Não há evidências suficientes para rejeitar a hipótese de isometria.

44. No gráfico de colunas, a linha horizontal não é um eixo e as colunas não são justapostas, como no histograma.
45. $0{,}4 \times 0{,}4 = 0{,}16$
46. $0{,}5 (0{,}967) = 0{,}4835$
47. 1) 0,873; 2)$(0{,}03 \times 0{,}9)+(0{,}97 \times 0{,}1)=0{,}124$ 3)0,003
48. 9/16. Não, pois a probabilidade "não tem memória".
49. 1) $(0{,}32+0{,}08)^3 = 0{,}064$; 2) $(0{,}4 \times 0{,}6) + (0{,}6 \times 0{,}4) + 0{,}4^2 = 0{,}64$
50. 1) 0,478; 2) aprox. zero; 3) 0,372; 4) 0,372+0,478=0,850; 5) 0,026
51. –
52. Binomial: 0,075+0,035+0,012+0,003=0,125; normal: $z = 1{,}37$, logo área = 0,085; normal com correção: $z = 1{,}14$, logo área = 0,127. Distribuição normal com correção produz probabilidade mais próxima da obtida pela binomial.
53. 7,7% – 21,5%
54. 11,8% – 52,2%. A pouca precisão é devida ao tamanho amostral. Para aumentar a precisão é necessário estudar um número maior de pacientes.
55. $z_{calc} = 1{,}83 < z_{0,05} = 1{,}96$. Não houve mudança de comportamento.
56. China: $z_{calc} = 1{,}38$; Irã: $z_{calc} = 8{,}01$. A prevalência de esofagite no Rio Grande do Sul é semelhante à da China e menor do que a do Irã.
57. $z_{calc} = 1{,}53$ ou $\chi^2_{calc} = 2{,}34$ ($P>0{,}10$). Não, pessoas com níveis de colesterol elevado são igualmente freqüentes nos dois gêneros dessa população.
58. $z_{calc} = 3{,}26$ ou $\chi^2_{calc} = 10{,}61$. O mosaicismo cromossômico é mais freqüente na cultivar CNT-10.
59. $\chi^2_{calc} = 137{,}4 > \chi^2_{0,001;8} = 26{,}12$. A distribuição da ovoposição não é uniforme ao longo dos meses de março e novembro.
60. $\chi^2_{calc} = 23{,}7 > \chi^2_{0,01;5} = 15{,}09$. Aos sábados ocorrem mais acidentes de trabalho, nesta empresa.
61. $\chi^2_{calc} = 7{,}11 < \chi^2_{0,05;4} = 9{,}49$. Não. As diferenças entre os números observados e os esperados de acordo com Nilsson-Ehle são causais.
62. $\chi^2_{calc} = 10{,}96$ ou $z_{calc} = 3{,}31$. Entre as pessoas com problemas de tireóide, a proporção de pessoas sensíveis ao PTC é menor do que na população em geral.
63. $\chi^2_{calc} = 1{,}60 < \chi^2_{0,05;2} = 5{,}99$. Não existe associação entre gênero e cor do pelo nestes roedores.
64. Início da vida sexual: $\chi^2 = 7{,}97$; resíduos para "Casos": +2,02; –0,12; –2,48. DQB1*03: $\chi^2_{corrig} = 13{,}84$. Mulheres com câncer de cérvice uterina iniciaram mais cedo a vida sexual. Nestas mulheres, a freqüência do alelo DQB1*03 é maior do que no grupo controle.
65. $\chi^2_{calc} = 93{,}8$. Resíduos para "Câncer de pulmão": –5,94; –4,07; +1,05; +6,74; +3,57. O risco de câncer de pulmão aumenta com a quantidade de cigarros fumados diariamente.
66. Idade: $\chi^2_{calc} = 4{,}62$; contaminação racial aparente: $\chi^2_{calc} = 1{,}22$. A freqüência de cromossomos acrocêntricos (típicos do gado zebuíno) é menor em touros mais jovens, logo a mistura com zebu está diminuindo no plantel. Por

outro lado, a variável "mistura racial aparente" não é um bom indicador de miscigenação, pois não foi encontrada associação entre as várias categorias desta variável e a freqüência de acrocêntricos.

67. $\chi^2_{calc} = 0,83$. Os tipos Hp não têm freqüências diferentes nas duas formas de esquistossomose.
68. 1) Será maior; 2) Será menor, pois a variação entre indivíduos altos é menor do que a observada na população como um todo.
69. 35 em cada amostra, no mínimo.
70. No mínimo 99 indivíduos.
71. SQ Entre = 17,8; SQ Dentro = 6,9; QM Entre = 5,93; QM Dentro = 0,86; F = 6,9; q_{calc}: 5,35; 5,61; 4,40; 1,75. O ponto B apresenta dano maior do que os pontos A e C, que não diferem. Os resultados relativos ao ponto D são inconclusivos.
72. F_{calc} = 91,74 (P<0,01). Tukey: q_{calc} = 16,21; 1,50; 12,48; $q_{0,05;3;52}$ = 3,399. Os heterozigotos I e V diferem dos controles, mas não diferem entre si, logo, o objetivo não foi alcançado.
73. q_{calc} = 5,72; 0,28; não testar; 5,61; não testar; 5,45. EP = 0,437; $q_{0,05;4;28}$ = 3,845. A lagoa Infernão apresenta as menores concentrações de sílica; os mananciais restantes não diferem entre si.
74. SQ Dieta = 96,4; SQ Peso =113,3; SQ Resíduo = 54,3; QM Dieta = 48,2; QM Peso = 28,3; QM Resíduo= 6,8. F dietas = 7,10; q_{calc} = 5,32; 2,40; 2,92; F peso = 4,17. A redução de peso é maior na Dieta 1 do que na 2. Os resultados referentes à Dieta 3 são inconclusivos.
75. Procedimentos: gl = 3; F = 0,50 (P>0,05). Gestantes: gl = 6; F = 2,45 (P>0,05). Não há diferença estatisticamente significante entre procedimentos. Também não há diferença significativa entre gestantes.
76. SQ Entre = 40,40; SQ Dentro = 22,74; QM Entre = 20,20; QM Dentro = 1,52; F_{calc} = 13,3. q_{calc}: 7,30; 3,38; 3,92. $q_{0,05;15;3}$ (Tukey): 3,674. O nível de hemoglobina não difere em pessoas com HB S/beta talassemia e HB SC; em pessoas com fenótipo HB S, o nível de hemoglobina é menor.

	Hb S	Hb S/beta-talassemia	Hb SC
Média	8,6[a]	10,6[b]	12,3[b]
n	6	6	6

77. F_{calc} = 7,85 (P<0,01). SNK: q_{calc} = 5,41; 1,28; 3,83; $q_{0,05, k';11}$ = 3,820; 3,113; 3,113. Crianças que receberam BCG por via oral ou intradérmica apresentam resposta de igual intensidade, tendo o diâmetro da reação maior do que o das crianças que não foram vacinadas.
78. U_{calc} = 51,5. Não há diferença entre machos e fêmeas.
79. T_{calc} = 8,0. A freqüência de anomalias de fuso é mais alta em indivíduos expostos ao chumbo (P = 0,05).
80. A_x =180; A_y =180,5; Σd^2 =383,5; r_s = –0,064, não-significativo.
81. Se o nível de oxigênio tem distribuição normal, usar t´, pois F foi significativo. Se esta variável não tem distribuição normal, ou não se deseja usar um teste paramétrico, usar o teste de Wilcoxon-Mann-Whitney ou o Kruskal-Wallis para k = 2. Com todos os testes, P < 0,001 e conclui-se que o nível de oxigênio é mais alto na lagoa Jacaré.

82. $\chi^2_{McNemar} = 12{,}90$. O medicamento reduz significativamente a dor nas primeiras 24 horas após a aplicação.
83. $Pr(1) = 0{,}2937$. Como este valor já é maior do que 0,05, não é necessário realizar os demais cálculos. Conclui-se, pelo Teste Exato de Fisher, que não há diferença significativa na freqüência da retinopatia de base em sobreviventes e não-sobreviventes.
84. (1) $H = 2{,}18$; $P > 0{,}20$. (2) $H = 79{,}10$ ($P < 0{,}001$); $EP = 4{,}69$; Q crítico $= 2{,}639$. Tupi (freqüências mais altas) difere dos demais, que não diferem entre si.
85. $H_C = 13{,}87$; $gl = 3$; $P<0{,}01$. $EP = 4{,}03$; $Q = 3{,}40$; 2,91; 2,66; 0,74; não se testam os demais. O rio Mogi-Guaçu tem níveis de nitrato mais altos do que as lagoas, que não diferem entre si; os resultados para o córrego Cafundó são inconclusivos.
86. $r_S = 0{,}638$; se não for feita correção para empates, então $r_S = 0{,}643$.
87. T.E.Fisher: $P = 0{,}0046$. Com o tratamento A ocorrem menos complicações.

EXERCÍCIOS DE REVISÃO

88. 1) Média $= 11{,}9$; mediana $= 12$; $DP = 1{,}54$; 2) $IC_{95\%}$: 11,0 –12,8.
89. 1) 0,5; 2) $z_1 = -0{,}8$; $z_2 = 1{,}6$; prob $= 0{,}7333$; 3) 0,0228
90. $EP = 0{,}188$. O $IC_{95\%}$ é 8,287 – 9,073.
91. Média $= 12{,}1$; mediana $= 11$; $DP = 5{,}28$
92. 1) z entre $-0{,}84$ e $0{,}84$; 2) z entre $-\infty$ e $-0{,}61$; 3) z entre $-0{,}52$ e $+\infty$
93. Média $= 1{,}92$; $md = 1{,}50$; $s = 1{,}04$. A mediana é a melhor medida de tendência central porque a distribuição dos dados é assimétrica.
94. Distribuição normal, com média μ e erro padrão $\sigma/\sqrt{n}$. A largura da curva varia conforme n. Todas as propriedades relativas às áreas da curva normal são válidas.
95. 1) 0,4641; 2) 0,0968; 3) 0,8849; 4) 0,0183; 5) 0,7213
96. Média $= 65{,}1$; $md = 65$; moda $= 65$; $a = 16$; $s^2 = 19{,}66$; $s = 4{,}43$
97. 1) $z = -0{,}33$, 63%; 2) $z = -0{,}84$, 7,9 m; 3) $z = 1{,}28$; 16,8 m ou mais
98. Mediana (SC) $= 5$; mediana (HC) $= 7$. O número de consultas parece ser maior nas gestantes do Hospital de Clínicas (para confirmar esta conclusão, seria necessário realizar um teste estatístico não-paramétrico, por exemplo, o teste de Wilcoxon-Mann-Whitney).
99. 1) 0,0475; 2) 0,9332
100. Média $= 0{,}88$; $DP = 0{,}11$; $IC_{95\%}$: 0,81 – 0,95
101. $z_{calc} = 2{,}98 > z_{0{,}05\ unil} = 1{,}645$. A pressão arterial sistólica é mais elevada em jovens que ingerem diariamente muito sal se eles pertencem a famílias nas quais há pessoas com hipertensão essencial.
102. $EP = 2$. A região de não-significância fica entre 46,08 e 53,92
103. $t_{calc} = |-2{,}41| > t_{0{,}05;48} = 2{,}021$. Rejeita-se H_0 e conclui-se que a capacidade vital está diminuída nesses operários.
104. $z_{calc} = 2{,}08 > 1{,}96$. Há diferença significativa na envergadura das asas dos pássaros dos dois locais; logo, existe variação geográfica.
105. $z = -0{,}40$; área $= 0{,}3446$. O desbaste atingirá 34,5% das árvores.
106. Média $= 3092$; $s = 301{,}5$; $t_{calc} = -4{,}06$; $0{,}001<P<0{,}01$. A suposição do pediatra está correta: o peso ao nascer é menor nesse hospital.
107. $t_{calc} = |-2{,}23| > t_{0{,}05;30} = 2{,}042$. A deficiência em vitamina K está associada a níveis mais baixos de protrombina.
108. Pressão arterial sistólica: $F = 1{,}0$ (não significante); $t_{calc} = 4{,}77$, $P<0{,}001$. Mulheres apresentam níveis de pressão arterial sistólica e diastólica superiores aos dos homens, mas não diferem destes quanto à glicemia e quanto ao índice de massa corporal.

109. Média = 6; s = 4,35; t_{calc} = 4,37; 0,01>P>0,001. Exercício moderado (600 kgm/min durante 5 min) aumenta a freqüência respiratória, mesmo em indivíduos treinados.
110. r = 0,67; t_{calc} = 1,80; 0,20>P>0,10. O coeficiente de correlação não é significativo. Não foi possível demonstrar que existe correlação entre aptidão e produtividade.
111. Existe correlação regular entre cônjuges no que se refere à altura e ao peso, fraca para comprimento do nariz e não há correlação quanto à espessura dos lábios. Os dados indicam, portanto, que as pessoas em geral procuram cônjuges relativamente parecidos com elas mesmas quanto ao peso e à estatura; também o fazem, mas em menor grau, quanto ao comprimento do nariz; mas o mesmo não ocorre quanto à espessura dos lábios.
112. 1-3) $\hat{y}$ = –9,06 + 0,28x; 3) EP = 0,12; t_{calc} = 2,33. Não há evidências suficientes para afirmar que existe relação entre peso e comprimento rostro-anal. 4) Com uma amostra maior, pode-se afirmar, com pequena probabilidade de erro (P<0,001), que o peso depende do CRA, esperando-se um aumento de 0,30 g para cada aumento de 1 mm no comprimento rostro-anal. 5) A taxa de crescimento diminui (à razão de 0,20g/mm) com o aumento do comprimento rostro-anal.
113. F = 2,19; 0,10>P>0,05, logo as variâncias não diferem. t_{calc} = 5,83; P<0,001. O comprimento do crânio é maior nos animais de Tijuca.
114. F = 1,00; P>0,10, logo as variâncias não diferem. t_{calc} = –0,33; P>0,20. Não há diferença entre métodos de ensino.
115. F = 9,00; P<0,01, logo variâncias diferem. t'_{calc} = 3,641; gl' = 26; 0,01>P>0,001. A atividade de renina plasmática está aumentada em indivíduos diabéticos.
116. 1) 0,47×0,83 = 0,390; 2) 0,47×0,17×0,53×0,83= 0,035; 3) (0,47×0,83)^2×0,53×0,83= 0,067
117. 1) 0,004; 2) 0,187; 3) 0,138+0,037+0,004=0,179
118. 1) 0,590; 2) 0,774
119. 1) 0,026; 2) 0,026+0,006+0,001= 0,033; 3) 0,268+0,107= 0,375
120. z_{calc} = 6,52 ou χ^2_{corrig} = 42,35 (gl = 1); P<0,001. Há mais fumantes na Santa Casa.
121. z_{calc} = –1,99 ou χ^2_{corrig} = 3,97 (gl = 1); 0,05>P>0,02. A nova variedade é mais resistente.
122. χ^2_{calc} = 8,85; 0,02>P>0,01. Não são compatíveis, há mais indivíduos com 3 ou mais acidentes.
123. χ^2_{calc} = 1,87; P>0,20. Não há diferença entre regiões.
124. $IC_{99\%}$: 0,191 – 0,245
125. z_{calc} = 5,61 ou χ^2_{corrig} = 31,46 (gl = 1); P<0,001. Nos alcoolistas que começam com problemas mais cedo, a freqüência de alucinações (72%) é maior do que naqueles nos quais os problemas devidos ao álcool começam mais tarde (21%).
126. χ^2_{calc} = 3,82; 0,20>P>0,10. Não há efeito do gradiente de luminosidade sobre a distribuição da gramínea.
127. z_{calc} = 4,19 ou χ^2_{corrig} = 17,58 (gl = 1); P<0,001. A droga reduz a proporção de pessoas que têm vômitos pós-operatórios.
128. z_{calc} = 2,04 ou χ^2_{corrig} = 4,17 (gl = 1); 0,05>P>0,02. A proporção de pessoas favoráveis é maior na cidade A.
129. Trata-se da comparação entre duas amostras pareadas. Média = 1; s = 1,927; t_{calc} = 1,47; 0,20>P>0,10. Não existe diferença entre meninos e meninas quanto ao aproveitamento escolar.

130. $\chi^2_{calc} = 11,63$; $0,010 > P > 0,001$. Existe diferença significativa entre locais. A análise de resíduos mostra que as diferenças são devidas principalmente ao grupo A (cidade I tem mais indivíduos do que o esperado) e AB (cidade I tem menos pessoas do que o esperado).

Análise de resíduos (os marcados com * são significativos ao nível 0,05):

	A	B	AB	O
Cidade I	2,06*	−1,68	−2,60*	0,28
Cidade II	−2,06*	1,68	2,60*	0,28

131. $z_{calc} = 1,62$ ou $\chi^2_{corrig} = 2,64$ ($gl = 1$); $0,20 > P > 0,10$. Não há evidências de que a moeda seja desonesta.
132. $\chi^2_{calc} = 13,73$; $0,01 > P > 0,001$. A amostra não é representativa da população gaúcha, devido principalmente à falta de indivíduos B.
133. $P = 0,383$; $EP = 0,0709$. A proporção verdadeira de homens alcoolistas gaúchos que apresentam depressão maior é um valor entre 0,233 e 0,533, com 95% de confiança.
134. $\chi^2_{calc} = 13,69$; $0,01 > P > 0,001$. Existe associação entre grupo étnico e tamanho do recém-nascido. Crianças grandes para a idade são mais freqüentes em caucasóides e pequenas são mais freqüentes em negróides.

Análise de resíduos (os marcados com * são significativos ao nível 0,05):

	Grande	Apropriado	Pequeno
Caucasóides	3,14*	−1,72	−2,28*
Negróides	−3,14*	1,72	2,28*

135. 1) Esofagite: $z_{calc} = 1,67$; $0,05 > P_{unilateral} > 0,025$. Existe diferença entre grupos. A esofagite é mais comum em homens que tomam chimarrão com maior freqüência.
   2) Gastrite: $z_{calc} = 0,35$; $P_{unilateral} > 0,20$. Não foi encontrada diferença significativa entre grupos quanto à freqüência de gastrite.
   3) $P_A = 0,2$; $P_B = 0,133$; $P_0 = 0,167$; diferença $= 0,2 - 0,133 = 0,067$; $z_{0,05unilateral} = 1,64$; $w = z_{0,20unilateral} = 0,84$; no mínimo 380 pessoas em cada grupo.
136. No mínimo 28 indivíduos em cada grupo.
137. $\chi^2_{calc} = 70,39$; $P < 0,001$. A freqüência da inversão F está inversamente associada ao grau de urbanização: ela é mais freqüente em zonas de baixa urbanização (29%) e menos freqüente (12%) nas áreas de alta urbanização. Nas zonas com grau intermediário de urbanização e nos controles, a inversão F ocorre na freqüência esperada ao acaso (26%).
138. QM Entre $= 4222,5$; QM Resíduo $= 74,7$; $F = 56,5$. $\alpha_{Bonf} = 0,017$, $t_{0,02;195} \cong 2,358$. Existe diferença significativa entre sexos nos adultos ($t_{Bonf} = 2,772$) mas não nas formas jovens ($t_{Bonf} = 0,802$). Também não há diferença estatisticamente significativa entre fêmeas adultas com e sem ovos ($t_{Bonf} = 1,035$).
139. Teste de Kruskal-Wallis. Nascidos vivos: $gl = 2$, $P < 0,001$. Há diferença entre manejos quanto ao número de nascidos vivos observado por ninho. Natimortos: $gl = 2$, $P > 0,20$. O número de natimortos não muda com o manejo.
140. $U_{calc} = 12$, $P < 0,05$. As populações de língua Caribe são maiores do que as de língua Tupi.

TABELAS

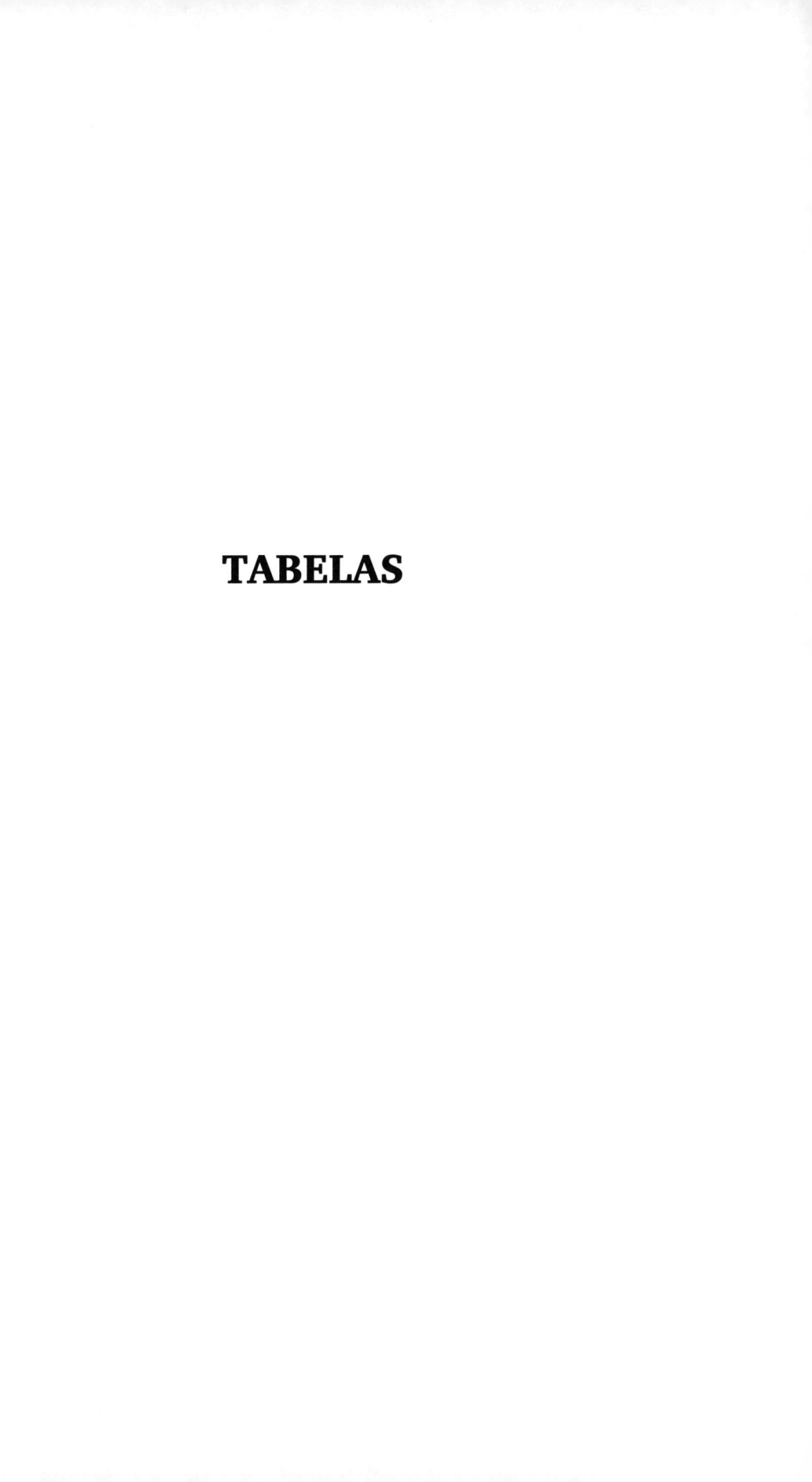

TABELA A1 Distribuição normal: valores de z e áreas entre a média (zero) e z

z	área entre 0 e z	z	área entre 0 e z	z	área entre 0 e z	z	área entre 0 e z	z	área entre 0 e z	z	área entre 0 e z
0,00	0,0000	0,56	0,2123	1,12	0,3686	1,68	0,4535	2,24	0,4875	2,80	0,4974
0,01	0,0040	0,57	0,2157	1,13	0,3708	1,69	0,4545	2,25	0,4878	2,81	0,4975
0,02	0,0080	0,58	0,2190	1,14	0,3729	1,70	0,4554	2,26	0,4881	2,82	0,4976
0,03	0,0120	0,59	0,2224	1,15	0,3749	1,71	0,4564	2,27	0,4884	2,83	0,4977
0,04	0,0160	0,60	0,2257	1,16	0,3770	1,72	0,4573	2,28	0,4887	2,84	0,4977
0,05	0,0199	0,61	0,2291	1,17	0,3790	1,73	0,4582	2,29	0,4890	2,85	0,4978
0,06	0,0239	0,62	0,2324	1,18	0,3810	1,74	0,4591	2,30	0,4893	2,86	0,4979
0,07	0,0279	0,63	0,2357	1,19	0,3830	1,75	0,4599	2,31	0,4896	2,87	0,4979
0,08	0,0319	0,64	0,2389	1,20	0,3849	1,76	0,4608	2,32	0,4898	2,88	0,4980
0,09	0,0359	0,65	0,2422	1,21	0,3869	1,77	0,4616	2,33	0,4901	2,89	0,4981
0,10	0,0398	0,66	0,2454	1,22	0,3888	1,78	0,4625	2,34	0,4904	2,90	0,4981
0,11	0,0438	0,67	0,2486	1,23	0,3907	1,79	0,4633	2,35	0,4906	2,91	0,4982
0,12	0,0478	0,68	0,2517	1,24	0,3925	1,80	0,4641	2,36	0,4909	2,92	0,4982
0,13	0,0517	0,69	0,2549	1,25	0,3944	1,81	0,4649	2,37	0,4911	2,93	0,4983
0,14	0,0557	0,70	0,2580	1,26	0,3962	1,82	0,4656	2,38	0,4913	2,94	0,4984
0,15	0,0596	0,71	0,2611	1,27	0,3980	1,83	0,4664	2,39	0,4916	2,95	0,4984
0,16	0,0636	0,72	0,2642	1,28	0,3997	1,84	0,4671	2,40	0,4918	2,96	0,4985
0,17	0,0675	0,73	0,2673	1,29	0,4015	1,85	0,4678	2,41	0,4920	2,97	0,4985
0,18	0,0714	0,74	0,2704	1,30	0,4032	1,86	0,4686	2,42	0,4922	2,98	0,4986
0,19	0,0753	0,75	0,2734	1,31	0,4049	1,87	0,4693	2,43	0,4925	2,99	0,4986
0,20	0,0793	0,76	0,2764	1,32	0,4066	1,88	0,4699	2,44	0,4927	3,00	0,4987
0,21	0,0832	0,77	0,2794	1,33	0,4082	1,89	0,4706	2,45	0,4929	3,01	0,4987
0,22	0,0871	0,78	0,2823	1,34	0,4099	1,90	0,4713	2,46	0,4931	3,02	0,4987
0,23	0,0910	0,79	0,2852	1,35	0,4115	1,91	0,4719	2,47	0,4932	3,03	0,4988
0,24	0,0948	0,80	0,2881	1,36	0,4131	1,92	0,4726	2,48	0,4934	3,04	0,4988
0,25	0,0987	0,81	0,2910	1,37	0,4147	1,93	0,4732	2,49	0,4936	3,05	0,4989
0,26	0,1026	0,82	0,2939	1,38	0,4162	1,94	0,4738	2,50	0,4938	3,06	0,4989
0,27	0,1064	0,83	0,2967	1,39	0,4177	1,95	0,4744	2,51	0,4940	3,07	0,4989
0,28	0,1103	0,84	0,2995	1,40	0,4192	1,96	0,4750	2,52	0,4941	3,08	0,4990
0,29	0,1141	0,85	0,3023	1,41	0,4207	1,97	0,4756	2,53	0,4943	3,09	0,4990
0,30	0,1179	0,86	0,3051	1,42	0,4222	1,98	0,4761	2,54	0,4945	3,10	0,4990
0,31	0,1217	0,87	0,3078	1,43	0,4236	1,99	0,4767	2,55	0,4946	3,11	0,4991
0,32	0,1255	0,88	0,3106	1,44	0,4251	2,00	0,4772	2,56	0,4948	3,12	0,4991
0,33	0,1293	0,89	0,3133	1,45	0,4265	2,01	0,4778	2,57	0,4949	3,13	0,4991
0,34	0,1331	0,90	0,3159	1,46	0,4279	2,02	0,4783	2,58	0,4951	3,14	0,4992
0,35	0,1368	0,91	0,3186	1,47	0,4292	2,03	0,4788	2,59	0,4952	3,15	0,4992
0,36	0,1406	0,92	0,3212	1,48	0,4306	2,04	0,4793	2,60	0,4953	3,16	0,4992
0,37	0,1443	0,93	0,3238	1,49	0,4319	2,05	0,4798	2,61	0,4955	3,17	0,4992
0,38	0,1480	0,94	0,3264	1,50	0,4332	2,06	0,4803	2,62	0,4956	3,18	0,4993
0,39	0,1517	0,95	0,3289	1,51	0,4345	2,07	0,4808	2,63	0,4957	3,19	0,4993
0,40	0,1554	0,96	0,3315	1,52	0,4357	2,08	0,4812	2,64	0,4959	3,20	0,4993
0,41	0,1591	0,97	0,3340	1,53	0,4370	2,09	0,4817	2,65	0,4960	3,21	0,4993
0,42	0,1628	0,98	0,3365	1,54	0,4382	2,10	0,4821	2,66	0,4961	3,22	0,4994
0,43	0,1664	0,99	0,3389	1,55	0,4394	2,11	0,4826	2,67	0,4962	3,23	0,4994
0,44	0,1700	1,00	0,3413	1,56	0,4406	2,12	0,4830	2,68	0,4963	3,24	0,4994
0,45	0,1736	1,01	0,3438	1,57	0,4418	2,13	0,4834	2,69	0,4964	3,25	0,4994
0,46	0,1772	1,02	0,3461	1,58	0,4429	2,14	0,4838	2,70	0,4965	3,30	0,4995
0,47	0,1808	1,03	0,3485	1,59	0,4441	2,15	0,4842	2,71	0,4966	3,35	0,4996
0,48	0,1844	1,04	0,3508	1,60	0,4452	2,16	0,4846	2,72	0,4967	3,40	0,4997
0,49	0,1879	1,05	0,3531	1,61	0,4463	2,17	0,4850	2,73	0,4968	3,45	0,4997
0,50	0,1915	1,06	0,3554	1,62	0,4474	2,18	0,4854	2,74	0,4969	3,50	0,4998
0,51	0,1950	1,07	0,3577	1,63	0,4484	2,19	0,4857	2,75	0,4970	3,60	0,4998
0,52	0,1985	1,08	0,3599	1,64	0,4495	2,20	0,4861	2,76	0,4971	3,70	0,4999
0,53	0,2019	1,09	0,3621	1,65	0,4505	2,21	0,4864	2,77	0,4972	3,80	0,4999
0,54	0,2054	1,10	0,3643	1,66	0,4515	2,22	0,4868	2,78	0,4973	3,90	0,49995
0,55	0,2088	1,11	0,3665	1,67	0,4525	2,23	0,4871	2,79	0,4974	4,00	0,49997

Tabela A2 Valores críticos da distribuição t de Student

gl	α Bilateral: α Unilateral:	0,40 0,20	0,20 0,10	0,10 0,05	0,05 0,025	0,02 0,01	0,01 0,005	0,001 0,0005
1		1,376	3,078	6,314	12,706	31,821	63,656	636,578
2		1,061	1,886	2,920	4,303	6,965	9,925	31,600
3		0,978	1,638	2,353	3,182	4,541	5,841	12,924
4		0,941	1,533	2,132	2,776	3,747	4,604	8,610
5		0,920	1,476	2,015	2,571	3,365	4,032	6,869
6		0,906	1,440	1,943	2,447	3,143	3,707	5,959
7		0,896	1,415	1,895	2,365	2,998	3,499	5,408
8		0,889	1,397	1,860	2,306	2,896	3,355	5,041
9		0,883	1,383	1,833	2,262	2,821	3,250	4,781
10		0,879	1,372	1,812	2,228	2,764	3,169	4,587
11		0,876	1,363	1,796	2,201	2,718	3,106	4,437
12		0,873	1,356	1,782	2,179	2,681	3,055	4,318
13		0,870	1,350	1,771	2,160	2,650	3,012	4,221
14		0,868	1,345	1,761	2,145	2,624	2,977	4,140
15		0,866	1,341	1,753	2,131	2,602	2,947	4,073
16		0,865	1,337	1,746	2,120	2,583	2,921	4,015
17		0,863	1,333	1,740	2,110	2,567	2,898	3,965
18		0,862	1,330	1,734	2,101	2,552	2,878	3,922
19		0,861	1,328	1,729	2,093	2,539	2,861	3,883
20		0,860	1,325	1,725	2,086	2,528	2,845	3,850
21		0,859	1,323	1,721	2,080	2,518	2,831	3,819
22		0,858	1,321	1,717	2,074	2,508	2,819	3,792
23		0,858	1,319	1,714	2,069	2,500	2,807	3,768
24		0,857	1,318	1,711	2,064	2,492	2,797	3,745
25		0,856	1,316	1,708	2,060	2,485	2,787	3,725
26		0,856	1,315	1,706	2,056	2,479	2,779	3,707
27		0,855	1,314	1,703	2,052	2,473	2,771	3,689
28		0,855	1,313	1,701	2,048	2,467	2,763	3,674
29		0,854	1,311	1,699	2,045	2,462	2,756	3,660
30		0,854	1,310	1,697	2,042	2,457	2,750	3,646
40		0,851	1,303	1,684	2,021	2,423	2,704	3,551
60		0,848	1,296	1,671	2,000	2,390	2,660	3,460
120		0,845	1,289	1,658	1,980	2,358	2,617	3,373
infinito		0,842	1,282	1,645	1,960	2,326	2,576	3,290

TABELA A3.1 Distribuição *F:* valores críticos para um teste bilateral ($\alpha = 0{,}05$)

gl do Denominador	gl do Numerador											
	1	2	3	4	5	6	7	8	9	10	11	12
1	648	799	864	900	922	937	948	957	963	969	973	977
2	38,51	39,00	39,17	39,25	39,30	39,33	39,36	39,37	39,39	39,40	39,41	39,41
3	17,44	16,04	15,44	15,10	14,88	14,73	14,62	14,54	14,47	14,42	14,37	14,34
4	12,22	10,65	9,98	9,60	9,36	9,20	9,07	8,98	8,90	8,84	8,79	8,75
5	10,01	8,43	7,76	7,39	7,15	6,98	6,85	6,76	6,68	6,62	6,57	6,52
6	8,81	7,26	6,60	6,23	5,99	5,82	5,70	5,60	5,52	5,46	5,41	5,37
7	8,07	6,54	5,89	5,52	5,29	5,12	4,99	4,90	4,82	4,76	4,71	4,67
8	7,57	6,06	5,42	5,05	4,82	4,65	4,53	4,43	4,36	4,30	4,24	4,20
9	7,21	5,71	5,08	4,72	4,48	4,32	4,20	4,10	4,03	3,96	3,91	3,87
10	6,94	5,46	4,83	4,47	4,24	4,07	3,95	3,85	3,78	3,72	3,66	3,62
11	6,72	5,26	4,63	4,28	4,04	3,88	3,76	3,66	3,59	3,53	3,47	3,43
12	6,55	5,10	4,47	4,12	3,89	3,73	3,61	3,51	3,44	3,37	3,32	3,28
13	6,41	4,97	4,35	4,00	3,77	3,60	3,48	3,39	3,31	3,25	3,20	3,15
14	6,30	4,86	4,24	3,89	3,66	3,50	3,38	3,29	3,21	3,15	3,09	3,05
15	6,20	4,77	4,15	3,80	3,58	3,41	3,29	3,20	3,12	3,06	3,01	2,96
16	6,12	4,69	4,08	3,73	3,50	3,34	3,22	3,12	3,05	2,99	2,93	2,89
17	6,04	4,62	4,01	3,66	3,44	3,28	3,16	3,06	2,98	2,92	2,87	2,82
18	5,98	4,56	3,95	3,61	3,38	3,22	3,10	3,01	2,93	2,87	2,81	2,77
19	5,92	4,51	3,90	3,56	3,33	3,17	3,05	2,96	2,88	2,82	2,76	2,72
20	5,87	4,46	3,86	3,51	3,29	3,13	3,01	2,91	2,84	2,77	2,72	2,68
21	5,83	4,42	3,82	3,48	3,25	3,09	2,97	2,87	2,80	2,73	2,68	2,64
22	5,79	4,38	3,78	3,44	3,22	3,05	2,93	2,84	2,76	2,70	2,65	2,60
23	5,75	4,35	3,75	3,41	3,18	3,02	2,90	2,81	2,73	2,67	2,62	2,57
24	5,72	4,32	3,72	3,38	3,15	2,99	2,87	2,78	2,70	2,64	2,59	2,54
25	5,69	4,29	3,69	3,35	3,13	2,97	2,85	2,75	2,68	2,61	2,56	2,51
26	5,66	4,27	3,67	3,33	3,10	2,94	2,82	2,73	2,65	2,59	2,54	2,49
27	5,63	4,24	3,65	3,31	3,08	2,92	2,80	2,71	2,63	2,57	2,51	2,47
28	5,61	4,22	3,63	3,29	3,06	2,90	2,78	2,69	2,61	2,55	2,49	2,45
29	5,59	4,20	3,61	3,27	3,04	2,88	2,76	2,67	2,59	2,53	2,48	2,43
30	5,57	4,18	3,59	3,25	3,03	2,87	2,75	2,65	2,57	2,51	2,46	2,41
32	5,53	4,15	3,56	3,22	3,00	2,84	2,71	2,62	2,54	2,48	2,43	2,38
34	5,50	4,12	3,53	3,19	2,97	2,81	2,69	2,59	2,52	2,45	2,40	2,35
36	5,47	4,09	3,50	3,17	2,94	2,78	2,66	2,57	2,49	2,43	2,37	2,33
38	5,45	4,07	3,48	3,15	2,92	2,76	2,64	2,55	2,47	2,41	2,35	2,31
40	5,42	4,05	3,46	3,13	2,90	2,74	2,62	2,53	2,45	2,39	2,33	2,29
42	5,40	4,03	3,45	3,11	2,89	2,73	2,61	2,51	2,43	2,37	2,32	2,27
44	5,39	4,02	3,43	3,09	2,87	2,71	2,59	2,50	2,42	2,36	2,30	2,26
46	5,37	4,00	3,42	3,08	2,86	2,70	2,58	2,48	2,41	2,34	2,29	2,24
48	5,35	3,99	3,40	3,07	2,84	2,69	2,56	2,47	2,39	2,33	2,27	2,23
50	5,34	3,97	3,39	3,05	2,83	2,67	2,55	2,46	2,38	2,32	2,26	2,22
55	5,31	3,95	3,36	3,03	2,81	2,65	2,53	2,43	2,36	2,29	2,24	2,19
60	5,29	3,93	3,34	3,01	2,79	2,63	2,51	2,41	2,33	2,27	2,22	2,17
65	5,26	3,91	3,32	2,99	2,77	2,61	2,49	2,39	2,32	2,25	2,20	2,15
70	5,25	3,89	3,31	2,97	2,75	2,59	2,47	2,38	2,30	2,24	2,18	2,14
80	5,22	3,86	3,28	2,95	2,73	2,57	2,45	2,35	2,28	2,21	2,16	2,11
100	5,18	3,83	3,25	2,92	2,70	2,54	2,42	2,32	2,24	2,18	2,12	2,08
125	5,15	3,80	3,22	2,89	2,67	2,51	2,39	2,30	2,22	2,15	2,10	2,05
150	5,13	3,78	3,20	2,87	2,65	2,49	2,37	2,28	2,20	2,13	2,08	2,03
200	5,10	3,76	3,18	2,85	2,63	2,47	2,35	2,26	2,18	2,11	2,06	2,01
400	5,06	3,72	3,15	2,82	2,60	2,44	2,32	2,22	2,15	2,08	2,03	1,98
1000	5,04	3,70	3,13	2,80	2,58	2,42	2,30	2,20	2,13	2,06	2,01	1,96
infinito	5,02	3,69	3,12	2,79	2,57	2,41	2,29	2,19	2,11	2,05	1,99	1,94

TABELA A3.1 Distribuição *F:* valores críticos para um teste bilateral ($\alpha = 0{,}05$) *(continuação)*

gl do Denominador	gl do Numerador											
	14	16	20	24	30	40	50	75	100	200	500	infinito
1	983	987	993	997	1001	1006	1008	1011	1013	1016	1017	1018
2	39,43	39,44	39,45	39,46	39,46	39,47	39,48	39,48	39,49	39,49	39,50	39,50
3	14,28	14,23	14,17	14,12	14,08	14,04	14,01	13,97	13,96	13,93	13,91	13,90
4	8,68	8,63	8,56	8,51	8,46	8,41	8,38	8,34	8,32	8,29	8,27	8,26
5	6,46	6,40	6,33	6,28	6,23	6,18	6,14	6,10	6,08	6,05	6,03	6,02
6	5,30	5,24	5,17	5,12	5,07	5,01	4,98	4,94	4,92	4,88	4,86	4,85
7	4,60	4,54	4,47	4,41	4,36	4,31	4,28	4,23	4,21	4,18	4,16	4,14
8	4,13	4,08	4,00	3,95	3,89	3,84	3,81	3,76	3,74	3,70	3,68	3,67
9	3,80	3,74	3,67	3,61	3,56	3,51	3,47	3,43	3,40	3,37	3,35	3,33
10	3,55	3,50	3,42	3,37	3,31	3,26	3,22	3,18	3,15	3,12	3,09	3,08
11	3,36	3,30	3,23	3,17	3,12	3,06	3,03	2,98	2,96	2,92	2,90	2,88
12	3,21	3,15	3,07	3,02	2,96	2,91	2,87	2,82	2,80	2,76	2,74	2,72
13	3,08	3,03	2,95	2,89	2,84	2,78	2,74	2,70	2,67	2,63	2,61	2,60
14	2,98	2,92	2,84	2,79	2,73	2,67	2,64	2,59	2,56	2,53	2,50	2,49
15	2,89	2,84	2,76	2,70	2,64	2,59	2,55	2,50	2,47	2,44	2,41	2,40
16	2,82	2,76	2,68	2,63	2,57	2,51	2,47	2,42	2,40	2,36	2,33	2,32
17	2,75	2,70	2,62	2,56	2,50	2,44	2,41	2,35	2,33	2,29	2,26	2,25
18	2,70	2,64	2,56	2,50	2,44	2,38	2,35	2,30	2,27	2,23	2,20	2,19
19	2,65	2,59	2,51	2,45	2,39	2,33	2,30	2,24	2,22	2,18	2,15	2,13
20	2,60	2,55	2,46	2,41	2,35	2,29	2,25	2,20	2,17	2,13	2,10	2,09
21	2,56	2,51	2,42	2,37	2,31	2,25	2,21	2,16	2,13	2,09	2,06	2,04
22	2,53	2,47	2,39	2,33	2,27	2,21	2,17	2,12	2,09	2,05	2,02	2,00
23	2,50	2,44	2,36	2,30	2,24	2,18	2,14	2,08	2,06	2,01	1,99	1,97
24	2,47	2,41	2,33	2,27	2,21	2,15	2,11	2,05	2,02	1,98	1,95	1,94
25	2,44	2,38	2,30	2,24	2,18	2,12	2,08	2,02	2,00	1,95	1,92	1,91
26	2,42	2,36	2,28	2,22	2,16	2,09	2,05	2,00	1,97	1,92	1,90	1,88
27	2,39	2,34	2,25	2,19	2,13	2,07	2,03	1,97	1,94	1,90	1,87	1,85
28	2,37	2,32	2,23	2,17	2,11	2,05	2,01	1,95	1,92	1,88	1,85	1,83
29	2,36	2,30	2,21	2,15	2,09	2,03	1,99	1,93	1,90	1,86	1,83	1,81
30	2,34	2,28	2,20	2,14	2,07	2,01	1,97	1,91	1,88	1,84	1,81	1,79
32	2,31	2,25	2,16	2,10	2,04	1,98	1,93	1,88	1,85	1,80	1,77	1,75
34	2,28	2,22	2,13	2,07	2,01	1,95	1,90	1,85	1,82	1,77	1,74	1,72
36	2,25	2,20	2,11	2,05	1,99	1,92	1,88	1,82	1,79	1,74	1,71	1,69
38	2,23	2,17	2,09	2,03	1,96	1,90	1,85	1,79	1,76	1,71	1,68	1,66
40	2,21	2,15	2,07	2,01	1,94	1,88	1,83	1,77	1,74	1,69	1,66	1,64
42	2,20	2,14	2,05	1,99	1,92	1,86	1,81	1,75	1,72	1,67	1,64	1,62
44	2,18	2,12	2,03	1,97	1,91	1,84	1,80	1,73	1,70	1,65	1,62	1,60
46	2,17	2,11	2,02	1,96	1,89	1,82	1,78	1,72	1,69	1,63	1,60	1,58
48	2,15	2,09	2,01	1,94	1,88	1,81	1,77	1,70	1,67	1,62	1,58	1,56
50	2,14	2,08	1,99	1,93	1,87	1,80	1,75	1,69	1,66	1,60	1,57	1,55
55	2,11	2,05	1,97	1,90	1,84	1,77	1,72	1,66	1,62	1,57	1,54	1,51
60	2,09	2,03	1,94	1,88	1,82	1,74	1,70	1,63	1,60	1,54	1,51	1,48
65	2,07	2,01	1,93	1,86	1,80	1,72	1,68	1,61	1,58	1,52	1,48	1,46
70	2,06	2,00	1,91	1,85	1,78	1,71	1,66	1,59	1,56	1,50	1,46	1,44
80	2,03	1,97	1,88	1,82	1,75	1,68	1,63	1,56	1,53	1,47	1,43	1,40
100	2,00	1,94	1,85	1,78	1,71	1,64	1,59	1,52	1,48	1,42	1,38	1,35
125	1,97	1,91	1,82	1,75	1,68	1,61	1,56	1,49	1,45	1,38	1,34	1,30
150	1,95	1,89	1,80	1,74	1,67	1,59	1,54	1,46	1,42	1,35	1,31	1,27
200	1,93	1,87	1,78	1,71	1,64	1,56	1,51	1,44	1,39	1,32	1,27	1,23
400	1,90	1,84	1,74	1,68	1,60	1,52	1,47	1,39	1,35	1,27	1,21	1,15
1000	1,88	1,82	1,72	1,65	1,58	1,50	1,45	1,36	1,32	1,23	1,16	1,09
infinito	1,87	1,80	1,71	1,64	1,57	1,48	1,43	1,34	1,30	1,21	1,13	1,01

TABELA A3.2 Distribuição *F:* valores críticos para um teste bilateral (α = 0,01)

gl do Denominador	gl do Numerador											
	1	2	3	4	5	6	7	8	9	10	11	12
1	16212	19997	21614	22501	23056	23440	23715	23924	24091	24222	24334	24427
2	198,5	199,0	199,2	199,2	199,3	199,3	199,4	199,4	199,4	199,4	199,4	199,4
3	55,55	49,80	47,47	46,20	45,39	44,84	44,43	44,13	43,88	43,68	43,52	43,39
4	31,33	26,28	24,26	23,15	22,46	21,98	21,62	21,35	21,14	20,97	20,82	20,70
5	22,78	18,31	16,53	15,56	14,94	14,51	14,20	13,96	13,77	13,62	13,49	13,38
6	18,63	14,54	12,92	12,03	11,46	11,07	10,79	10,57	10,39	10,25	10,13	10,03
7	16,24	12,40	10,88	10,05	9,52	9,16	8,89	8,68	8,51	8,38	8,27	8,18
8	14,69	11,04	9,60	8,81	8,30	7,95	7,69	7,50	7,34	7,21	7,10	7,01
9	13,61	10,11	8,72	7,96	7,47	7,13	6,88	6,69	6,54	6,42	6,31	6,23
10	12,83	9,43	8,08	7,34	6,87	6,54	6,30	6,12	5,97	5,85	5,75	5,66
11	12,23	8,91	7,60	6,88	6,42	6,10	5,86	5,68	5,54	5,42	5,32	5,24
12	11,75	8,51	7,23	6,52	6,07	5,76	5,52	5,35	5,20	5,09	4,99	4,91
13	11,37	8,19	6,93	6,23	5,79	5,48	5,25	5,08	4,94	4,82	4,72	4,64
14	11,06	7,92	6,68	6,00	5,56	5,26	5,03	4,86	4,72	4,60	4,51	4,43
15	10,80	7,70	6,48	5,80	5,37	5,07	4,85	4,67	4,54	4,42	4,33	4,25
16	10,58	7,51	6,30	5,64	5,21	4,91	4,69	4,52	4,38	4,27	4,18	4,10
17	10,38	7,35	6,16	5,50	5,07	4,78	4,56	4,39	4,25	4,14	4,05	3,97
18	10,22	7,21	6,03	5,37	4,96	4,66	4,44	4,28	4,14	4,03	3,94	3,86
19	10,07	7,09	5,92	5,27	4,85	4,56	4,34	4,18	4,04	3,93	3,84	3,76
20	9,94	6,99	5,82	5,17	4,76	4,47	4,26	4,09	3,96	3,85	3,76	3,68
21	9,83	6,89	5,73	5,09	4,68	4,39	4,18	4,01	3,88	3,77	3,68	3,60
22	9,73	6,81	5,65	5,02	4,61	4,32	4,11	3,94	3,81	3,70	3,61	3,54
23	9,63	6,73	5,58	4,95	4,54	4,26	4,05	3,88	3,75	3,64	3,55	3,47
24	9,55	6,66	5,52	4,89	4,49	4,20	3,99	3,83	3,69	3,59	3,50	3,42
25	9,48	6,60	5,46	4,84	4,43	4,15	3,94	3,78	3,64	3,54	3,45	3,37
26	9,41	6,54	5,41	4,79	4,38	4,10	3,89	3,73	3,60	3,49	3,40	3,33
27	9,34	6,49	5,36	4,74	4,34	4,06	3,85	3,69	3,56	3,45	3,36	3,28
28	9,28	6,44	5,32	4,70	4,30	4,02	3,81	3,65	3,52	3,41	3,32	3,25
29	9,23	6,40	5,28	4,66	4,26	3,98	3,77	3,61	3,48	3,38	3,29	3,21
30	9,18	6,35	5,24	4,62	4,23	3,95	3,74	3,58	3,45	3,34	3,25	3,18
32	9,09	6,28	5,17	4,56	4,17	3,89	3,68	3,52	3,39	3,29	3,20	3,12
34	9,01	6,22	5,11	4,50	4,11	3,84	3,63	3,47	3,34	3,24	3,15	3,07
36	8,94	6,16	5,06	4,46	4,06	3,79	3,58	3,42	3,30	3,19	3,10	3,03
38	8,88	6,11	5,02	4,41	4,02	3,75	3,54	3,39	3,26	3,15	3,06	2,99
40	8,83	6,07	4,98	4,37	3,99	3,71	3,51	3,35	3,22	3,12	3,03	2,95
42	8,78	6,03	4,94	4,34	3,95	3,68	3,48	3,32	3,19	3,09	3,00	2,92
44	8,74	5,99	4,91	4,31	3,92	3,65	3,45	3,29	3,16	3,06	2,97	2,89
46	8,70	5,96	4,88	4,28	3,90	3,62	3,42	3,26	3,14	3,03	2,94	2,87
48	8,66	5,93	4,85	4,25	3,87	3,60	3,40	3,24	3,11	3,01	2,92	2,85
50	8,63	5,90	4,83	4,23	3,85	3,58	3,38	3,22	3,09	2,99	2,90	2,82
55	8,55	5,84	4,77	4,18	3,80	3,53	3,33	3,17	3,05	2,94	2,85	2,78
60	8,49	5,79	4,73	4,14	3,76	3,49	3,29	3,13	3,01	2,90	2,82	2,74
65	8,44	5,75	4,69	4,11	3,73	3,46	3,26	3,10	2,98	2,87	2,79	2,71
70	8,40	5,72	4,66	4,08	3,70	3,43	3,23	3,08	2,95	2,85	2,76	2,68
80	8,33	5,67	4,61	4,03	3,65	3,39	3,19	3,03	2,91	2,80	2,72	2,64
100	8,24	5,59	4,54	3,96	3,59	3,33	3,13	2,97	2,85	2,74	2,66	2,58
125	8,17	5,53	4,49	3,91	3,54	3,28	3,08	2,93	2,80	2,70	2,61	2,54
150	8,12	5,49	4,45	3,88	3,51	3,25	3,05	2,89	2,77	2,67	2,58	2,51
200	8,06	5,44	4,41	3,84	3,47	3,21	3,01	2,86	2,73	2,63	2,54	2,47
400	7,97	5,37	4,34	3,78	3,41	3,15	2,95	2,80	2,68	2,57	2,49	2,41
1000	7,91	5,33	4,30	3,74	3,37	3,11	2,92	2,77	2,64	2,54	2,45	2,38
infinito	7,88	5,30	4,28	3,72	3,35	3,09	2,90	2,74	2,62	2,52	2,43	2,36

TABELA A3.2 Distribuição *F:* valores críticos para um teste bilateral (α = 0,01) *(continuação)*

gl do Denominador	gl do Numerador											
	14	16	20	24	30	40	50	75	100	200	500	infinito
1	24572	24684	24837	24937	25041	25146	25213	25295	25339	25399	25436	25466
2	199,4	199,4	199,4	199,4	199,5	199,5	199,5	199,5	199,5	199,5	199,5	199,5
3	43,17	43,01	42,78	42,62	42,47	42,31	42,21	42,08	42,02	41,92	41,87	41,83
4	20,51	20,37	20,17	20,03	19,89	19,75	19,67	19,55	19,50	19,41	19,36	19,32
5	13,21	13,09	12,90	12,78	12,66	12,53	12,45	12,35	12,30	12,22	12,17	12,14
6	9,88	9,76	9,59	9,47	9,36	9,24	9,17	9,07	9,03	8,95	8,91	8,88
7	8,03	7,91	7,75	7,64	7,53	7,42	7,35	7,26	7,22	7,15	7,10	7,08
8	6,87	6,76	6,61	6,50	6,40	6,29	6,22	6,13	6,09	6,02	5,98	5,95
9	6,09	5,98	5,83	5,73	5,62	5,52	5,45	5,37	5,32	5,26	5,21	5,19
10	5,53	5,42	5,27	5,17	5,07	4,97	4,90	4,82	4,77	4,71	4,67	4,64
11	5,10	5,00	4,86	4,76	4,65	4,55	4,49	4,40	4,36	4,29	4,25	4,23
12	4,77	4,67	4,53	4,43	4,33	4,23	4,17	4,08	4,04	3,97	3,93	3,90
13	4,51	4,41	4,27	4,17	4,07	3,97	3,91	3,82	3,78	3,71	3,67	3,65
14	4,30	4,20	4,06	3,96	3,86	3,76	3,70	3,61	3,57	3,50	3,46	3,44
15	4,12	4,02	3,88	3,79	3,69	3,59	3,52	3,44	3,39	3,33	3,29	3,26
16	3,97	3,87	3,73	3,64	3,54	3,44	3,37	3,29	3,25	3,18	3,14	3,11
17	3,84	3,75	3,61	3,51	3,41	3,31	3,25	3,16	3,12	3,05	3,01	2,98
18	3,73	3,64	3,50	3,40	3,30	3,20	3,14	3,05	3,01	2,94	2,90	2,87
19	3,64	3,54	3,40	3,31	3,21	3,11	3,04	2,96	2,91	2,85	2,80	2,78
20	3,55	3,46	3,32	3,22	3,12	3,02	2,96	2,87	2,83	2,76	2,72	2,69
21	3,48	3,38	3,24	3,15	3,05	2,95	2,88	2,80	2,75	2,68	2,64	2,61
22	3,41	3,31	3,18	3,08	2,98	2,88	2,82	2,73	2,69	2,62	2,57	2,55
23	3,35	3,25	3,12	3,02	2,92	2,82	2,76	2,67	2,62	2,56	2,51	2,48
24	3,30	3,20	3,06	2,97	2,87	2,77	2,70	2,61	2,57	2,50	2,46	2,43
25	3,25	3,15	3,01	2,92	2,82	2,72	2,65	2,56	2,52	2,45	2,41	2,38
26	3,20	3,11	2,97	2,87	2,77	2,67	2,61	2,52	2,47	2,40	2,36	2,33
27	3,16	3,07	2,93	2,83	2,73	2,63	2,57	2,48	2,43	2,36	2,32	2,29
28	3,12	3,03	2,89	2,79	2,69	2,59	2,53	2,44	2,39	2,32	2,28	2,25
29	3,09	2,99	2,86	2,76	2,66	2,56	2,49	2,40	2,36	2,29	2,24	2,21
30	3,06	2,96	2,82	2,73	2,63	2,52	2,46	2,37	2,32	2,25	2,21	2,18
32	3,00	2,90	2,77	2,67	2,57	2,47	2,40	2,31	2,26	2,19	2,15	2,11
34	2,95	2,85	2,72	2,62	2,52	2,42	2,35	2,26	2,21	2,14	2,09	2,06
36	2,90	2,81	2,67	2,58	2,48	2,37	2,30	2,21	2,17	2,09	2,04	2,01
38	2,87	2,77	2,63	2,54	2,44	2,33	2,27	2,17	2,12	2,05	2,00	1,97
40	2,83	2,74	2,60	2,50	2,40	2,30	2,23	2,14	2,09	2,01	1,96	1,93
42	2,80	2,71	2,57	2,47	2,37	2,26	2,20	2,10	2,06	1,98	1,93	1,90
44	2,77	2,68	2,54	2,44	2,34	2,24	2,17	2,07	2,03	1,95	1,90	1,87
46	2,75	2,65	2,51	2,42	2,32	2,21	2,14	2,05	2,00	1,92	1,87	1,84
48	2,72	2,63	2,49	2,39	2,29	2,19	2,12	2,02	1,97	1,90	1,85	1,81
50	2,70	2,61	2,47	2,37	2,27	2,16	2,10	2,00	1,95	1,87	1,82	1,79
55	2,66	2,56	2,42	2,33	2,23	2,12	2,05	1,95	1,90	1,82	1,77	1,73
60	2,62	2,53	2,39	2,29	2,19	2,08	2,01	1,91	1,86	1,78	1,73	1,69
65	2,59	2,49	2,36	2,26	2,16	2,05	1,98	1,88	1,83	1,74	1,69	1,65
70	2,56	2,47	2,33	2,23	2,13	2,02	1,95	1,85	1,80	1,71	1,66	1,62
80	2,52	2,43	2,29	2,19	2,08	1,97	1,90	1,80	1,75	1,66	1,60	1,56
100	2,46	2,37	2,23	2,13	2,02	1,91	1,84	1,74	1,68	1,59	1,53	1,49
125	2,42	2,32	2,18	2,08	1,98	1,86	1,79	1,68	1,63	1,53	1,47	1,42
150	2,38	2,29	2,15	2,05	1,94	1,83	1,76	1,65	1,59	1,49	1,42	1,37
200	2,35	2,25	2,11	2,01	1,91	1,79	1,71	1,60	1,54	1,44	1,37	1,31
400	2,29	2,20	2,06	1,95	1,85	1,73	1,65	1,54	1,47	1,36	1,28	1,21
1000	2,26	2,16	2,02	1,92	1,81	1,69	1,61	1,50	1,43	1,31	1,22	1,13
infinito	2,24	2,14	2,00	1,90	1,79	1,67	1,59	1,47	1,40	1,28	1,17	1,01

TABELA A4.1 Distribuição *F*: valores críticos para um teste unilateral ($\alpha = 0{,}05$)

gl do Denominador	gl do Numerador											
	1	2	3	4	5	6	7	8	9	10	11	12
1	161	199	216	225	230	234	237	239	241	242	243	244
2	18,51	19,00	19,16	19,25	19,30	19,33	19,35	19,37	19,38	19,40	19,40	19,41
3	10,13	9,55	9,28	9,12	9,01	8,94	8,89	8,85	8,81	8,79	8,76	8,74
4	7,71	6,94	6,59	6,39	6,26	6,16	6,09	6,04	6,00	5,96	5,94	5,91
5	6,61	5,79	5,41	5,19	5,05	4,95	4,88	4,82	4,77	4,74	4,70	4,68
6	5,99	5,14	4,76	4,53	4,39	4,28	4,21	4,15	4,10	4,06	4,03	4,00
7	5,59	4,74	4,35	4,12	3,97	3,87	3,79	3,73	3,68	3,64	3,60	3,57
8	5,32	4,46	4,07	3,84	3,69	3,58	3,50	3,44	3,39	3,35	3,31	3,28
9	5,12	4,26	3,86	3,63	3,48	3,37	3,29	3,23	3,18	3,14	3,10	3,07
10	4,96	4,10	3,71	3,48	3,33	3,22	3,14	3,07	3,02	2,98	2,94	2,91
11	4,84	3,98	3,59	3,36	3,20	3,09	3,01	2,95	2,90	2,85	2,82	2,79
12	4,75	3,89	3,49	3,26	3,11	3,00	2,91	2,85	2,80	2,75	2,72	2,69
13	4,67	3,81	3,41	3,18	3,03	2,92	2,83	2,77	2,71	2,67	2,63	2,60
14	4,60	3,74	3,34	3,11	2,96	2,85	2,76	2,70	2,65	2,60	2,57	2,53
15	4,54	3,68	3,29	3,06	2,90	2,79	2,71	2,64	2,59	2,54	2,51	2,48
16	4,49	3,63	3,24	3,01	2,85	2,74	2,66	2,59	2,54	2,49	2,46	2,42
17	4,45	3,59	3,20	2,96	2,81	2,70	2,61	2,55	2,49	2,45	2,41	2,38
18	4,41	3,55	3,16	2,93	2,77	2,66	2,58	2,51	2,46	2,41	2,37	2,34
19	4,38	3,52	3,13	2,90	2,74	2,63	2,54	2,48	2,42	2,38	2,34	2,31
20	4,35	3,49	3,10	2,87	2,71	2,60	2,51	2,45	2,39	2,35	2,31	2,28
21	4,32	3,47	3,07	2,84	2,68	2,57	2,49	2,42	2,37	2,32	2,28	2,25
22	4,30	3,44	3,05	2,82	2,66	2,55	2,46	2,40	2,34	2,30	2,26	2,23
23	4,28	3,42	3,03	2,80	2,64	2,53	2,44	2,37	2,32	2,27	2,24	2,20
24	4,26	3,40	3,01	2,78	2,62	2,51	2,42	2,36	2,30	2,25	2,22	2,18
25	4,24	3,39	2,99	2,76	2,60	2,49	2,40	2,34	2,28	2,24	2,20	2,16
26	4,23	3,37	2,98	2,74	2,59	2,47	2,39	2,32	2,27	2,22	2,18	2,15
27	4,21	3,35	2,96	2,73	2,57	2,46	2,37	2,31	2,25	2,20	2,17	2,13
28	4,20	3,34	2,95	2,71	2,56	2,45	2,36	2,29	2,24	2,19	2,15	2,12
29	4,18	3,33	2,93	2,70	2,55	2,43	2,35	2,28	2,22	2,18	2,14	2,10
30	4,17	3,32	2,92	2,69	2,53	2,42	2,33	2,27	2,21	2,16	2,13	2,09
32	4,15	3,29	2,90	2,67	2,51	2,40	2,31	2,24	2,19	2,14	2,10	2,07
34	4,13	3,28	2,88	2,65	2,49	2,38	2,29	2,23	2,17	2,12	2,08	2,05
36	4,11	3,26	2,87	2,63	2,48	2,36	2,28	2,21	2,15	2,11	2,07	2,03
38	4,10	3,24	2,85	2,62	2,46	2,35	2,26	2,19	2,14	2,09	2,05	2,02
40	4,08	3,23	2,84	2,61	2,45	2,34	2,25	2,18	2,12	2,08	2,04	2,00
42	4,07	3,22	2,83	2,59	2,44	2,32	2,24	2,17	2,11	2,06	2,03	1,99
44	4,06	3,21	2,82	2,58	2,43	2,31	2,23	2,16	2,10	2,05	2,01	1,98
46	4,05	3,20	2,81	2,57	2,42	2,30	2,22	2,15	2,09	2,04	2,00	1,97
48	4,04	3,19	2,80	2,57	2,41	2,29	2,21	2,14	2,08	2,03	1,99	1,96
50	4,03	3,18	2,79	2,56	2,40	2,29	2,20	2,13	2,07	2,03	1,99	1,95
55	4,02	3,16	2,77	2,54	2,38	2,27	2,18	2,11	2,06	2,01	1,97	1,93
60	4,00	3,15	2,76	2,53	2,37	2,25	2,17	2,10	2,04	1,99	1,95	1,92
65	3,99	3,14	2,75	2,51	2,36	2,24	2,15	2,08	2,03	1,98	1,94	1,90
70	3,98	3,13	2,74	2,50	2,35	2,23	2,14	2,07	2,02	1,97	1,93	1,89
80	3,96	3,11	2,72	2,49	2,33	2,21	2,13	2,06	2,00	1,95	1,91	1,88
100	3,94	3,09	2,70	2,46	2,31	2,19	2,10	2,03	1,97	1,93	1,89	1,85
125	3,92	3,07	2,68	2,44	2,29	2,17	2,08	2,01	1,96	1,91	1,87	1,83
150	3,90	3,06	2,66	2,43	2,27	2,16	2,07	2,00	1,94	1,89	1,85	1,82
200	3,89	3,04	2,65	2,42	2,26	2,14	2,06	1,98	1,93	1,88	1,84	1,80
400	3,86	3,02	2,63	2,39	2,24	2,12	2,03	1,96	1,90	1,85	1,81	1,78
1000	3,85	3,00	2,61	2,38	2,22	2,11	2,02	1,95	1,89	1,84	1,80	1,76
infinito	3,84	3,00	2,60	2,37	2,21	2,10	2,01	1,94	1,88	1,83	1,79	1,75

TABELA A4.1 Distribuição *F:* valores críticos para um teste unilateral ($\alpha = 0{,}05$) *(continuação)*

gl do Denominador	gl do Numerador											
	14	16	20	24	30	40	50	75	100	200	500	infinito
1	245	246	248	249	250	251	252	253	253	254	254	254
2	19,42	19,43	19,45	19,45	19,46	19,47	19,48	19,48	19,49	19,49	19,49	19,50
3	8,71	8,69	8,66	8,64	8,62	8,59	8,58	8,56	8,55	8,54	8,53	8,53
4	5,87	5,84	5,80	5,77	5,75	5,72	5,70	5,68	5,66	5,65	5,64	5,63
5	4,64	4,60	4,56	4,53	4,50	4,46	4,44	4,42	4,41	4,39	4,37	4,36
6	3,96	3,92	3,87	3,84	3,81	3,77	3,75	3,73	3,71	3,69	3,68	3,67
7	3,53	3,49	3,44	3,41	3,38	3,34	3,32	3,29	3,27	3,25	3,24	3,23
8	3,24	3,20	3,15	3,12	3,08	3,04	3,02	2,99	2,97	2,95	2,94	2,93
9	3,03	2,99	2,94	2,90	2,86	2,83	2,80	2,77	2,76	2,73	2,72	2,71
10	2,86	2,83	2,77	2,74	2,70	2,66	2,64	2,60	2,59	2,56	2,55	2,54
11	2,74	2,70	2,65	2,61	2,57	2,53	2,51	2,47	2,46	2,43	2,42	2,40
12	2,64	2,60	2,54	2,51	2,47	2,43	2,40	2,37	2,35	2,32	2,31	2,30
13	2,55	2,51	2,46	2,42	2,38	2,34	2,31	2,28	2,26	2,23	2,22	2,21
14	2,48	2,44	2,39	2,35	2,31	2,27	2,24	2,21	2,19	2,16	2,14	2,13
15	2,42	2,38	2,33	2,29	2,25	2,20	2,18	2,14	2,12	2,10	2,08	2,07
16	2,37	2,33	2,28	2,24	2,19	2,15	2,12	2,09	2,07	2,04	2,02	2,01
17	2,33	2,29	2,23	2,19	2,15	2,10	2,08	2,04	2,02	1,99	1,97	1,96
18	2,29	2,25	2,19	2,15	2,11	2,06	2,04	2,00	1,98	1,95	1,93	1,92
19	2,26	2,21	2,16	2,11	2,07	2,03	2,00	1,96	1,94	1,91	1,89	1,88
20	2,22	2,18	2,12	2,08	2,04	1,99	1,97	1,93	1,91	1,88	1,86	1,84
21	2,20	2,16	2,10	2,05	2,01	1,96	1,94	1,90	1,88	1,84	1,83	1,81
22	2,17	2,13	2,07	2,03	1,98	1,94	1,91	1,87	1,85	1,82	1,80	1,78
23	2,15	2,11	2,05	2,01	1,96	1,91	1,88	1,84	1,82	1,79	1,77	1,76
24	2,13	2,09	2,03	1,98	1,94	1,89	1,86	1,82	1,80	1,77	1,75	1,73
25	2,11	2,07	2,01	1,96	1,92	1,87	1,84	1,80	1,78	1,75	1,73	1,71
26	2,09	2,05	1,99	1,95	1,90	1,85	1,82	1,78	1,76	1,73	1,71	1,69
27	2,08	2,04	1,97	1,93	1,88	1,84	1,81	1,76	1,74	1,71	1,69	1,67
28	2,06	2,02	1,96	1,91	1,87	1,82	1,79	1,75	1,73	1,69	1,67	1,65
29	2,05	2,01	1,94	1,90	1,85	1,81	1,77	1,73	1,71	1,67	1,65	1,64
30	2,04	1,99	1,93	1,89	1,84	1,79	1,76	1,72	1,70	1,66	1,64	1,62
32	2,01	1,97	1,91	1,86	1,82	1,77	1,74	1,69	1,67	1,63	1,61	1,59
34	1,99	1,95	1,89	1,84	1,80	1,75	1,71	1,67	1,65	1,61	1,59	1,57
36	1,98	1,93	1,87	1,82	1,78	1,73	1,69	1,65	1,62	1,59	1,56	1,55
38	1,96	1,92	1,85	1,81	1,76	1,71	1,68	1,63	1,61	1,57	1,54	1,53
40	1,95	1,90	1,84	1,79	1,74	1,69	1,66	1,61	1,59	1,55	1,53	1,51
42	1,94	1,89	1,83	1,78	1,73	1,68	1,65	1,60	1,57	1,53	1,51	1,49
44	1,92	1,88	1,81	1,77	1,72	1,67	1,63	1,59	1,56	1,52	1,49	1,48
46	1,91	1,87	1,80	1,76	1,71	1,65	1,62	1,57	1,55	1,51	1,48	1,46
48	1,90	1,86	1,79	1,75	1,70	1,64	1,61	1,56	1,54	1,49	1,47	1,45
50	1,89	1,85	1,78	1,74	1,69	1,63	1,60	1,55	1,52	1,48	1,46	1,44
55	1,88	1,83	1,76	1,72	1,67	1,61	1,58	1,53	1,50	1,46	1,43	1,41
60	1,86	1,82	1,75	1,70	1,65	1,59	1,56	1,51	1,48	1,44	1,41	1,39
65	1,85	1,80	1,73	1,69	1,63	1,58	1,54	1,49	1,46	1,42	1,39	1,37
70	1,84	1,79	1,72	1,67	1,62	1,57	1,53	1,48	1,45	1,40	1,37	1,35
80	1,82	1,77	1,70	1,65	1,60	1,54	1,51	1,45	1,43	1,38	1,35	1,32
100	1,79	1,75	1,68	1,63	1,57	1,52	1,48	1,42	1,39	1,34	1,31	1,28
125	1,77	1,73	1,66	1,60	1,55	1,49	1,45	1,40	1,36	1,31	1,27	1,25
150	1,76	1,71	1,64	1,59	1,54	1,48	1,44	1,38	1,34	1,29	1,25	1,22
200	1,74	1,69	1,62	1,57	1,52	1,46	1,41	1,35	1,32	1,26	1,22	1,19
400	1,72	1,67	1,60	1,54	1,49	1,42	1,38	1,32	1,28	1,22	1,17	1,13
1000	1,70	1,65	1,58	1,53	1,47	1,41	1,36	1,30	1,26	1,19	1,13	1,08
infinito	1,69	1,64	1,57	1,52	1,46	1,39	1,35	1,28	1,24	1,17	1,11	1,00

TABELA A4.2 Distribuição F: valores críticos para um teste unilateral (α = 0,01)

gl do Denominador	\multicolumn{12}{c}{gl do Numerador}
	1	2	3	4	5	6	7	8	9	10	11	12
1	4052	4999	5404	5624	5764	5859	5928	5981	6022	6056	6083	6107
2	98,50	99,00	99,16	99,25	99,30	99,33	99,36	99,38	99,39	99,40	99,41	99,42
3	34,12	30,82	29,46	28,71	28,24	27,91	27,67	27,49	27,34	27,23	27,13	27,05
4	21,20	18,00	16,69	15,98	15,52	15,21	14,98	14,80	14,66	14,55	14,45	14,37
5	16,26	13,27	12,06	11,39	10,97	10,67	10,46	10,29	10,16	10,05	9,96	9,89
6	13,75	10,92	9,78	9,15	8,75	8,47	8,26	8,10	7,98	7,87	7,79	7,72
7	12,25	9,55	8,45	7,85	7,46	7,19	6,99	6,84	6,72	6,62	6,54	6,47
8	11,26	8,65	7,59	7,01	6,63	6,37	6,18	6,03	5,91	5,81	5,73	5,67
9	10,56	8,02	6,99	6,42	6,06	5,80	5,61	5,47	5,35	5,26	5,18	5,11
10	10,04	7,56	6,55	5,99	5,64	5,39	5,20	5,06	4,94	4,85	4,77	4,71
11	9,65	7,21	6,22	5,67	5,32	5,07	4,89	4,74	4,63	4,54	4,46	4,40
12	9,33	6,93	5,95	5,41	5,06	4,82	4,64	4,50	4,39	4,30	4,22	4,16
13	9,07	6,70	5,74	5,21	4,86	4,62	4,44	4,30	4,19	4,10	4,02	3,96
14	8,86	6,51	5,56	5,04	4,69	4,46	4,28	4,14	4,03	3,94	3,86	3,80
15	8,68	6,36	5,42	4,89	4,56	4,32	4,14	4,00	3,89	3,80	3,73	3,67
16	8,53	6,23	5,29	4,77	4,44	4,20	4,03	3,89	3,78	3,69	3,62	3,55
17	8,40	6,11	5,19	4,67	4,34	4,10	3,93	3,79	3,68	3,59	3,52	3,46
18	8,29	6,01	5,09	4,58	4,25	4,01	3,84	3,71	3,60	3,51	3,43	3,37
19	8,18	5,93	5,01	4,50	4,17	3,94	3,77	3,63	3,52	3,43	3,36	3,30
20	8,10	5,85	4,94	4,43	4,10	3,87	3,70	3,56	3,46	3,37	3,29	3,23
21	8,02	5,78	4,87	4,37	4,04	3,81	3,64	3,51	3,40	3,31	3,24	3,17
22	7,95	5,72	4,82	4,31	3,99	3,76	3,59	3,45	3,35	3,26	3,18	3,12
23	7,88	5,66	4,76	4,26	3,94	3,71	3,54	3,41	3,30	3,21	3,14	3,07
24	7,82	5,61	4,72	4,22	3,90	3,67	3,50	3,36	3,26	3,17	3,09	3,03
25	7,77	5,57	4,68	4,18	3,85	3,63	3,46	3,32	3,22	3,13	3,06	2,99
26	7,72	5,53	4,64	4,14	3,82	3,59	3,42	3,29	3,18	3,09	3,02	2,96
27	7,68	5,49	4,60	4,11	3,78	3,56	3,39	3,26	3,15	3,06	2,99	2,93
28	7,64	5,45	4,57	4,07	3,75	3,53	3,36	3,23	3,12	3,03	2,96	2,90
29	7,60	5,42	4,54	4,04	3,73	3,50	3,33	3,20	3,09	3,00	2,93	2,87
30	7,56	5,39	4,51	4,02	3,70	3,47	3,30	3,17	3,07	2,98	2,91	2,84
32	7,50	5,34	4,46	3,97	3,65	3,43	3,26	3,13	3,02	2,93	2,86	2,80
34	7,44	5,29	4,42	3,93	3,61	3,39	3,22	3,09	2,98	2,89	2,82	2,76
36	7,40	5,25	4,38	3,89	3,57	3,35	3,18	3,05	2,95	2,86	2,79	2,72
38	7,35	5,21	4,34	3,86	3,54	3,32	3,15	3,02	2,92	2,83	2,75	2,69
40	7,31	5,18	4,31	3,83	3,51	3,29	3,12	2,99	2,89	2,80	2,73	2,66
42	7,28	5,15	4,29	3,80	3,49	3,27	3,10	2,97	2,86	2,78	2,70	2,64
44	7,25	5,12	4,26	3,78	3,47	3,24	3,08	2,95	2,84	2,75	2,68	2,62
46	7,22	5,10	4,24	3,76	3,44	3,22	3,06	2,93	2,82	2,73	2,66	2,60
48	7,19	5,08	4,22	3,74	3,43	3,20	3,04	2,91	2,80	2,71	2,64	2,58
50	7,17	5,06	4,20	3,72	3,41	3,19	3,02	2,89	2,78	2,70	2,63	2,56
55	7,12	5,01	4,16	3,68	3,37	3,15	2,98	2,85	2,75	2,66	2,59	2,53
60	7,08	4,98	4,13	3,65	3,34	3,12	2,95	2,82	2,72	2,63	2,56	2,50
65	7,04	4,95	4,10	3,62	3,31	3,09	2,93	2,80	2,69	2,61	2,53	2,47
70	7,01	4,92	4,07	3,60	3,29	3,07	2,91	2,78	2,67	2,59	2,51	2,45
80	6,96	4,88	4,04	3,56	3,26	3,04	2,87	2,74	2,64	2,55	2,48	2,42
100	6,90	4,82	3,98	3,51	3,21	2,99	2,82	2,69	2,59	2,50	2,43	2,37
125	6,84	4,78	3,94	3,47	3,17	2,95	2,79	2,66	2,55	2,47	2,39	2,33
150	6,81	4,75	3,91	3,45	3,14	2,92	2,76	2,63	2,53	2,44	2,37	2,31
200	6,76	4,71	3,88	3,41	3,11	2,89	2,73	2,60	2,50	2,41	2,34	2,27
400	6,70	4,66	3,83	3,37	3,06	2,85	2,68	2,56	2,45	2,37	2,29	2,23
1000	6,66	4,63	3,80	3,34	3,04	2,82	2,66	2,53	2,43	2,34	2,27	2,20
infinito	6,63	4,61	3,78	3,32	3,02	2,80	2,64	2,51	2,41	2,32	2,25	2,18

TABELA A4.2 Distribuição *F:* valores críticos para um teste unilateral (α = 0,01) *(continuação)*

gl do Denominador	gl do Numerador											
	14	16	20	24	30	40	50	75	100	200	500	infinito
1	6143	6170	6209	6234	6260	6286	6302	6324	6334	6350	6360	6366
2	99,43	99,44	99,45	99,46	99,47	99,48	99,48	99,48	99,49	99,49	99,50	99,50
3	26,92	26,83	26,69	26,60	26,50	26,41	26,35	26,28	26,24	26,18	26,15	26,13
4	14,25	14,15	14,02	13,93	13,84	13,75	13,69	13,61	13,58	13,52	13,49	13,46
5	9,77	9,68	9,55	9,47	9,38	9,29	9,24	9,17	9,13	9,08	9,04	9,02
6	7,60	7,52	7,40	7,31	7,23	7,14	7,09	7,02	6,99	6,93	6,90	6,88
7	6,36	6,28	6,16	6,07	5,99	5,91	5,86	5,79	5,75	5,70	5,67	5,65
8	5,56	5,48	5,36	5,28	5,20	5,12	5,07	5,00	4,96	4,91	4,88	4,86
9	5,01	4,92	4,81	4,73	4,65	4,57	4,52	4,45	4,41	4,36	4,33	4,31
10	4,60	4,52	4,41	4,33	4,25	4,17	4,12	4,05	4,01	3,96	3,93	3,91
11	4,29	4,21	4,10	4,02	3,94	3,86	3,81	3,74	3,71	3,66	3,62	3,60
12	4,05	3,97	3,86	3,78	3,70	3,62	3,57	3,50	3,47	3,41	3,38	3,36
13	3,86	3,78	3,66	3,59	3,51	3,43	3,38	3,31	3,27	3,22	3,19	3,17
14	3,70	3,62	3,51	3,43	3,35	3,27	3,22	3,15	3,11	3,06	3,03	3,00
15	3,56	3,49	3,37	3,29	3,21	3,13	3,08	3,01	2,98	2,92	2,89	2,87
16	3,45	3,37	3,26	3,18	3,10	3,02	2,97	2,90	2,86	2,81	2,78	2,75
17	3,35	3,27	3,16	3,08	3,00	2,92	2,87	2,80	2,76	2,71	2,68	2,65
18	3,27	3,19	3,08	3,00	2,92	2,84	2,78	2,71	2,68	2,62	2,59	2,57
19	3,19	3,12	3,00	2,92	2,84	2,76	2,71	2,64	2,60	2,55	2,51	2,49
20	3,13	3,05	2,94	2,86	2,78	2,69	2,64	2,57	2,54	2,48	2,44	2,42
21	3,07	2,99	2,88	2,80	2,72	2,64	2,58	2,51	2,48	2,42	2,38	2,36
22	3,02	2,94	2,83	2,75	2,67	2,58	2,53	2,46	2,42	2,36	2,33	2,31
23	2,97	2,89	2,78	2,70	2,62	2,54	2,48	2,41	2,37	2,32	2,28	2,26
24	2,93	2,85	2,74	2,66	2,58	2,49	2,44	2,37	2,33	2,27	2,24	2,21
25	2,89	2,81	2,70	2,62	2,54	2,45	2,40	2,33	2,29	2,23	2,19	2,17
26	2,86	2,78	2,66	2,58	2,50	2,42	2,36	2,29	2,25	2,19	2,16	2,13
27	2,82	2,75	2,63	2,55	2,47	2,38	2,33	2,26	2,22	2,16	2,12	2,10
28	2,79	2,72	2,60	2,52	2,44	2,35	2,30	2,23	2,19	2,13	2,09	2,06
29	2,77	2,69	2,57	2,49	2,41	2,33	2,27	2,20	2,16	2,10	2,06	2,03
30	2,74	2,66	2,55	2,47	2,39	2,30	2,25	2,17	2,13	2,07	2,03	2,01
32	2,70	2,62	2,50	2,42	2,34	2,25	2,20	2,12	2,08	2,02	1,98	1,96
34	2,66	2,58	2,46	2,38	2,30	2,21	2,16	2,08	2,04	1,98	1,94	1,91
36	2,62	2,54	2,43	2,35	2,26	2,18	2,12	2,04	2,00	1,94	1,90	1,87
38	2,59	2,51	2,40	2,32	2,23	2,14	2,09	2,01	1,97	1,90	1,86	1,84
40	2,56	2,48	2,37	2,29	2,20	2,11	2,06	1,98	1,94	1,87	1,83	1,80
42	2,54	2,46	2,34	2,26	2,18	2,09	2,03	1,95	1,91	1,85	1,80	1,78
44	2,52	2,44	2,32	2,24	2,15	2,07	2,01	1,93	1,89	1,82	1,78	1,75
46	2,50	2,42	2,30	2,22	2,13	2,04	1,99	1,91	1,86	1,80	1,76	1,73
48	2,48	2,40	2,28	2,20	2,12	2,02	1,97	1,89	1,84	1,78	1,73	1,70
50	2,46	2,38	2,27	2,18	2,10	2,01	1,95	1,87	1,82	1,76	1,71	1,68
55	2,42	2,34	2,23	2,15	2,06	1,97	1,91	1,83	1,78	1,71	1,67	1,64
60	2,39	2,31	2,20	2,12	2,03	1,94	1,88	1,79	1,75	1,68	1,63	1,60
65	2,37	2,29	2,17	2,09	2,00	1,91	1,85	1,77	1,72	1,65	1,60	1,57
70	2,35	2,27	2,15	2,07	1,98	1,89	1,83	1,74	1,70	1,62	1,57	1,54
80	2,31	2,23	2,12	2,03	1,94	1,85	1,79	1,70	1,65	1,58	1,53	1,49
100	2,27	2,19	2,07	1,98	1,89	1,80	1,74	1,65	1,60	1,52	1,47	1,43
125	2,23	2,15	2,03	1,94	1,85	1,76	1,69	1,60	1,55	1,47	1,41	1,37
150	2,20	2,12	2,00	1,92	1,83	1,73	1,66	1,57	1,52	1,43	1,38	1,33
200	2,17	2,09	1,97	1,89	1,79	1,69	1,63	1,53	1,48	1,39	1,33	1,28
400	2,13	2,05	1,92	1,84	1,75	1,64	1,58	1,48	1,42	1,32	1,25	1,19
1000	2,10	2,02	1,90	1,81	1,72	1,61	1,54	1,44	1,38	1,28	1,19	1,11
infinito	2,08	2,00	1,88	1,79	1,70	1,59	1,52	1,42	1,36	1,25	1,15	1,00

TABELA A5 Distribuição binomial: probabilidades para x sucessos em n observações

n	x	0,050	0,100	0,200	0,300	0,400	P 0,500	0,600	0,700	0,800	0,900	0,950
2	0	0,903	0,810	0,640	0,490	0,360	0,250	0,160	0,090	0,040	0,010	0,003
	1	0,095	0,180	0,320	0,420	0,480	0,500	0,480	0,420	0,320	0,180	0,095
	2	0,003	0,010	0,040	0,090	0,160	0,250	0,360	0,490	0,640	0,810	0,903
3	0	0,857	0,729	0,512	0,343	0,216	0,125	0,064	0,027	0,008	0,001	
	1	0,135	0,243	0,384	0,441	0,432	0,375	0,288	0,189	0,096	0,027	0,007
	2	0,007	0,027	0,096	0,189	0,288	0,375	0,432	0,441	0,384	0,243	0,135
	3		0,001	0,008	0,027	0,064	0,125	0,216	0,343	0,512	0,729	0,857
4	0	0,815	0,656	0,410	0,240	0,130	0,063	0,026	0,008	0,002		
	1	0,171	0,292	0,410	0,412	0,346	0,250	0,154	0,076	0,026	0,004	
	2	0,014	0,049	0,154	0,265	0,346	0,375	0,346	0,265	0,154	0,049	0,014
	3		0,004	0,026	0,076	0,154	0,250	0,346	0,412	0,410	0,292	0,171
	4			0,002	0,008	0,026	0,063	0,130	0,240	0,410	0,656	0,815
5	0	0,774	0,590	0,328	0,168	0,078	0,031	0,010	0,002			
	1	0,204	0,328	0,410	0,360	0,259	0,156	0,077	0,028	0,006		
	2	0,021	0,073	0,205	0,309	0,346	0,313	0,230	0,132	0,051	0,008	0,001
	3	0,001	0,008	0,051	0,132	0,230	0,313	0,346	0,309	0,205	0,073	0,021
	4			0,006	0,028	0,077	0,156	0,259	0,360	0,410	0,328	0,204
	5				0,002	0,010	0,031	0,078	0,168	0,328	0,590	0,774
6	0	0,735	0,531	0,262	0,118	0,047	0,016	0,004	0,001			
	1	0,232	0,354	0,393	0,303	0,187	0,094	0,037	0,010	0,002		
	2	0,031	0,098	0,246	0,324	0,311	0,234	0,138	0,060	0,015	0,001	
	3	0,002	0,015	0,082	0,185	0,276	0,313	0,276	0,185	0,082	0,015	0,002
	4		0,001	0,015	0,060	0,138	0,234	0,311	0,324	0,246	0,098	0,031
	5			0,002	0,010	0,037	0,094	0,187	0,303	0,393	0,354	0,232
	6				0,001	0,004	0,016	0,047	0,118	0,262	0,531	0,735
7	0	0,698	0,478	0,210	0,082	0,028	0,008	0,002				
	1	0,257	0,372	0,367	0,247	0,131	0,055	0,017	0,004			
	2	0,041	0,124	0,275	0,318	0,261	0,164	0,077	0,025	0,004		
	3	0,004	0,023	0,115	0,227	0,290	0,273	0,194	0,097	0,029	0,003	
	4		0,003	0,029	0,097	0,194	0,273	0,290	0,227	0,115	0,023	0,004
	5			0,004	0,025	0,077	0,164	0,261	0,318	0,275	0,124	0,041
	6				0,004	0,017	0,055	0,131	0,247	0,367	0,372	0,257
	7					0,002	0,008	0,028	0,082	0,210	0,478	0,698
8	0	0,663	0,430	0,168	0,058	0,017	0,004	0,001				
	1	0,279	0,383	0,336	0,198	0,090	0,031	0,008	0,001			
	2	0,051	0,149	0,294	0,296	0,209	0,109	0,041	0,010	0,001		
	3	0,005	0,033	0,147	0,254	0,279	0,219	0,124	0,047	0,009		
	4		0,005	0,046	0,136	0,232	0,273	0,232	0,136	0,046	0,005	
	5			0,009	0,047	0,124	0,219	0,279	0,254	0,147	0,033	0,005
	6			0,001	0,010	0,041	0,109	0,209	0,296	0,294	0,149	0,051
	7				0,001	0,008	0,031	0,090	0,198	0,336	0,383	0,279
	8					0,001	0,004	0,017	0,058	0,168	0,430	0,663
9	0	0,630	0,387	0,134	0,040	0,010	0,002					
	1	0,299	0,387	0,302	0,156	0,060	0,018	0,004				
	2	0,063	0,172	0,302	0,267	0,161	0,070	0,021	0,004			
	3	0,008	0,045	0,176	0,267	0,251	0,164	0,074	0,021	0,003		
	4	0,001	0,007	0,066	0,172	0,251	0,246	0,167	0,074	0,017	0,001	
	5		0,001	0,017	0,074	0,167	0,246	0,251	0,172	0,066	0,007	0,001
	6			0,003	0,021	0,074	0,164	0,251	0,267	0,176	0,045	0,008
	7				0,004	0,021	0,070	0,161	0,267	0,302	0,172	0,063
	8					0,004	0,018	0,060	0,156	0,302	0,387	0,299
	9						0,002	0,010	0,040	0,134	0,387	0,630
10	0	0,599	0,349	0,107	0,028	0,006	0,001					
	1	0,315	0,387	0,268	0,121	0,040	0,010	0,002				
	2	0,075	0,194	0,302	0,233	0,121	0,044	0,011	0,001			
	3	0,010	0,057	0,201	0,267	0,215	0,117	0,042	0,009	0,001		
	4	0,001	0,011	0,088	0,200	0,251	0,205	0,111	0,037	0,006		
	5		0,001	0,026	0,103	0,201	0,246	0,201	0,103	0,026	0,001	
	6			0,006	0,037	0,111	0,205	0,251	0,200	0,088	0,011	0,001
	7			0,001	0,009	0,042	0,117	0,215	0,267	0,201	0,057	0,010
	8				0,001	0,011	0,044	0,121	0,233	0,302	0,194	0,075
	9					0,002	0,010	0,040	0,121	0,268	0,387	0,315
	10						0,001	0,006	0,028	0,107	0,349	0,599

TABELA A5 Distribuição binomial: probabilidades para x sucessos em n observações *(continuação)*

n	x	0,050	0,100	0,200	0,300	0,400	P 0,500	0,600	0,700	0,800	0,900	0,950
11	0	0,569	0,314	0,086	0,020	0,004						
	1	0,329	0,384	0,236	0,093	0,027	0,005	0,001				
	2	0,087	0,213	0,295	0,200	0,089	0,027	0,005	0,001			
	3	0,014	0,071	0,221	0,257	0,177	0,081	0,023	0,004			
	4	0,001	0,016	0,111	0,220	0,236	0,161	0,070	0,017	0,002		
	5		0,002	0,039	0,132	0,221	0,226	0,147	0,057	0,010		
	6			0,010	0,057	0,147	0,226	0,221	0,132	0,039	0,002	
	7			0,002	0,017	0,070	0,161	0,236	0,220	0,111	0,016	0,001
	8				0,004	0,023	0,081	0,177	0,257	0,221	0,071	0,014
	9				0,001	0,005	0,027	0,089	0,200	0,295	0,213	0,087
	10					0,001	0,005	0,027	0,093	0,236	0,384	0,329
	11							0,004	0,020	0,086	0,314	0,569
12	0	0,540	0,282	0,069	0,014	0,002						
	1	0,341	0,377	0,206	0,071	0,017	0,003					
	2	0,099	0,230	0,283	0,168	0,064	0,016	0,002				
	3	0,017	0,085	0,236	0,240	0,142	0,054	0,012	0,001			
	4	0,002	0,021	0,133	0,231	0,213	0,121	0,042	0,008	0,001		
	5		0,004	0,053	0,158	0,227	0,193	0,101	0,029	0,003		
	6			0,016	0,079	0,177	0,226	0,177	0,079	0,016		
	7			0,003	0,029	0,101	0,193	0,227	0,158	0,053	0,004	
	8			0,001	0,008	0,042	0,121	0,213	0,231	0,133	0,021	0,002
	9				0,001	0,012	0,054	0,142	0,240	0,236	0,085	0,017
	10					0,002	0,016	0,064	0,168	0,283	0,230	0,099
	11						0,003	0,017	0,071	0,206	0,377	0,341
	12							0,002	0,014	0,069	0,282	0,540
16	0	0,440	0,185	0,028	0,003							
	1	0,371	0,329	0,113	0,023	0,003						
	2	0,146	0,275	0,211	0,073	0,015	0,002					
	3	0,036	0,142	0,246	0,146	0,047	0,009	0,001				
	4	0,006	0,051	0,200	0,204	0,101	0,028	0,004				
	5	0,001	0,014	0,120	0,210	0,162	0,067	0,014	0,001			
	6		0,003	0,055	0,165	0,198	0,122	0,039	0,006			
	7			0,020	0,101	0,189	0,175	0,084	0,019	0,001		
	8			0,006	0,049	0,142	0,196	0,142	0,049	0,006		
	9			0,001	0,019	0,084	0,175	0,189	0,101	0,020		
	10				0,006	0,039	0,122	0,198	0,165	0,055	0,003	
	11				0,001	0,014	0,067	0,162	0,210	0,120	0,014	0,001
	12					0,004	0,028	0,101	0,204	0,200	0,051	0,006
	13					0,001	0,009	0,047	0,146	0,246	0,142	0,036
	14						0,002	0,015	0,073	0,211	0,275	0,146
	15							0,003	0,023	0,113	0,329	0,371
	16								0,003	0,028	0,185	0,440
20	0	0,358	0,122	0,012	0,001							
	1	0,377	0,270	0,058	0,007							
	2	0,189	0,285	0,137	0,028	0,003						
	3	0,060	0,190	0,205	0,072	0,012	0,001					
	4	0,013	0,090	0,218	0,130	0,035	0,005					
	5	0,002	0,032	0,175	0,179	0,075	0,015	0,001				
	6		0,009	0,109	0,192	0,124	0,037	0,005				
	7		0,002	0,055	0,164	0,166	0,074	0,015	0,001			
	8			0,022	0,114	0,180	0,120	0,035	0,004			
	9			0,007	0,065	0,160	0,160	0,071	0,012			
	10			0,002	0,031	0,117	0,176	0,117	0,031	0,002		
	11				0,012	0,071	0,160	0,160	0,065	0,007		
	12				0,004	0,035	0,120	0,180	0,114	0,022		
	13				0,001	0,015	0,074	0,166	0,164	0,055	0,002	
	14					0,005	0,037	0,124	0,192	0,109	0,009	
	15					0,001	0,015	0,075	0,179	0,175	0,032	0,002
	16						0,005	0,035	0,130	0,218	0,090	0,013
	17						0,001	0,012	0,072	0,205	0,190	0,060
	18							0,003	0,028	0,137	0,285	0,189
	19								0,007	0,058	0,270	0,377
	20								0,001	0,012	0,122	0,358

TABELA A6 Valores críticos da distribuição qui-quadrado (χ^2)

gl	α					
	0,20	0,10	0,05	0,02	0,01	0,001
1	1,64	2,71	3,84	5,41	6,63	10,83
2	3,22	4,61	5,99	7,82	9,21	13,82
3	4,64	6,25	7,81	9,84	11,34	16,27
4	5,99	7,78	9,49	11,67	13,28	18,47
5	7,29	9,24	11,07	13,39	15,09	20,51
6	8,56	10,64	12,59	15,03	16,81	22,46
7	9,80	12,02	14,07	16,62	18,48	24,32
8	11,03	13,36	15,51	18,17	20,09	26,12
9	12,24	14,68	16,92	19,68	21,67	27,88
10	13,44	15,99	18,31	21,16	23,21	29,59
11	14,63	17,28	19,68	22,62	24,73	31,26
12	15,81	18,55	21,03	24,05	26,22	32,91
13	16,98	19,81	22,36	25,47	27,69	34,53
14	18,15	21,06	23,68	26,87	29,14	36,12
15	19,31	22,31	25,00	28,26	30,58	37,70
16	20,47	23,54	26,30	29,63	32,00	39,25
17	21,61	24,77	27,59	31,00	33,41	40,79
18	22,76	25,99	28,87	32,35	34,81	42,31
19	23,90	27,20	30,14	33,69	36,19	43,82
20	25,04	28,41	31,41	35,02	37,57	45,31
21	26,17	29,62	32,67	36,34	38,93	46,80
22	27,30	30,81	33,92	37,66	40,29	48,27
23	28,43	32,01	35,17	38,97	41,64	49,73
24	29,55	33,20	36,42	40,27	42,98	51,18
25	30,68	34,38	37,65	41,57	44,31	52,62
26	31,79	35,56	38,89	42,86	45,64	54,05
27	32,91	36,74	40,11	44,14	46,96	55,48
28	34,03	37,92	41,34	45,42	48,28	56,89
29	35,14	39,09	42,56	46,69	49,59	58,30
30	36,25	40,26	43,77	47,96	50,89	59,70

TABELA A7 Valores críticos da distribuição q para $\alpha = 0,05$.

gl	k:	2	3	4	5	6	7	8	9	10
1		17,97	26,98	32,82	37,08	40,41	43,12	45,40	47,36	49,07
2		6,085	8,331	9,798	10,88	11,74	12,44	13,03	13,54	13,99
3		4,501	5,910	6,825	7,502	8,037	8,478	8,853	9,177	9,462
4		3,927	5,040	5,757	6,287	6,707	7,053	7,347	7,602	7,826
5		3,635	4,602	5,218	5,673	6,033	6,330	6,582	6,802	6,995
6		3,461	4,339	4,896	5,305	5,628	5,895	6,122	6,319	6,493
7		3,344	4,165	4,681	5,060	5,359	5,606	5,815	5,998	6,158
8		3,261	4,041	4,529	4,886	5,167	5,399	5,597	5,767	5,918
9		3,199	3,949	4,415	4,756	5,024	5,244	5,432	5,595	5,739
10		3,151	3,877	4,327	4,654	4,912	5,124	5,305	5,461	5,599
11		3,113	3,820	4,256	4,574	4,823	5,028	5,202	5,353	5,487
12		3,082	3,773	4,199	4,508	4,751	4,950	5,119	5,265	5,395
13		3,055	3,735	4,151	4,453	4,690	4,885	5,049	5,192	5,318
14		3,033	3,702	4,111	4,407	4,639	4,829	4,990	5,131	5,254
15		3,014	3,674	4,076	4,367	4,595	4,782	4,940	5,077	5,198
16		2,998	3,649	4,046	4,333	4,557	4,741	4,897	5,031	5,150
17		2,984	3,628	4,020	4,303	4,524	4,705	4,858	4,991	5,108
18		2,971	3,609	3,997	4,277	4,495	4,673	4,824	4,956	5,071
19		2,960	3,593	3,977	4,253	4,469	4,645	4,794	4,924	5,038
20		2,950	3,578	3,958	4,232	4,445	4,620	4,768	4,896	5,008
24		2,919	3,532	3,901	4,166	4,373	4,541	4,684	4,807	4,915
30		2,888	3,486	3,845	4,102	4,302	4,464	4,602	4,720	4,824
40		2,858	3,442	3,791	4,039	4,232	4,389	4,521	4,635	4,735
60		2,829	3,399	3,737	3,977	4,163	4,314	4,441	4,550	4,646
120		2,800	3,356	3,685	3,917	4,096	4,241	4,363	4,468	4,560
∞		2,772	3,314	3,633	3,858	4,030	4,170	4,286	4,387	4,474

gl	k:	11	12	13	14	15	16	17	18	19
1		50,59	51,96	53,20	54,33	55,36	56,32	57,22	58,04	58,83
2		14,39	14,75	15,08	15,38	15,65	15,91	16,14	16,37	16,57
3		9,717	9,946	10,15	10,35	10,53	10,69	10,84	10,98	11,11
4		8,027	8,208	8,373	8,525	8,664	8,794	8,914	9,028	9,134
5		7,168	7,324	7,466	7,596	7,717	7,828	7,932	8,030	8,122
6		6,649	6,789	6,917	7,034	7,143	7,244	7,338	7,426	7,508
7		6,302	6,431	6,550	6,658	6,759	6,852	6,939	7,020	7,097
8		6,054	6,175	6,287	6,389	6,483	6,571	6,653	6,729	6,802
9		5,867	5,983	6,089	6,186	6,276	6,359	6,437	6,510	6,579
10		5,722	5,833	5,935	6,028	6,114	6,194	6,269	6,339	6,405
11		5,605	5,713	5,811	5,901	5,984	6,062	6,134	6,202	6,265
12		5,511	5,615	5,710	5,798	5,878	5,953	6,023	6,089	6,151
13		5,431	5,533	5,625	5,711	5,789	5,862	5,931	5,995	6,055
14		5,364	5,463	5,554	5,637	5,714	5,786	5,852	5,915	5,974
15		5,306	5,404	5,493	5,574	5,649	5,720	5,785	5,846	5,904
16		5,256	5,352	5,439	5,520	5,593	5,662	5,727	5,786	5,843
17		5,212	5,307	5,392	5,471	5,544	5,612	5,675	5,734	5,790
18		5,174	5,267	5,352	5,429	5,501	5,568	5,630	5,688	5,743
19		5,140	5,231	5,315	5,391	5,462	5,528	5,589	5,647	5,701
20		5,108	5,199	5,282	5,357	5,427	5,493	5,553	5,610	5,663
24		5,012	5,099	5,179	5,251	5,319	5,381	5,439	5,494	5,545
30		4,917	5,001	5,077	5,147	5,211	5,271	5,327	5,379	5,429
40		4,824	4,904	4,977	5,044	5,106	5,163	5,216	5,266	5,313
60		4,732	4,808	4,878	4,942	5,001	5,056	5,107	5,154	5,199
120		4,641	4,714	4,781	4,842	4,898	4,950	4,998	5,044	5,086
∞		4,552	4,622	4,685	4,743	4,796	4,845	4,891	4,934	4,974

TABELA A7 Valores críticos da distribuição q para $\alpha = 0,05$ *(continuação)*

gl	k:	20	22	24	26	28	30	32	34	36
1		59,56	60,91	62,12	63,22	64,23	65,15	66,01	66,81	67,56
2		16,77	17,13	17,45	17,75	18,02	18,27	18,50	18,72	18,92
3		11,24	11,47	11,68	11,87	12,05	12,21	12,36	12,50	12,63
4		9,233	9,418	9,584	9,736	9,875	10,00	10,12	10,23	10,34
5		8,208	8,368	8,512	8,643	8,764	8,875	8,979	9,075	9,165
6		7,587	7,730	7,861	7,979	8,088	8,189	8,283	8,370	8,452
7		7,170	7,303	7,423	7,533	7,634	7,728	7,814	7,895	7,972
8		6,870	6,995	7,109	7,212	7,307	7,395	7,477	7,554	7,625
9		6,644	6,763	6,871	6,970	7,061	7,145	7,222	7,295	7,363
10		6,467	6,582	6,686	6,781	6,868	6,948	7,023	7,093	7,159
11		6,326	6,436	6,536	6,628	6,712	6,790	6,863	6,930	6,994
12		6,209	6,317	6,414	6,503	6,585	6,660	6,731	6,796	6,858
13		6,112	6,217	6,312	6,398	6,478	6,551	6,620	6,684	6,744
14		6,029	6,132	6,224	6,309	6,387	6,459	6,526	6,588	6,647
15		5,958	6,059	6,149	6,233	6,309	6,379	6,445	6,506	6,564
16		5,897	5,995	6,084	6,166	6,241	6,310	6,374	6,434	6,491
17		5,842	5,940	6,027	6,107	6,181	6,249	6,313	6,372	6,427
18		5,794	5,890	5,977	6,055	6,128	6,195	6,258	6,316	6,371
19		5,752	5,846	5,932	6,009	6,081	6,147	6,209	6,267	6,321
20		5,714	5,807	5,891	5,968	6,039	6,104	6,165	6,222	6,275
24		5,594	5,683	5,764	5,838	5,906	5,968	6,027	6,081	6,132
30		5,475	5,561	5,638	5,709	5,774	5,833	5,889	5,941	5,990
40		5,358	5,439	5,513	5,581	5,642	5,700	5,753	5,803	5,849
60		5,241	5,319	5,389	5,453	5,512	5,566	5,617	5,664	5,708
120		5,126	5,200	5,266	5,327	5,382	5,434	5,481	5,526	5,568
∞		5,012	5,081	5,144	5,201	5,253	5,301	5,346	5,388	5,427

gl	k:	38	40	50	60	70	80	90	100
1		68,26	68,92	71,73	73,97	75,82	77,40	78,77	79,98
2		19,11	19,28	20,05	20,66	21,16	21,59	21,96	22,29
3		12,75	12,87	13,36	13,76	14,08	14,36	14,61	14,82
4		10,44	10,53	10,93	11,24	11,51	11,73	11,92	12,09
5		9,250	9,330	9,674	9,949	10,18	10,38	10,54	10,69
6		8,529	8,601	8,913	9,163	9,370	9,548	9,702	9,839
7		8,043	8,110	8,400	8,632	8,824	8,989	9,133	9,261
8		7,693	7,756	8,029	8,248	8,430	8,586	8,722	8,843
9		7,428	7,488	7,749	7,958	8,132	8,281	8,410	8,526
10		7,220	7,279	7,529	7,730	7,897	8,041	8,166	8,276
11		7,053	7,110	7,352	7,546	7,708	7,847	7,968	8,075
12		6,916	6,970	7,205	7,394	7,552	7,687	7,804	7,909
13		6,800	6,854	7,083	7,267	7,421	7,552	7,667	7,769
14		6,702	6,754	6,979	7,159	7,309	7,438	7,550	7,650
15		6,618	6,669	6,888	7,065	7,212	7,339	7,449	7,546
16		6,544	6,594	6,810	6,984	7,128	7,252	7,360	7,457
17		6,479	6,529	6,741	6,912	7,054	7,176	7,283	7,377
18		6,422	6,471	6,680	6,848	6,989	7,109	7,213	7,307
19		6,371	6,419	6,626	6,792	6,930	7,048	7,152	7,244
20		6,325	6,373	6,576	6,740	6,877	6,994	7,097	7,187
24		6,181	6,226	6,421	6,579	6,710	6,822	6,920	7,008
30		6,037	6,080	6,267	6,417	6,543	6,650	6,744	6,827
40		5,893	5,934	6,112	6,255	6,375	6,477	6,566	6,645
60		5,750	5,789	5,958	6,093	6,206	6,303	6,387	6,462
120		5,607	5,644	5,802	5,929	6,035	6,126	6,205	6,275
∞		5,463	5,498	5,646	5,764	5,863	5,947	6,020	6,085

Fonte: Zar, 1999; ap. 64 (modificada).

TABELA A8 Valores críticos da distribuição U de Mann-Whitney, para testes unilaterais com $\alpha = 0{,}025$ e bilaterais com $\alpha = 0{,}05$

n_1 \ n_2	9	10	11	12	13	14	15	16	17	18	19	20
1												
2	0	0	0	1	1	1	1	1	2	2	2	2
3	2	3	3	4	4	5	5	6	6	7	7	8
4	4	5	6	7	8	9	10	11	11	12	13	13
5	7	8	9	11	12	13	14	15	17	18	19	20
6	10	11	13	14	16	17	19	21	22	24	25	27
7	12	14	16	18	20	22	24	26	28	30	32	34
8	15	17	19	22	24	26	29	31	34	36	38	41
9	17	20	23	26	28	31	34	37	39	42	45	48
10	20	23	26	29	33	36	39	42	45	48	52	55
11	23	26	30	33	37	40	44	47	51	55	58	62
12	26	29	33	37	41	45	49	53	57	61	65	69
13	28	33	37	41	45	50	54	59	63	67	72	76
14	31	36	40	45	50	55	59	64	67	74	78	83
15	34	39	44	49	54	59	64	70	75	80	85	90
16	37	42	47	53	59	64	70	75	81	86	92	98
17	39	45	51	57	63	67	75	81	87	93	99	105
18	42	48	55	61	67	74	80	86	93	99	106	112
19	45	52	58	65	72	78	85	92	99	106	113	119
20	48	55	62	69	76	83	90	98	105	112	119	127

Fonte: Siegel, 1956; p. 276.

TABELA A9 Valores críticos da distribuição T de Wilcoxon

n	α Bilateral: 0,50 α Unilateral: 0,25	0,20 0,10	0,10 0,05	0,05 0,025	0,02 0,01	0,01 0,005	0,005 0,0025	0,001 0,0005
4	2	0						
5	4	2	0					
6	6	3	2	0				
7	9	5	3	2	0			
8	12	8	5	3	1	0		
9	16	10	8	5	3	1	0	
10	20	14	10	8	5	3	1	
11	24	17	13	10	7	5	3	0
12	29	21	17	13	9	7	5	1
13	35	26	21	17	12	9	7	2
14	40	31	25	21	15	12	9	4
15	47	36	30	25	19	15	12	6
16	54	42	35	29	23	19	15	8
17	61	48	41	34	27	23	19	11
18	69	55	47	40	32	27	23	14
19	77	62	53	46	37	32	27	18
20	86	69	60	52	43	37	32	21
21	95	77	67	58	49	42	37	25
22	104	86	75	65	55	48	42	30
23	114	94	83	73	62	54	48	35
24	125	104	91	81	69	61	54	40
25	136	113	100	89	76	68	60	45
26	148	124	110	98	84	75	67	51
27	160	134	119	107	92	83	74	57
28	172	145	130	116	101	91	82	64
29	185	157	140	126	110	100	90	71
30	198	169	151	137	120	109	98	78
31	212	181	163	147	130	118	107	86
32	226	194	175	159	140	128	116	94
33	241	207	187	170	151	138	126	102
34	257	221	200	182	162	148	136	111
35	272	235	213	195	173	159	146	120
36	289	250	227	208	185	171	157	130
37	305	265	241	221	198	182	168	140
38	323	281	256	235	211	194	180	150
39	340	297	271	249	224	207	192	161
40	358	313	286	264	238	220	204	172
41	377	330	302	279	252	233	217	183
42	396	348	319	294	266	247	230	195
43	416	365	336	310	281	261	244	207
44	436	384	353	327	296	276	258	220
45	456	402	371	343	312	291	272	233
46	477	422	389	361	328	307	287	246
47	499	441	407	378	345	322	302	260
48	521	462	426	396	362	339	318	274
49	543	482	446	415	379	355	334	289
50	566	503	466	434	397	373	350	304
51	590	525	486	453	416	390	367	319
52	613	547	507	473	434	408	384	335
53	638	569	529	494	454	427	402	351
54	668	592	550	514	473	445	420	368
55	688	615	573	536	493	465	438	385
56	714	639	595	557	514	484	457	402
57	740	664	618	579	535	504	477	420
58	767	688	642	602	556	525	497	438
59	794	714	666	625	578	546	517	457
60	822	739	690	648	600	567	537	476

TABELA A9 Valores críticos da distribuição *T* de Wilcoxon *(continuação)*

n	α Bilateral: α Unilateral:	0,50 0,25	0,20 0,10	0,10 0,05	0,05 0,025	0,02 0,01	0,01 0,005	0,005 0,0025	0,001 0,0005
61		850	765	715	672	623	598	558	495
62		879	792	741	697	646	611	580	515
63		908	819	767	721	669	634	602	535
64		938	847	793	747	693	657	624	556
65		968	875	820	772	718	681	647	577
66		998	903	847	798	742	705	670	599
67		1029	932	875	825	768	729	694	621
68		1061	962	903	852	793	754	718	643
69		1093	992	931	879	819	779	742	666
70		1126	1022	960	907	846	805	767	689
71		1159	1053	990	936	873	831	792	712
72		1192	1084	1020	964	901	858	818	736
73		1226	1116	1050	994	928	884	844	761
74		1261	1148	1081	1023	957	912	871	786
75		1296	1181	1112	1053	986	940	898	811
76		1331	1214	1144	1084	1015	968	925	836
77		1367	1247	1176	1115	1044	997	953	862
78		1403	1282	1209	1147	1075	1026	981	889
79		1440	1316	1242	1179	1105	1056	1010	916
80		1478	1351	1276	1211	1136	1086	1039	943
81		1516	1387	1310	1244	1168	1116	1069	971
82		1554	1423	1345	1277	1200	1147	1099	999
83		1593	1459	1380	1311	1232	1178	1129	1028
84		1632	1496	1415	1345	1265	1210	1160	1057
85		1672	1533	1451	1380	1298	1242	1191	1086
86		1712	1571	1487	1415	1332	1275	1223	1116
87		1753	1609	1524	1451	1366	1308	1255	1146
88		1794	1648	1561	1487	1400	1342	1288	1177
89		1836	1688	1599	1523	1435	1376	1321	1208
90		1878	1727	1638	1560	1471	1410	1355	1240
91		1921	1767	1676	1597	1507	1445	1389	1271
92		1964	1808	1715	1635	1543	1480	1423	1304
93		2008	1849	1755	1674	1580	1516	1458	1337
94		2052	1891	1795	1712	1617	1552	1493	1370
95		2097	1933	1836	1752	1655	1589	1529	1404
96		2142	1976	1877	1791	1693	1626	1565	1438
97		2187	2019	1918	1832	1731	1664	1601	1472
98		2233	2062	1960	1872	1770	1702	1638	1507
99		2280	2106	2003	1913	1810	1740	1676	1543
100		2327	2151	2045	1955	1850	1779	1714	1578

Fonte: Zar, 1999; ap. 101-102 (modificada).

TABELA A10 Valores críticos da distribuição H de Kruskal-Wallis

n_1	n_2	n_3	α:	0,10	0,05	0,02	0,01	0,005	0,002	0,001
2	2	2		4,571						
3	2	1		4,286						
3	2	2		4,500	4,714					
3	3	1		4,571	5,143					
3	3	2		4,556	5,361	6,250				
3	3	3		4,622	5,600	6,489	(7,200)	7,200		
4	2	1		4,500						
4	2	2		4,458	5,333	6,000				
4	3	1		4,056	5,208					
4	3	2		4,511	5,444	6,144	6,444	7,000		
4	3	3		4,709	5,791	6,564	6,745	7,318	8,018	
4	4	1		4,167	4,967	(6,667)	6,667			
4	4	2		4,555	5,455	6,600	7,036	7,282	7,855	
4	4	3		4,545	5,598	6,712	7,144	7,598	8,227	8,909
4	4	4		4,654	5,692	6,962	7,654	8,000	8,654	9,269
5	2	1		4,200	5,000					
5	2	2		4,373	5,160	6,000	6,533			
5	3	1		4,018	4,960	6,044				
5	3	2		4,651	5,251	6,124	6,909	7,182		
5	3	3		4,533	5,648	6,533	7,079	7,636	8,048	8,727
5	4	1		3,987	4,985	6,431	6,955	7,364		
5	4	2		4,541	5,273	6,505	7,205	7,573	8,114	8,591
5	4	3		4,549	5,656	6,676	7,445	7,927	8,481	8,795
5	4	4		4,619	5,657	6,953	7,760	8,189	8,868	9,168
5	5	1		4,109	5,127	6,145	7,309	8,182		
5	5	2		4,623	5,338	6,446	7,338	8,131	6,446	7,338
5	5	3		4,545	5,705	6,866	7,578	8,316	8,809	9,521
5	5	4		4,523	5,666	7,000	7,823	8,523	9,163	9,606
5	5	5		4,940	5,780	7,220	8,000	8,780	9,620	9,920
6	1	1		—						
6	2	1		4,200	4,822					
6	2	2		4,545	5,345	6,182	6,982			
6	3	1		3,909	4,855	6,236				
6	3	2		4,682	5,348	6,227	6,970	7,515	8,182	
6	3	3		4,538	5,615	6,590	7,410	7,872	8,628	9,346
6	4	1		4,038	4,947	6,174	7,106	7,614		
6	4	2		4,494	5,340	6,571	7,340	7,846	8,494	8,827
6	4	3		4,604	5,610	6,725	7,500	8,033	8,918	9,170
6	4	4		4,595	5,681	6,900	7,795	8,381	9,167	9,861
6	5	1		4,128	4,990	6,138	7,182	8,077	8,515	
6	5	2		4,596	5,338	6,585	7,376	8,196	8,967	9,189
6	5	3		4,535	5,602	6,829	7,590	8,314	9,150	9,669
6	5	4		4,522	5,661	7,018	7,936	8,643	9,458	9,960
6	5	5		4,547	5,729	7,110	8,028	8,859	9,771	10,271
6	6	1		4,000	4,945	6,286	7,121	8,165	9,077	9,692
6	6	2		4,438	5,410	6,667	7,467	8,210	9,219	9,752
6	6	3		4,558	5,625	6,900	7,725	8,458	9,458	10,150
6	6	4		4,548	5,724	7,107	8,000	8,754	9,662	10,342
6	6	5		4,542	5,765	7,152	8,124	8,987	9,948	10,524
6	6	6		4,643	5,801	7,240	8,222	9,170	10,187	10,889
7	7	7		4,594	5,819	7,332	8,378	9,373	10,516	11,310
8	8	8		4,595	5,805	7,355	8,465	9,495	10,805	11,705
2	2	1	1	—						
2	2	2	1	5,357	5,679					
2	2	2	2	5,667	6,167	(6,667)	6,667			
3	1	1	1	—						
3	2	1	1	5,143						
3	2	2	1	5,556	5,833	6,500				

TABELA A10 Valores críticos da distribuição *H* de Kruskal-Wallis *(continuação)*

n_1	n_2	n_3		α: 0,10	0,05	0,02	0,01	0,005	0,002	0,001
3	2	2	2	5,544	6,333	6,978	7,133	7,533		
3	3	1	1	5,333	6,333					
3	3	2	1	5,689	6,244	6,689	7,200	7,400		
3	3	2	2	5,745	6,527	7,182	7,636	7,873	8,018	8,455
3	3	3	1	5,655	6,600	7,109	7,400	8,055	8,345	
3	3	3	2	5,879	6,727	7,636	8,105	8,379	8,803	9,030
3	3	3	3	6,026	7,000	7,872	8,538	8,897	9,462	9,513
4	1	1	1	—						
4	2	1	1	5,250	5,833					
4	2	2	1	5,533	6,133	6,667	7,000			
4	2	2	2	5,755	6,545	7,091	7,391	7,964	8,291	
4	3	1	1	5,067	6,178	6,711	7,067			
4	3	2	1	5,591	6,309	7,018	7,455	7,773	8,182	
4	3	2	2	5,750	6,621	7,530	7,871	8,273	8,689	8,909
4	3	3	1	5,589	6,545	7,485	7,758	8,212	8,697	9,182
4	3	3	2	5,872	6,795	7,763	8,333	8,718	9,167	9,455
4	3	3	3	6,016	6,984	7,995	8,659	9,253	9,709	10,016
4	4	1	1	5,182	5,945	7,091	7,909	7,909		
4	4	2	1	5,568	6,386	7,364	7,886	8,341	8,591	8,909
4	4	2	2	5,808	6,731	7,750	8,346	8,692	9,269	9,462
4	4	3	1	5,692	6,635	7,660	8,231	8,583	9,038	9,327
4	4	3	2	5,901	6,874	7,951	8,621	9,165	9,615	9,945
4	4	3	3	6,019	7,038	8,181	8,876	9,495	10,105	10,467
4	4	4	1	5,564	6,725	7,879	8,588	9,000	9,478	9,758
4	4	4	2	5,914	6,957	8,157	8,871	9,486	10,043	10,429
4	4	4	3	6,042	7,142	8,350	9,075	9,742	10,542	10,929
4	4	4	4	6,088	7,235	8,515	9,287	9,971	10,809	11,338
2	1	1	1	1	—					
2	2	1	1	1	5,786					
2	2	2	1	1	6,250	6,750				
2	2	2	2	1	6,600	7,133	(7,533)	7,533		
2	2	2	2	2	6,982	7,418	8,073	8,291	(8,727)	8,727
3	1	1	1	1	—					
3	2	1	1	1	6,139	6,583				
3	2	2	1	1	6,511	6,800	7,400	7,600		
3	2	2	2	1	6,709	7,309	7,836	8,127	8,327	8,618
3	2	2	2	2	6,955	7,682	8,303	8,682	8,985	9,273	9,364
3	3	1	1	1	6,311	7,111	7,467			
3	3	2	1	1	6,600	7,200	7,892	8,073	8,345		
3	3	2	2	1	6,788	7,591	8,258	8,576	8,924	9,167	9,303
3	3	2	2	2	7,026	7,910	8,667	9,115	9,474	9,769	10,026
3	3	3	1	1	6,788	6,576	8,242	8,424	8,848	(9,455)	9,455
3	3	3	2	1	6,910	7,769	8,590	9,051	9,410	9,769	9,974
3	3	3	2	2	7,121	8,044	9,011	9,505	9,890	10,330	10,637
3	3	3	3	1	7,077	8,000	8,879	9,451	9,846	10,286	10,549
3	3	3	3	2	7,210	8,200	9,267	9,876	10,333	10,838	11,171
3	3	3	3	3	7,333	8,333	9,467	10,200	10,733	10,267	11,667

Fonte: Zar, 1999; ap. 104-105.

TABELA A11 Valores críticos da distribuição Q para testes de comparações múltiplas não-paramétricas

k	α: 0,50	0,20	0,10	0,05	0,02	0,01	0,005	0,002	0,001
2	0,674	1,282	1,645	1,960	2,327	2,576	2,807	3,091	3,291
3	1,383	1,834	2,128	2,394	2,713	2,936	3,144	3,403	3,588
4	1,732	2,128	2,394	2,639	2,936	3,144	3,342	3,588	3,765
5	1,960	2,327	2,576	2,807	3,091	3,291	3,481	3,719	3,891
6	2,128	2,475	2,713	2,936	3,209	3,403	3,588	3,820	3,988
7	2,261	2,593	2,823	3,038	3,304	3,494	3,675	3,902	4,067
8	2,369	2,690	2,914	3,124	3,384	3,570	3,748	3,972	4,134
9	2,461	2,773	2,992	3,197	3,453	3,635	3,810	4,031	4,191
10	2,540	2,845	3,059	3,261	3,512	3,692	3,865	4,083	4,241
11	2,609	2,908	3,119	3,317	3,565	3,743	3,914	4,129	4,286
12	2,671	2,965	3,172	3,368	3,613	3,789	3,957	4,171	4,326
13	2,726	3,016	3,220	3,414	3,656	3,830	3,997	4,209	4,363
14	2,777	3,062	3,264	3,456	3,695	3,868	4,034	4,244	4,397
15	2,823	3,105	3,304	3,494	3,731	3,902	4,067	4,276	4,428
16	2,866	3,144	3,342	3,529	3,765	3,935	4,098	4,305	4,456
17	2,905	3,181	3,376	3,562	3,796	3,965	4,127	4,333	4,483
18	2,942	3,215	3,409	3,593	3,825	3,993	4,154	4,359	4,508
19	2,976	3,246	3,439	3,622	3,852	4,019	4,179	4,383	4,532
20	3,008	3,276	3,467	3,649	3,878	4,044	4,203	4,406	4,554
21	3,038	3,304	3,494	3,675	3,902	4,067	4,226	4,428	4,575
22	3,067	3,331	3,519	3,699	3,925	4,089	4,247	4,448	4,595
23	3,094	3,356	3,543	3,722	3,947	4,110	4,268	4,468	4,614
24	3,120	3,380	3,566	3,744	3,968	4,130	4,287	4,486	4,632
25	3,144	3,403	3,588	3,765	3,988	4,149	4,305	4,504	4,649

Fonte: Zar, 1999; ap. 107.

TABELA A12 Valores críticos para o coeficiente de correlação de Spearman (r_S) para postos

n	α Bilateral: 0,50 α Unilateral: 0,25	0,20 0,10	0,10 0,05	0,05 0,025	0,02 0,01	0,01 0,005	0,005 0,0025	0,002 0,001	0,001 0,0005
4	0,600	1,000	1,000						
5	0,500	0,800	0,900	1,000	1,000				
6	0,371	0,657	0,829	0,886	0,943	1,000	1,000		
7	0,321	0,571	0,714	0,786	0,893	0,929	0,964	1,000	1,000
8	0,310	0,524	0,643	0,738	0,833	0,881	0,905	0,952	0,976
9	0,267	0,483	0,600	0,700	0,783	0,833	0,867	0,917	0,933
10	0,248	0,455	0,564	0,648	0,745	0,794	0,830	0,879	0,903
11	0,236	0,427	0,536	0,618	0,709	0,755	0,800	0,845	0,873
12	0,217	0,406	0,503	0,587	0,678	0,727	0,769	0,818	0,846
13	0,209	0,385	0,484	0,560	0,648	0,703	0,747	0,791	0,824
14	0,200	0,367	0,464	0,538	0,626	0,679	0,723	0,771	0,802
15	0,189	0,354	0,446	0,521	0,604	0,654	0,700	0,750	0,779
16	0,182	0,341	0,429	0,503	0,582	0,635	0,679	0,729	0,762
17	0,176	0,328	0,414	0,485	0,566	0,615	0,662	0,713	0,748
18	0,170	0,317	0,401	0,472	0,550	0,600	0,643	0,695	0,728
19	0,165	0,309	0,391	0,460	0,535	0,584	0,628	0,677	0,712
20	0,161	0,299	0,380	0,447	0,520	0,570	0,612	0,662	0,696
21	0,156	0,292	0,370	0,435	0,508	0,556	0,599	0,648	0,681
22	0,152	0,284	0,361	0,425	0,496	0,544	0,586	0,634	0,667
23	0,148	0,278	0,353	0,415	0,486	0,532	0,573	0,622	0,654
24	0,144	0,271	0,344	0,406	0,476	0,521	0,562	0,610	0,642
25	0,142	0,265	0,337	0,398	0,466	0,511	0,551	0,598	0,630
26	0,138	0,259	0,331	0,390	0,457	0,501	0,541	0,587	0,619
27	0,136	0,255	0,324	0,382	0,448	0,491	0,531	0,577	0,608
28	0,133	0,250	0,317	0,375	0,440	0,483	0,522	0,567	0,598
29	0,130	0,245	0,312	0,368	0,433	0,475	0,513	0,558	0,589
30	0,128	0,240	0,306	0,362	0,425	0,467	0,504	0,549	0,580
31	0,126	0,236	0,301	0,356	0,418	0,459	0,496	0,541	0,571
32	0,124	0,232	0,296	0,350	0,412	0,452	0,489	0,533	0,563
33	0,121	0,229	0,291	0,345	0,405	0,446	0,482	0,525	0,554
34	0,120	0,225	0,287	0,340	0,399	0,439	0,475	0,517	0,547
35	0,118	0,222	0,283	0,335	0,394	0,433	0,468	0,510	0,539
36	0,116	0,219	0,279	0,330	0,388	0,427	0,462	0,504	0,533
37	0,114	0,216	0,275	0,325	0,383	0,421	0,456	0,497	0,526
38	0,113	0,212	0,271	0,321	0,378	0,415	0,450	0,491	0,519
39	0,111	0,210	0,267	0,317	0,373	0,410	0,444	0,485	0,513
40	0,110	0,207	0,264	0,313	0,368	0,405	0,439	0,479	0,507
41	0,108	0,204	0,261	0,309	0,364	0,400	0,433	0,473	0,501
42	0,107	0,202	0,257	0,305	0,359	0,395	0,428	0,468	0,495
43	0,105	0,199	0,254	0,301	0,355	0,391	0,423	0,463	0,490
44	0,104	0,197	0,251	0,298	0,351	0,386	0,419	0,458	0,484
45	0,103	0,194	0,248	0,294	0,347	0,382	0,414	0,453	0,479
46	0,102	0,192	0,246	0,291	0,343	0,378	0,410	0,448	0,474
47	0,101	0,190	0,243	0,288	0,340	0,374	0,405	0,443	0,469
48	0,100	0,188	0,240	0,285	0,336	0,370	0,401	0,439	0,465
49	0,098	0,186	0,238	0,282	0,333	0,366	0,397	0,434	0,460
50	0,097	0,184	0,235	0,279	0,329	0,363	0,393	0,430	0,456
51	0,096	0,182	0,233	0,276	0,326	0,359	0,390	0,426	0,451
52	0,095	0,180	0,231	0,274	0,323	0,356	0,386	0,422	0,447
53	0,095	0,179	0,228	0,271	0,320	0,352	0,382	0,418	0,443
54	0,094	0,177	0,226	0,268	0,317	0,349	0,379	0,414	0,439
55	0,093	0,175	0,224	0,266	0,314	0,346	0,375	0,411	0,435

TABELA A12 Valores críticos para o coeficiente de correlação de Spearman (r_S) para postos (continuação)

n	α Bilateral: 0,50 α Unilateral: 0,25	0,20 0,10	0,10 0,05	0,05 0,025	0,02 0,01	0,01 0,005	0,005 0,0025	0,002 0,001	0,001 0,0005
56	0,092	0,174	0,222	0,264	0,311	0,343	0,372	0,407	0,432
57	0,091	0,172	0,220	0,261	0,308	0,340	0,369	0,404	0,428
58	0,090	0,171	0,218	0,259	0,306	0,337	0,366	0,400	0,424
59	0,089	0,169	0,216	0,257	0,303	0,334	0,363	0,397	0,421
60	0,089	0,168	0,214	0,255	0,300	0,331	0,360	0,394	0,418
61	0,088	0,166	0,213	0,252	0,298	0,329	0,357	0,391	0,414
62	0,087	0,165	0,211	0,250	0,296	0,326	0,354	0,388	0,411
63	0,086	0,163	0,209	0,248	0,293	0,323	0,351	0,385	0,408
64	0,086	0,162	0,207	0,246	0,291	0,321	0,348	0,382	0,405
65	0,085	0,161	0,206	0,244	0,289	0,318	0,346	0,379	0,402
66	0,084	0,160	0,204	0,243	0,287	0,316	0,343	0,376	0,399
67	0,084	0,158	0,203	0,241	0,284	0,314	0,341	0,373	0,396
68	0,083	0,157	0,201	0,239	0,282	0,311	0,338	0,370	0,393
69	0,082	0,156	0,200	0,237	0,280	0,309	0,336	0,368	0,390
70	0,082	0,155	0,198	0,235	0,278	0,307	0,333	0,365	0,388
71	0,081	0,154	0,197	0,234	0,276	0,305	0,331	0,363	0,385
72	0,081	0,153	0,195	0,232	0,274	0,303	0,329	0,360	0,382
73	0,080	0,152	0,194	0,230	0,272	0,301	0,327	0,358	0,380
74	0,080	0,151	0,193	0,229	0,271	0,299	0,324	0,355	0,377
75	0,079	0,150	0,191	0,227	0,269	0,297	0,322	0,353	0,375
76	0,078	0,149	0,190	0,226	0,267	0,295	0,320	0,351	0,372
77	0,078	0,148	0,189	0,224	0,265	0,293	0,318	0,349	0,370
78	0,077	0,147	0,188	0,223	0,264	0,291	0,316	0,346	0,368
79	0,077	0,146	0,186	0,221	0,262	0,289	0,314	0,344	0,365
80	0,076	0,145	0,185	0,220	0,260	0,287	0,312	0,342	0,363
81	0,076	0,144	0,184	0,219	0,259	0,285	0,310	0,340	0,361
82	0,075	0,143	0,183	0,217	0,257	0,284	0,308	0,338	0,359
83	0,075	0,142	0,182	0,216	0,255	0,282	0,306	0,336	0,357
84	0,074	0,141	0,181	0,215	0,254	0,280	0,305	0,334	0,355
85	0,074	0,140	0,180	0,213	0,252	0,279	0,303	0,332	0,353
86	0,074	0,139	0,179	0,212	0,251	0,277	0,301	0,330	0,351
87	0,073	0,139	0,177	0,211	0,250	0,276	0,299	0,328	0,349
88	0,073	0,138	0,176	0,210	0,248	0,274	0,298	0,327	0,347
89	0,072	0,137	0,175	0,209	0,247	0,272	0,296	0,325	0,345
90	0,072	0,136	0,174	0,207	0,245	0,271	0,294	0,323	0,343
91	0,072	0,135	0,173	0,206	0,244	0,269	0,293	0,321	0,341
92	0,071	0,135	0,173	0,205	0,243	0,268	0,291	0,319	0,339
93	0,071	0,134	0,172	0,204	0,241	0,267	0,290	0,318	0,338
94	0,070	0,133	0,171	0,203	0,240	0,265	0,288	0,316	0,336
95	0,070	0,133	0,170	0,202	0,239	0,264	0,287	0,314	0,334
96	0,070	0,132	0,169	0,201	0,238	0,262	0,285	0,313	0,332
97	0,069	0,131	0,168	0,200	0,236	0,261	0,284	0,311	0,331
98	0,069	0,130	0,167	0,199	0,235	0,260	0,282	0,310	0,329
99	0,068	0,130	0,166	0,198	0,234	0,258	0,281	0,308	0,327
100	0,068	0,129	0,165	0,197	0,233	0,257	0,279	0,307	0,326

Fonte: Zar, 1999; ap. 116-117 (modificada).

TABELA 13 Números aleatórios

14835	07362	26733	66337	20020	46848	24360	67813	17531	96160
84156	22328	08704	06439	64789	19606	74597	42899	36235	91089
07439	84935	67799	78493	03976	72783	31131	60452	23680	88212
60562	06499	56274	89528	77248	82823	29149	02415	46849	34372
92554	02182	58212	23811	74399	01856	50828	05868	60178	36120
57154	33430	44547	19479	28029	98735	02523	07352	26115	05784
33592	35545	09878	39291	05498	20618	13325	88848	05151	10298
63113	59196	90890	52945	95027	82655	76150	00102	23247	38135
53456	15261	00582	37612	11971	92844	44112	48161	15426	26704
89202	77388	51468	91049	19894	02188	13318	22280	34959	55245
88891	23578	84958	96820	99600	94748	42738	57576	79063	07765
84885	80345	96016	01251	09348	28560	11147	01657	00755	43642
38697	69389	98345	73048	29507	18526	67736	56657	49748	02160
39871	02677	13729	60302	49365	36310	29226	52028	93731	58365
33006	74668	41831	49768	95000	21495	32144	09647	64404	36257
07154	82834	40799	10422	81214	26325	65495	48346	27304	76266
31432	17859	22968	94194	06884	34888	65166	25467	35774	61056
56960	26638	36632	91651	29180	98155	01805	51464	49138	05710
02355	56388	09067	75695	25493	97169	22686	21475	31110	53045
82103	63195	65527	66243	96807	69165	95289	62930	66343	83711
50825	82955	24147	75012	20103	60267	04051	11654	81456	02920
03628	55427	72771	11270	13391	42267	25646	96957	39640	34334
15891	95262	89450	10087	92371	99885	94941	46284	77397	40100
50811	44401	92573	84821	49314	34342	01290	91163	37248	35041
59943	24172	16959	76008	04121	99199	55271	38518	07155	97528
45342	34103	48817	53536	03630	80439	17091	77911	87900	91034
74881	27536	54074	82623	64322	32241	66784	14590	17966	72187
77329	75480	19058	91100	21175	87860	98479	87996	39068	14348
35196	84012	03780	47762	94498	89812	71238	54070	43360	61395
84371	38352	85742	01610	41863	59977	58513	79876	87152	50249
22980	08123	98993	35609	45406	57914	96884	23851	65979	03903
58486	17927	91107	83002	90223	04731	88063	95720	91892	01246
61376	95034	53865	29670	13302	67790	92887	69725	98265	90459
23756	35575	07730	38317	40512	95941	66943	68526	24235	38609
04044	43464	90762	94781	68427	50021	82905	33939	41037	54417
60047	50681	64384	42320	46016	51491	23656	55597	47347	18863
83531	86235	40884	45400	96397	37285	06290	04315	05773	18621
06544	92307	69731	53410	63161	31227	10973	87011	59483	09370
49791	25181	29805	45135	94955	77642	45637	28200	77295	40800
21295	61442	44858	73413	19594	59741	39278	78953	24769	77854

Referências bibliográficas

ACHUTTI, A.C. et al. Hipertensão arterial do Rio Grande do Sul. *Bol. Saúde,* Secretaria da Saúde e Meio Ambiente do Rio Grande do Sul, v.12, n.1, p. 6-54, 1985.

AZEVEDO, M.J. *Hiperfiltração glomerular em pacientes diabéticos insulino-dependentes: aspectos evolutivos, patogenéticos e cardiovasculares.* Porto Alegre: Curso de Pós-Graduação em Medicina/Clínica Médica, Universidade Federal do Rio Grande do Sul, 1992. (Tese de doutorado.)

BARBOSA, A.C. et al. Hair mercury speciation as a function of gender, age, and body mass index in inhabitants of the Negro River Basin, Amazon, Brazil. *Arch. Environ. Contam. Toxicol,* v.40, p.43-444, 2001.

BARROS, F.C. et al. Saúde perinatal em Pelotas, RS, Brasil. Fatores sociais e biológicos. São Paulo: *Rev. Saúde Públ.,* v.18, n.4, p.301-312, 1984.

BAU, C.H.D. et al. Heterogeneity in early onset of alcoholism suggests a third group of alcoholics. *Alcohol.,* v.23, p.9-13, 2001.

BODANESE-ZANETTINI, M.H. et al. Aneuploidy and chromosome mosaics in hexaploid wheat *(Triticum aestivum* (L.) Thell) cultivars. *Cereal Res. Commun.,* v.21, n.4, p.269-275, 1993.

BONORINO, C.B.C.; VALENTE, V.L.S.; CALLEGARI-JACQUES, S.M. Urbanization and chromosomal polymorphism of *Drosophila nebulosa. Rev. Bras. Genét.,* v.16, n.1, p. 59-70, 1993.

BORGES-OSÓRIO, M.R.; ROBINSON, W.M. *Genética humana.* Porto Alegre: Artmed Editora, 2001.

BORGES-OSÓRIO, M.R.L. *Fatores genéticos e do ambiente nos distúrbios de linguagem.* Porto Alegre: Curso de Pós-Graduação em Genética, Universidade Federal do Rio Grande do Sul, 1985. (Tese de doutorado.)

BRITTO, C.M.C.; MELLO, M.L.S. Morphological dimorphism in the Y chromosome of "pé-duro" cattle in the Brazilian state of Piauí. *Genet. Mol. Biol.,* v.22, p.369-373, 1999.

CALLEGARI-JACQUES, S.M.; SALZANO, F.M. Genetic variation within two linguistic Amerindian groups: relationship to geography and population size. *Am.J.Phys.Anthropol.,* v.79, p.313-320, 1989.

CARVALHO, P.R.A. *A Infecção como fator de risco para colestase associada à nutrição parenteral em crianças com idade superior a um mês.* Porto Alegre: Curso de Pós-Graduação em Medicina: Pediatria, Universidade Federal do Rio Grande do Sul, 1993. (Tese de doutorado.)

CRUSIUS, C.A. *A razão como faculdade calculadora – A "Aposta" de Pascal.* Porto Alegre: Ed. Universidade/UFRGS, 2001.

DANIEL, W.W. *Applied nonparametric statistics.* Boston: Houghton-Mifflin, 1978.

DICIONÁRIO de especialidades farmacêuticas. 26. ed. Rio de Janeiro: Editora de Publicações Científicas, 1997-1998.

DOLL, R.; BRADFORD-HILL, A. A study of the aetiology of carcinoma of the lung. *Brit. Med. J.,* v. 4797, p.1271-1286, 1952.

DORNELLES, C.L. *Variabilidade genética protéica em populações caucasóides do sul do país.* Porto Alegre: Curso de Pós-Graduação em Genética e Biologia Molecular, Universidade Federal do Rio Grande do Sul, 1998. (Dissertação de mestrado.)

DOULOT, F.N.; LÓPEZ CAMELO, J.S.; von GURADZE, H.N. Analysis of sister chromatid exchanges (SCE) in human populations studies. *Rev. Bras. Genét.,* v.15, n.1, p. 169-182, 1992.

DUCATTI, A.; PITONI, V.L.L. Morfoconquiliometria de *Drymaeus (D.) papyraceus papyrifactus* Pilsbry, 1898 (Gastropoda, Pulmonata). In: *Livro de resumos,* VII Salão de Iniciação Científica da UFRGS-1995. Porto Alegre: UFRGS. 1995. p. 118.

DUTRA, J.C. et al. Heterozygote detection in two hyperphenylalaninemia types: classic phenylketonuria and dihydrobiopterin biosynthesis deficiency. *Rev. Bras. Genét.,* v.9, n.1, p. 123-131, 1986.

EDWARDS, A.L. *Experimental design in psychological research.* 5.ed. New York: Harper & Row, 1985.

EVERITT, B.S. *The analysis of contingency tables.* 2.ed. London: Chapman & Hall, 1992.

FERREIRA, A.G.; CALLEGARI-JACQUES, S.M. Efeito da estocagem sobre a germinação de *Mimosa bimucronata* (DC.)OK. e *Leucaena leucocephala* (Lam.) de Wit. *Ciên. Cult.,* v.32, n.8, p. 1069-1072, 1980.

FISHER, R.A. *The design of experiments* (Reimpressão da 8ª edição de 1966). New York: Hafner,1971

FLEISS, J.L. *Statistical methods for rates and proportions*. 2.ed. New York: Wiley, 1981.

FLORES, R.Z. et al. Quiromancia: cuál es su poder de predicción? *El ojo escéptico* (Buenos Aires), v.9-10, p.36-39, 1994.

FOGLIA,V.G. et al. La diabetes por pancreatectomia en la tortuga normal e hipofisopriva. *Rev. Soc. Arg. Biol.*, v. 31, n.3-4, p. 87-95,1955.

FREITAS, T.R.O; LESSA, E.P. Cytogenetics and morphology of *Ctenomys torquatus* (Rodentia: Octodontidae). *J. Mamm.*, v.65, n.4, p.637-642, 1984.

FUCHS, F.D. et al. Effect of sodium intake on blood pressure, serum levels and renal excretion of sodium and potassium in normotensive with and without familial predisposition to hypertension. *Braz. J. Med. Res.*, v.20, p.25-34, 1987.

GIBBONS, J.D. *Nonparametric statistical inference*. New York: McGraw-Hill, 1971.

GIRARDI-DEIRO, A.M. *Influência de manejo, profundidade do solo, inclinação do terreno e metais pesados sobre a estrutura e a dinâmica da vegetação herbácea da serra do Sudeste, RS*. Porto Alegre: Curso de Pós-Graduação em Botânica, Universidade Federal do Rio Grande do Sul, 1999. (Tese de doutorado.)

GROSS, J.L. et al. Risk factors for development of proteinuria by type II (non-insulin dependent) diabetic patients. *J. Med. Biol. Res.*, v.26, p.1269-1278, 1993.

HEIDRICH, E.M. *Icterícia hemolítica neonatal: estudos genéticos e epidemiológicos*. Porto Alegre: Curso de Pós-Graduação em Genética e Biol. Molecular, Universidade Federal do Rio Grande do Sul, 1992. (Dissertação de mestrado.)

HOEL, P.G. *Estatística elementar*. Rio de Janeiro: Fundo de Cultura, 1963.

KASNER, E; NEWMAN, J. *Matemática e imaginação*. 2.ed. Rio de Janeiro: Zahar, 1976.

KIRKWOOD, B.R. *Essentials of medical statistics*. Oxford: Blackwell, 1988.

KRAHE, C. *Características associadas à densidade mineral óssea em um grupo de mulheres pré-menopáusicas*. Porto Alegre: Curso de Pós-Graduação em Medicina/Clínica Médica, Universidade Federal do Rio Grande do Sul, 1995. (Dissertação de mestrado.)

LISBÔA, H.R.K et al. Clinical examination is not an accurate method of defining the presence of goitre in schoolchildren. *Clin. Endocrinol*, v.45, p. 471-475, 1996.

MACHADO, V.; ARAÚJO, A.M. The colour polymorphism in *Chauliognathus flavipes* (Coleoptera, Cantharidae).I. Geographic and temporal variation. *Evolución Biológica*, v.8-9, p.127-139, 1994-1995.

MAISTROV, L.E. *Probability theory - A historical sketch*. New York: Academic Press, 1974. (Trad. do original em russo, de 1967).

MALUF, S.W.; ERDTMANN, B. Evaluation of occupational genotoxic risk in a Brazilian hospital. *Genet. Molec. Biol.*, v.23, p.485-488, 2000.

MANTELATTO, F.L.M.; FRANSOZO, A. Crescimento relativo e dimorfismo sexual em *Hepatus pudibundus* (Herbst, 1785) (Decapoda, Brachyura) no litoral norte paulista. São Paulo: *Papéis Avulsos Zool.*, v.39, p. 33-48, 1994.

MATTOS, T.C. *Estudo morfológico das regiões organizadores do nucléolo em neoplasias da cérvice uterina*. Porto Alegre: Curso de Pós-Graduação em Genética e Biologia Molecular, UFRGS, 1994. (Dissertação de mestrado.)

MEDEIROS, L.F. et al. Electroferograma do soro sangüíneo de eqüinos normais da raça puro sangue Mangalarga de 1 a 2 anos de idade. *Rev. Bras. Biol.*, v.37, p.175-178, 1977.

MELO, S.A. *Dinâmica da capacidade de neutralização de ácidos (CNA) nas lagoas marginais da planície de inundação do Rio Mogi-Guaçu (SP)*. São Carlos: Curso de Pós-Graduação em Ecologia e Recursos Naturais, Universidade Federal de São Carlos, 1993. (Dissertação de mestrado.)

MENNA-BARRETO, Y.; ARAÚJO, A.M. Evidence for host plant preference in *Heliconius erato phyllis* from southern Brazil (Nymphalidae). *J. Res. Lepidoptera*, v.24, p.41-46, 1985

MICHELON, E.; MORIGUCHI, E.H. Características da distribuição dos lipídeos plasmáticos e dos fatores de risco coronariano em indivíduos com 80 anos ou mais. Porto Alegre: *R.Med. PUCRS*, v.6, p.13-23, 1996.

MORISSO, E.D.P.; KRAUSE, L. As conseqüências do manejo sobre os ninhos de *Dermochelys coriacea* (Linnaeus, 1766), junto ao projeto Tamar-Ibama, Espírito Santo, Brasil. *Cuad. Herpetol.*, v.15, n.2, p.91-106, 2001.

MOURÃO, L.A.C.B. *Sensibilidade gustativa à feniltio-carbamida e outras características em tuberculosos e não-tuberculosos de Fortaleza, Ceará*. Porto Alegre: Curso de Pós-Graduação em Genética, Universidade Federal do Rio Grande do Sul, 1975. (Dissertação de mestrado.)

MUÑOZ, N. et al. Hot maté drinking and precancerous lesions of the oesophagus: an endoscopic survey in Southern Brazil. *Int. J. Cancer*, v.39, p.78-709, 1987.

NAOUM, P.C.; MOURÃO, C.A.; RUIZ, M.A. Alterações hematológicas induzidas por poluição industrial em moradores e industriários de Cubatão, SP (Brasil). São Paulo: *Rev. Saúde Públ.*,v.18, n.4, p.271-277, 1984.

NASCIMENTO, J.C. do. *Reguladores ontogenéticos para velocidade de desenvolvimento e sua relação com a longevidade em Drosophila melanogaster*. Porto Alegre: Universidade Federal do Rio Grande do Sul, 1992. (Dissertação de bacharelado em Ciências Biológicas: Genética.)

OLIVEIRA, M.L.B. *Padrão de pressão arterial sistólica em recém-nascidos normais através do método dop-*

pler. Porto Alegre: Curso de Pós-Graduação em Medicina/Clínica Médica, Universidade Federal do Rio Grande do Sul, 1994 (Dissertação de mestrado.)

OSBORN, J.F. *Statistical exercises in medical research*. Oxford: Blackwell, 1979.

PALATNIK, M.; SILVA, V.F. ABH-Lewis blood groups in captive Rhesus monkeys. *Rev. Bras. Genét.*, v.9, n.4, p.679-84, 1986.

PALATNIK, M. et al. Genetic and taxonomical aspects of *Biomphalaria glabrata* ABO agglutinins. *Rev. Bras. Genét.*, v.3, n.4, p.375-386, 1980.

PEARSON, E.S. The probability integral of the range in samples of *n* observations from a normal population. I. Foreword and tables. *Biometrika*, v.32, p.301-310, 1942. Apud ZAR, J. *Biostatistical analysis*. 4.ed. Upper Saddle River - NJ: Prentice-Hall, 1999.

PEDROLLO, E. *Detecção de hemoglobina Bart e freqüência de talassemia alfa em uma população de neonatos de Porto Alegre*. Porto Alegre: Curso de Pós-Graduação em Genética e Biologia Molecular, Universidade Federal do Rio Grande do Sul, 1988. (Dissertação de mestrado.)

PEDROLLO, E.; HUTZ, M.H.; SALZANO, F.M. Alpha thalassemia frequency in newborn children from Porto Alegre, Brazil. *Rev. Bras. Genét.*, v.13, n.3, p.573-581, 1990.

PESSOA, L.M.; REIS, S.F. Natural selection, morphologic divergence and phenotypic evolution in *Proechimys dimidiatus* (Rodentia: Echimyidae). *Rev. Bras. Genét.*, v.14, p. 705, 1991.

PINHEIRO, C.E.A. *Peso ao nascer na espécie humana: um enfoque multifatorial*. Porto Alegre: Curso de Pós-Graduação em Genética, Universidade Federal do Rio Grande do Sul, 1989. (Dissertação de mestrado.)

PINTO, L.I.B. et al. The frequency of genetic diseases in a high risk ward in a pediatric hospital. *Rev. Bras. Genét.*, v.19, n.1, p. 145-149, 1996.

RAHE, A.J. Table of critical values for the Pratt matched pair signed rank statistic. *J. Amer. Statist. Assoc.*, v.69, p.368-373, 1974.

RICE, W.R. Analyzing tables of statistical tests. *Evolution*, v.43, n.1, p.223-225, 1989.

ROBINSON, W.M. *Associação entre trombose venosa, sistema sangüíneo ABO e parâmetros hemostáticos*. Porto Alegre: Curso de Pós-Graduação em Genética, Universidade Federal do Rio Grande do Sul, 1974. (Dissertação de mestrado.)

ROCHA, G.A.; PENA, S.D.J. A quantitative study of human amniotic fluid fibronectin in the second trimester of pregnancy. *Rev. Bras. Genét.,* v.10, n.1, p.119-125, 1987.

ROMANOWSKY, H.P.; GUS, R.; ARAÚJO, A.M. Studies on the genetics and ecology of *Heliconius erato* (Lepid.; Nymph.). III. Population size, preadult mortality, adult resources and polymorphism in natural populations. *Rev. Bras. Genét.*, v. 45, n.4, p.563-569, 1985.

SALZANO, F.M.; SUNÉ, M.V.; FERLAUTO, M. New studies on the relationships between blood groups and leprosy. *Acta Genet. Stat. Med.*, v.17: 530-544, 1967.

SALZANO,F.M. et al. The Caingang revisited: blood genetics and anthropometry. *Am. J. Phys. Anthropol.*, v.53, p.513-524, 1980.

SCHÄFER, A. et al. Estudo comparativo da variação diária de oxigênio em lagoas do Banhado do Taim, RS. *NIDECO*, Porto Alegre: Instituto de Biociências/Universidade Federal do Rio Grande do Sul, v.4, p.5-38, 1980. (Série Taim.)

SCHERRER, J.F. et al. Susceptibility of *Biomphalaria tenagophila* hybrid descendants to two strains of *Schistosoma mansoni*. *Rev. Bras. Genét.*, v.13, n.3, p.459-476, 1990.

SIEGEL, S. *Nonparametric statistics for the behavioral sciences*. New York: McGraw-Hill, 1956.

SILVA, B.T.F. et al. Protein electrophoretic variability in *Saimiri* and the question of its species status. *Am. J. Primat.*, v.29, p.183-193, 1993.

SNEDECOR, G.W.; COCHRAN, W.G. *Métodos estadísticos*. México: Compañia Editorial Continental, 1971.

SOARES, P.R.B. *O alelo DQB1*03, o DNA do papilomavírus humano e a precocidade da iniciação sexual em relação à menarca, como marcadores na neoplasia intra-epitelial cervical*. Porto Alegre: Curso de Pós-Graduação em Medicina, Pontifícia Universidade Católica do Rio Grande do Sul, 1998. (Tese de doutorado.)

SOKAL,R.R.; ROHLF, F.J. *Biometry*. 2 ed. San Francisco: Freeman, 1981.

SPRENT, P.; SMEETON, N.C. *Applied nonparametric statistical methods*. New York: Chapman e Hall / CRC, 2001.

STEIN, A.C.R. *Estudo comparativo e evolutivo de pacientes diabéticos com diferentes graus de proteinúria*. Porto Alegre: Curso de Pós-Graduação em Medicina: Clínica Médica, UFRGS, 1984. (Dissertação de mestrado.)

SUISSA, S.; SHUSTER, J.J. The 2×2 matched-pairs trial: exact unconditional design and analysis. *Biometrics*, v.47, n.2, p.361-372, 1991.

TESCHE, T.M.; WIDHOLZER, F.L.; BORNE, B. Variações nas dimensões dos ovos de fêmeas de tamanhos distintos de jacaré-de-papo-amarelo *Caiman latirostris* Daudin, 1802. *Anais*, XXI, XXII, XXIII e XXIV Semana Universitária Gaúcha de Debates Biológicos, Sociedade de Biologia do Rio Grande do Sul, 1984. p.38-42.

THOMPSON, J.S.; THOMPSON, M.W. *Genética médica*. 4.ed. Rio de Janeiro: Guanabara, 1988.

TOMAZZI, M.L.; RIGATTO, M.; GOTTSCHALL, C.A.M. Estudo comparativo de reações cardiorrespiratórias em adultos jovens não-treinados e treinados em face de exercício moderado. *Rev. Ass. Med. Brasil*, v.22, p.199-201, 1976.

VALENTE, V.L.S.; RUSZCZYK, A.; SANTOS, R.A. dos. Chromosomal polymorphism in urban *Droso-*

phila willistoni. Rev. Bras. Genét., v.16, n.2, p.307-319, 1993.

VARGAS, V.M.F. *Avaliação de testes de triagem e diagnóstico de agentes genotóxicos ambientais*. Porto Alegre: Curso de Pós-Graduação em Genética, Universidade Federal do Rio Grande do Sul, 1992. (Tese de doutorado.)

VERRASTRO, L.; KRAUSE, L. Ciclo reprodutivo de machos de *Liolaemus occipitalis* Boulenger (Sauria, Tropiduridae). *Rev. Bras. Zool.*, v.16, n.1, p. 227-231, 1999.

VIANA-MORGANTE, A.M. et al. Premature ovarian failure (POF) in Brazilian fragile X carriers. *Genet. Mol. Biol.*, v.22, p.471-474, 1999.

VIEIRA, V.G.; PROLLA, J.C. Clinical evaluation of eosinophils in the sputum. *J. Clin. Pathol,.* v.32, p.1054-1057, 1979.

VITOLA, D. et al. Arritmias primárias em Pediatria. Estudo de 104 pacientes e revisão da literatura. *Arq. Bras. Cardiol.*, v.44, p.243-248, 1985.

WALLENSTEIN, S.; ZUCKER, C.L.; FLEISS, J.L. Some statistical methods useful in circulation research. *Circulation Research*, v.47, n.1, p.1-9, 1980.

WEIDERPASS, E. et al. Epidemiologia do consumo de medicamentos na primeiro trimestre de vida em centro urbano do Sul do Brasil. *Rev. Saúde Públ.*, v32, n. 4, p.335-344, 1998.

WEIMER, T.A. et al. Genetic aspects of *Schistosoma mansoni* infection severity. *Rev. Bras. Genét.*, v.14, n.3, p. 623-639, 1991.

WOOLF, B. On estimating the relationship between blood group and disease. *Ann. Hum. Genet.*, v.19, p.251-253, 1955.

WRIGHT, S. P. Adjusted p-values for simultaneous inference. *Biometrics*, v.48, p.1005-1013, 1992.

WULFF, A. *Características antropométricas: casamentos preferenciais e fertilidade na população de Porto Alegre, Rio Grande do Sul*. Porto Alegre: Curso de Pós -Graduação em Genética, Universidade Federal do Rio Grande do Sul, 1976. (Dissertação de mestrado.)

ZAR, J. *Biostatistical analysis*. 4. ed. Upper Saddle River – NJ: Prentice-Hall, 1999.

Índice

A

Amostra 17
Amostras 144-152
  amostra representativa 144
  cálculo do tamanho da amostra 146-152
    cálculo de n para estimar μ 147-148
    cálculo de n visando comparar dois grupos 149
    cálculo de n visando estimar parâmetros 149
    fórmulas para o cálculo do tamanho amostral 148-149
      amostras de tamanhos diferentes 151-152
      amostras de tamanhos iguais 150-151
  principais procedimentos de amostragem 144-146
    amostragem aleatória estratificada 145
      amostra estratificada 145
    amostragem aleatória por conglomerados 146
    amostragem aleatória simples 144-145
      amostra aleatória simples 144
    amostragem aleatória sistemática 145-146
      amostras sistemáticas 146
Amostras independentes 68
  comparação entre duas variâncias 72-73
    distribuição F 73
      valores críticos para um teste bilateral 225-228
      valores críticos para um teste unilateral 229-232
    Fisher 73
    razão entre as variâncias 73
    teste de homogeneidade de variâncias 73
  etapas do teste de hipóteses que compara duas médias 70-71
    erro padrão da diferença entre médias amostrais 70
    variância comum 71
  grupo experimental 68
  grupo-controle 68
  pressuposições ao uso do teste t para duas amostras independentes 71-72
  significância estatística 76-77
  teste t quando as variâncias diferem 74-76
    problema de Behrens-Fisher 74
Amostras pareadas 78
  amostras pareadas 79
  etapas do teste de hipóteses 80-81
  pareamento 78
  representação da significância estatística de um valor calculado 81-83
    nível crítico amostral; ver *nível descritivo amostral*
    nível descritivo amostral 82
    valor –P; ver *nível descritivo amostral*

Atributos. Ver *Variáveis qualitativas* e *Dados qualitativos*

B

Bernoulli 112
Behrens-Fisher 74
Bioestatística 15
Bonferroni 160-161

C

Chevalier de Meré 111
Conceitos básicos 14-17
Condorcet 112
Correlação linear simples 84-93
  avaliação qualitativa de r quanto à densidade 90-91
  cálculo do coeficiente de correlação em uma amostra 86-87
    soma de quadrados 87
    soma dos produtos 87
  coeficiente de correlação produto-momento (r) 85-86
    coeficiente de correlação de Pearson 85
  coeficiente de determinação 91-92
  diagrama de dispersão 84-85
    diagrama de dispersão 84
    diagrama de pontos 84
  requisitos ao estudo da correlação 92-93
    homocedasticidade 92
  teste de hipóteses sobre a correlação 88-89
    etapas do teste 89

raciocínio do teste 88
  transformação de Fisher para r 88
  variação no coeficiente de correlação 85-86

D

Dados 15
Dados categóricos. Ver D*ados qualitativos*
Dados qualitativos 106-110
  gráficos 108-110
    cartogramas 109-110
    diagrama de setores 109
    diagramas de colunas e barras 108-109
      diagrama de barras 109
      diagrama de colunas 108
  tabelas de contingência; ver *tabelas de duas entradas*
  tabelas de duas entradas 106-108
  tabelas simples de freqüências 106
    tabelas de entrada simples 106
    tabelas de entrada única; ver *tabelas de entrada simples*
Dados quantitativos 19-25
  distribuições de freqüências (gráficos) 22-24
    diagrama de bastões 23-24
    gráfico de bastões; ver *diagrama de bastões*
    histograma 22-23
    ogiva 23
  distribuições de freqüências (tabelas) 20-22
    tabela de grupamento por intervalo de classe 21-22
      intervalo aberto à direita 21
    tabela de grupamento simples 20-21
      freqüência absoluta simples 20
      freqüência acumulada relativa 21
      freqüência relativa simples 20
      freqüências acumuladas 20
      percentil 21
      quartis 21
  freqüência relativa e probabilidade 24-25
Distribuição amostral das médias 47-53
  distribuição amostral de médias (DAM) 47-49
    amostragem com reposição 48
    características da distribuição normal de médias 49
    erro padrão da média 49
    teorema do limite central 48
  significância estatística de um desvio 49-52
    decisão sobre a significância de um desvio entre $\bar{x}$ e μ 50-51
    método abreviado 51
    desvio significativo 49
    intervalo de desvios não-significativos 50
    nível de significância; ver *região de significância*
    região de não-significância 50
    região de significância 50
  valores críticos mais usados de z 52
Distribuição binomial 119-128
  cálculo de probabilidades com uso da distribuição binomial 119-121

combinações 120
comparação entre as proporções de duas amostras independentes 127-128
distribuição amostral de proporções 121-123
proporção 121
estimação da proporção 125-127
  intervalo de confiança para a proporção 125
falha; ver *fracasso*
fracasso 119
sucesso 119
tabela de probabilidades 233-234
teste para uma proporção 124-125
Distribuição H de Kruskal-Wallis 241-242
  valores críticos 241-242
Distribuição normal ou de Gauss 38-46
  amplitude do intervalo de classe 38
  curva de Gauss; ver *curva normal*
  curva normal 39-46
  valores de z e áreas entre a média e z 223
    características da curva normal; ver *propriedades da curva normal*
    curva normal padronizada 41-42
    curva normal reduzida; ver *curva normal padronizada*
    parâmetros da curva normal 42
    propriedades da curva normal 40-41
    transformação de variáveis 42-46
      aplicações práticas 46
      interpretação de z 45-46
      transformação de uma variável x em z 43-44
    utilidades da curva normal 39
      Galton 39
      Laplace 39
      Moivre 39
Distribuição Q 243
  valores críticos 243
Distribuição q 236-237
  valores críticos 236-237
Distribuição qui-quadrado 129-143
  análise de resíduos em tabelas L x C 139-140
    resíduo ajustado 139
    resíduo padronizado 139
  condições para o uso do x^2 140-141
    em tabelas de contingência 141
    em testes de ajustamento 140
  correção para continuidade de Yates 141-142
  distribuição x^2 131-133
  estatística x^2 de Pearson 129-131
  fórmula alternativa para o cálculo do x^2 em tabelas 2x2 142-143
    tabelas 2x2 142
  Pearson 129
  teste de ajustamento; ver *teste x^2 de aderência*
  teste de heterogeneidade entre proporções 133-137
    casela 135
    etapas do teste 135-137
  teste de independência; ver *teste x^2 de associação*
  teste x^2 de aderência 133
  teste x^2 de associação 137

casela 138
teste x^2 de heterogeneidade entre populações 129
valores críticos 235
Distribuição t 62-67
   erro padrão estimado 62
   estimação da média quando se desconhece σ 65-67
      estimação por intervalo 65-66
         erro de estimação 66
         intervalo de confiança 66
      estimação por ponto 65
   Fisher 63
   Gosset 62
   graus de liberdade 63
   Pearson 62
   Student 62
   teste de hipóteses para uma média, desconhecendo-se σ 64
   valores críticos da distribuição t de Student 224
Distribuição T de Wilcoxon 239-240
   valores críticos 239-240
Distribuição U de Mann-Whitney 238
   valores críticos para testes unilaterais e bilaterais 238
Dunn 183
Dunnett 161

E

Estatística 14, 17
Estatística descritiva 15
Estatística inferencial 15, 54

F

Fermat 14, 111
Fisher 14, 63 73, 88, 154-155, 178-181
Friedman 181

G

Galton 14, 39, 94
Gauss 38-46,
Gosset 14, 62

H

Huygens 14, 112

I

Irwin 178

K

Keuls 159-160
Kruskal-Wallis 157, 241-242

L

Laplace 39, 112

M

Mann 166-167
McNemar 176-178
Medidas de dispersão 33-37
   amplitude de variação 33
   amplitude entre quartis 37
      quartil 37
   coeficiente de variação 36-37
   desvio entre quartis; ver *amplitude entre quartis*
   desvio padrão 35-36
   distância interquartílica; ver *amplitude entre quartis*
   variância 33-35
      graus de liberdade 34
      soma dos quadrados 34
Medidas de locação. Ver *Medidas de tendência central*
Medidas de posição. Ver *Medidas de tendência central*
Medidas de tendência central 26-32
   média aritmética 26-28
      cálculo da média (grupamento simples) 27-28
      cálculo da média (intervalo de classe) 28
         ponto médio do intervalo de classe 28
      esperança matemática 26
      valor esperado 26
   mediana 28-30
   moda 30-32
      distribuição bimodal 30
      distribuição polimodal 30
      intervalo modal 30
Medidas de variabilidade. Ver *Medidas de dispersão*
Moivre 39

N

Newman 159-160
Números aleatórios 246

P

Parâmetro 17
Pascal 14, 111
Pearson 14, 62 85, 129-131, 153
População 17

Q

Quetelet 14

R

Regressão linear simples 94-105
    análise de resíduos 103-105
        observação atípica (outlier) 104
        resíduos 103
    Galton 94
    gráfico de dispersão 94-95
    requisitos ao uso da regressão linear 102
        homocedasticidade 102
    reta de regressão linear 95-96
        ajustamento da reta estimada aos pontos experimentais 99
        equação da reta 95-96
        obtenção da reta de regressão 97
            método dos mínimos quadrados 98
        pontos experimentais 96-97
            equação de regressão 97
            homocedasticidade 97
    teste de significância da regressão 100-102
        etapas do teste 101-102
        raciocínio do teste 100
    utilidades da reta de regressão 102
    variável dependente 94
    variável explicativa 94
    variável independente 94
    variável preditiva; ver *variável explicativa*
    variável resposta; ver *variável dependente*

S

Scheffé 161
Spearman 173-176
Student 62

T

Testes de distribuição livre. Ver *Testes não-paramétricos*
Testes de hipóteses 54-61
    erro do tipo I e do tipo II 59-61
        erro do tipo I 59
        erro do tipo II 59
        poder do teste 59
    estatística inferencial 54
    hipóteses 54
    hipóteses estatísticas 55
        tipos de hipóteses estatísticas 55
            hipótese alternativa 55
            hipótese nula 55
        verificação das hipóteses 55
    teste de hipóteses 55-57
    etapas do teste para uma média, conhecendo-se σ 57
    raciocínio do teste 56
    testes unilaterais 57-59
Testes não-paramétricos 165-184
    análise de variância não-paramétrica 181-184
        comparações múltiplas não-paramétricas entre grupos 183-184
        teste de Dunn 183
        teste de Friedman 181
    coeficiente de correlação para postos de Spearman 173-176
        procedimentos para obtenção do coeficiente de Spearman 174-175
        teste de significância de r_S 175-176
        valores críticos 244-245
    teste de Kruskal-Wallis; ver *análise de variância não-paramétrica*
    teste de McNemar 176-178
        amostras pareadas 176
    teste exato de Fisher 178-181
        Fisher 178
        Irwin 178
        Yates 178
        procedimentos para a obtenção da probabilidade exata 179-181
    teste t de Wilcoxon 170-173
        escala de intervalo 170
        procedimentos para o emprego do teste 171-173
            para amostras com n até 100 171-172
            Rahe 171
            para amostras grandes 172-173
        Wilcoxon 170
    teste u de Wilcoxon-Mann-Whitney (WMW) 166-167
        Mann 166
        postos 167
        procedimento para amostras grandes 168-170
        procedimento para amostras pequenas 168
            empates 168
        procedimentos para o emprego do teste 167
        Whitney 166
        Wilcoxon 166
    vantagens e desvantagens 165-166
Tukey 158-159

U

Unidade experimental 15
Unidade observação 15
Universo. Ver *População*

V

Variância 153-164
    análise da variância 154-155
        análise da variância com um critério de classificação 154

delineamento completamente casualizado; *ver análise da variância com um critério de classificação*
Fisher 154, 155
homocedasticidade 154
variância dentro 154
variância do erro experimental; ver *variância dentro*
variância entre 154
variância residual; ver *variância dentro*
análise da variância com dois critérios de classificação 162-164
    blocos 162
    delineamento em blocos casualizados 162
análise da variância com um critério de classificação 155-157
    quadrado médio 156
    taxa de erro do experimento 157
    variância das médias 155
ANOVA; ver *análise da variância*
apresentação dos resultados 161-162
comparações múltiplas entre médias 157-158
    correção de Bonferroni 160-161
    teste de Dunnett 161
    teste de Scheffé 161
    teste de Student-Newman-Keuls (SNK) 159-160
    teste de Tukey 158-159
condições para o uso da análise da variância 157
    Kruskal-Wallis 157
Pearson 153
Variáveis categóricas. Ver *Variáveis qualitativas*
Variáveis qualitativas 16, 111-118
    nível nominal 16
    nível ordinal 16
    probabilidade 111-118
        história 111-112
            Bernoulli 112
            Chevalier de Meré 111
            Condorcet 112
            Fermat 111
            Huygens 112
            Laplace 112
            lei dos grandes números 112
            Pascal 111
    noções de probabilidade para variáveis categóricas 112-114
        distribuição de probabilidades 113
        ensaio aleatório; ver *ensaio probabilístico*
        ensaio probabilístico 113
        evento 113
        probabilidade 113
    operações com probabilidade 115
        regra da multiplicação 115
            eventos independentes 115
        regra da soma 115
            eventos mutuamente excludentes 115
    probabilidade condicional 115-116
    propriedades das probabilidades 114
    risco relativo e razão de chances 116-118
        caso-controle; ver *estudo retrospectivo*
        estudo retrospectivo 117
        intervalo de confiança para a RC 118
        odds ratio; ver *razão de chances*
        razão de chances 117
        risco relativo 116
        Woolf 118

Variáveis quantitativas contínuas 16
Variáveis quantitativas discretas 16
Variável 15

Y

Yates 141-142, 178

W

Whitney 166-167
Wilcoxon 166-167, 170-173, 239-240
Woolf 118